A Bíblia em Uma História para cada Dia do Ano

Da Criação à Ressurreição

SBN
EDITORA

Apresentação

"Ensina a criança no caminho em que deve andar, e, ainda quando for velho, não se desviará dele."
Provérbios 22:6

Filhos são bênçãos do Senhor. É uma grande responsabilidade educá-los para a vida. Diante dos desafios da sociedade na qual vivemos, onde há grande necessidade de ensinar valores que formem o caráter, os pais encontram na Palavra de Deus o guia perfeito para orientar suas crianças. E foi para tornar essa nobre tarefa mais fácil e divertida que elaboramos "A Bíblia Em Uma História Para Cada Dia do Ano".

Esta é uma obra desenvolvida com dedicação, carinho e belas ilustrações, visando despertar nos pequeninos o prazer de conhecer as histórias do povo de Deus e de aprender a Lei do Senhor.

Dia após dia, durante todo o ano, pais e filhos estarão em comunhão com Deus de uma forma muito especial. Que a leitura de cada história seja um momento único, em que as preciosas lições moldarão os valores eternos de seus filhos.

Esse é o desejo da editora SBN.
Que Deus os abençoe.

A Criação dos Céus e da Terra

Gênesis 1

JANEIRO - DIA 1º

No princípio, havia somente trevas. E Deus disse: "Haja luz!", e assim aconteceu. Deus fez a separação entre a luz e as trevas. Chamou a luz de Dia e as trevas de Noite. Porém, a Terra era sem forma e vazia. Deus, então, começou a criar as coisas.

Ele fez a separação entre as águas que estavam debaixo do céu e as águas que estavam acima do céu. Deus ordenou que os rios e os oceanos tivessem o seu curso apropriado. Ele criou várias plantas e ervas que produzissem sementes de diversas espécies e árvores sem igual, que crescessem sobre a terra, originando belos e variados frutos.

Deus criou também os astros no céu; o Sol para governar o dia e a lua e as estrelas para iluminarem a noite. Depois de fazer tudo isso, viu que era bom. Deus resolveu, então, criar os seres viventes.

Primeiro, Ele criou todos os tipos de peixes e animais marinhos, enchendo abundantemente lagos, rios e oceanos; em seguida, fez todo tipo de aves para voarem nos céus. Criou-os cada um conforme a sua espécie para que povoassem e se multiplicassem sobre a Terra; criou o gado, os répteis, as feras da terra e animais de todos os tamanhos e espécies; e foi assim que tudo aconteceu. O Criador, após ter feito todas essas coisas, ficou muito contente. Olhou tudo quanto tinha feito e disse, satisfeito: "Isso é muito bom!"

A Criação do Homem e da Mulher

Gênesis 1 – 2

JANEIRO - DIA 2

Mas Deus queria completar a obra da criação, fazendo mais uma criatura vivente. Um ser especial, formado à imagem e à semelhança do seu Criador.

Cuidadosamente, Ele formou o homem do pó da terra e deu-lhe vida. Chamou-o de Adão e o pôs num belo jardim repleto de árvores, riachos, animais e plantas belíssimas. Deus chamou esse lugar de Jardim do Éden. Ele colocou Adão ali para lavrar e cuidar do jardim, e também para que desse nome a todos os seres viventes. E logo Adão deu os nomes a todo o gado, e às aves dos céus, e a todo animal do campo e peixes das águas.

Deus tinha feito muitas árvores de diversos tipos; muitas possuíam frutos. Porém, disse a Adão para não comer da árvore do conhecimento do bem e do mal.

Deus avisou: "Adão, se você comer a fruta daquela árvore, você vai morrer."

Tudo era belo e perfeito, havia animais, plantas, árvores, rios, mas o Senhor percebeu que faltava uma companhia para Adão. Deus sabia de todas as necessidades da sua criação. Foi então que Ele fez Adão dormir profundamente.

Enquanto Adão dormia, Deus tirou uma de suas costelas e, a partir dela, fez a mulher, Eva. Agora Adão não mais ficaria sozinho: teria Eva como sua companheira. Os dois passeavam alegremente pelo imenso jardim, conversavam com Deus e cuidavam de tudo ali. Eles eram felizes e viviam num lugar maravilhoso, criado pelo amoroso Senhor Deus.

A Tentação

Gênesis 3

JANEIRO - DIA 3

Lá, no paraíso, a cobra era uma das criaturas feitas por Deus. Ela era muito esperta. E Satanás, inimigo de Deus, veio até o Jardim do Éden na forma de uma cobra para destruir a paz e a harmonia que o Senhor tinha criado.

Um dia, a cobra perguntou a Eva: "Deus disse que vocês poderiam comer de todas as frutas das árvores que estão plantadas no Jardim, não foi?"

"Bem...", respondeu Eva, "podemos comer de quase todas as árvores, menos da árvore do conhecimento do bem e do mal. Se comermos daquela árvore, Deus disse que iríamos morrer."

Mas a cobra afirmou que isso não era verdade e explicou: "Caso vocês comam daquela fruta, serão como Deus; saberão a respeito do bem e do mal."

Eva, então, olhou meio desconfiada para aquela bela e tentadora fruta e pensou que apenas um pedacinho a tornaria muito sábia. Logo em seguida, comeu um pedaço da fruta e deu um pouco a Adão para ele se tornar sábio também. No entanto, nada do que a cobra tinha dito se tornou realidade. Adão e Eva sentiram-se culpados por terem feito algo errado. Os dois tinham desobedecido ao Criador.

Mais tarde, quando o dia estava terminando, Deus foi procurá-los no Jardim. Chamou-os, mas eles não apareceram. Os dois foram se esconder entre as árvores, pois notaram que estavam nus. Pegaram algumas folhas e cobriram a sua nudez.

Mas Deus continuou a procurar e a chamar: "Adão, onde você está?"

Então, bem devagar, Adão e Eva saíram do lugar onde estavam escondidos. "Estávamos com medo, porque sabemos que fizemos algo muito errado; comemos um pouco da fruta da única árvore que foi proibida, Senhor!"

O Resultado da Desobediência

Gênesis 3

JANEIRO - DIA 4

Deus ficou bastante desapontado e triste com os dois. Ele sabia que Adão e Eva tinham desobedecido.

Adão disse a Deus que a culpa era toda de Eva, a companheira que Ele Lhe tinha dado. "Foi Eva quem me deu a fruta daquela árvore e, então, comi.", disse, tentando arranjar uma desculpa.

Mas Eva também não quis assumir a responsabilidade: "Foi a cobra quem me enganou, e eu comi."

Por causa da desobediência a Deus, agora eles não poderiam mais viver no maravilhoso Jardim do Éden. Daquele momento em diante, os dois sairiam de lá. Teriam que plantar e trabalhar duramente se quisessem ter alimento.

Foi essa desobediência que fez com que a terra produzisse, daquele momento em diante, ervas daninhas e espinhos. Eles teriam que se esforçar muito, e os dias seriam cansativos. E, como Deus tinha dito, um dia morreriam.

Deus expulsou-os do Jardim e colocou lá anjos e uma espada de fogo que dava voltas em todas as direções. Deus fez isso para que ninguém chegasse perto da árvore da vida.

O Nascimento de Caim e Abel

Gênesis 4

JANEIRO - DIA 5

Depois de saírem do Jardim do Éden, Adão e Eva tiveram o seu primeiro filho. O nome do menino era Caim. Não muito tempo depois, Eva engravidou novamente e teve outro menino, Abel.

Os dois se tornaram adultos, mas um era bem diferente do outro. Abel virou pastor de ovelhas. Ele confiava em Deus, amava-O e O respeitava. Caim se tornou um lavrador da terra. Não tinha um coração muito bondoso.

Os dois decidiram dar um presente a Deus. Caim levou algo que tinha cultivado em suas terras, porém Deus conhecia o seu coração. Ele era bastante orgulhoso e até teimoso.

Abel, seu irmão, levou uma de suas ovelhas para dar a Deus. Deus também conhecia o seu coração. Deus, feliz, aceitou o presente de Abel; entretanto, não aceitou o presente de Caim, pois percebeu que não era dado com amor. Caim ficou furioso com Deus e até seu rosto demonstrou isso.

Deus perguntou a ele: "Caim, por que você está tão zangado? Se você fizer somente o que é certo, você será feliz e Eu receberei suas ofertas!"

Caim não quis obedecer a Deus. Tinha ciúmes e inveja de seu irmão, Abel. Havia muita raiva em seu coração.

Caim Mata Abel

Gênesis 4

JANEIRO - DIA 6

Caim sabia que Abel tinha agradado a Deus com seu presente e, por isso, ficou revoltado. Em seu coração, só havia lugar para o ódio. Um ódio que crescia a cada dia contra o seu irmão.

Deus quer muito que irmãos se deem bem e, com certeza, essa era a vontade também de Abel. No entanto, no coração de Caim não havia lugar para o amor. Certa vez, Caim convidou seu irmão para ir ao campo com ele e, quando teve uma boa oportunidade, sem pensar muito, matou-o.

Caim deixou o corpo do irmão nos campos e foi embora. Mas Deus sabia de tudo e perguntou: "Caim, onde está o seu irmão?"

"Não sei! Por quê? Preciso agora ficar cuidando dele todo instante?", respondeu Caim.

Mas Deus sabia que Caim tinha matado Abel e, por isso, queria explicações. "A voz do sangue de Abel clama por Minha justiça! Por causa desse ato terrível, você será amaldiçoado," Deus disse: "Saia imediatamente desta terra; a partir de hoje nada do que você plantar crescerá; você vai viver perambulando pelo mundo."

Infelizmente, Caim tinha desobedecido a Deus, assim como a seus pais. Ele optou por um caminho errado que nunca o faria feliz.

Deus Anuncia o Dilúvio a Noé

Gênesis 6

JANEIRO - DIA 7

Muitos anos se passaram depois do acontecido com os dois irmãos. E aconteceu que a maldade continuou a se espalhar, e vários homens e mulheres escolheram desobedecer a Deus. As pessoas viviam longe Dele, faziam o que queriam, e em seus corações morava a maldade. Deus tentou, de diversas maneiras, falar com o povo, mas ninguém O escutava. A Terra estava corrompida, cheia de maldade.

Havia apenas um homem que temia a Deus. Este homem chamava-se Noé. Certo dia, Deus disse a Noé o que fazer: "Não posso salvar o mundo, porque nele há muita maldade e corrupção. Vou enviar um grande dilúvio em que todos serão destruídos. Você vai fazer uma arca gigantesca e será salvo junto com a sua família."

Noé obedeceu a Deus e fez tudo de acordo com as instruções do Senhor. A arca seria grande o suficiente para abrigar Noé, sua esposa, seus três filhos e suas noras. Noé também faria divisões dentro dela para colocar dois animais de cada espécie criada por Deus.

Noé fez tudo conforme Deus havia pedido.

Noé Constrói a Arca

Gênesis 7

JANEIRO - DIA 8

Noé e sua família logo colocaram mãos à obra. Foram fazendo tudo segundo as instruções de Deus. Noé pegou madeira boa, fez compartimentos, jaulas e gaiolas para colocar os animais.

As pessoas que passavam e viam a construção riam, zombavam e faziam piadas sobre a arca, sobre Noé e sua família. Noé pedia às pessoas que obedecessem a Deus, que parassem de fazer coisas más. Mas elas não davam ouvidos; continuavam no seu tipo de vida errada.

Ele levou quase cem anos para terminar a construção da arca. Quando ficou pronta, começou a reunir os animais: um macho e uma fêmea de cada espécie. Deus queria salvar esses animais do dilúvio e, por isso, pediu a Noé e sua família que fossem colocando todos eles dentro da arca.

Noé colocou comida suficiente dentro da arca, pois teriam de se alimentar por muitos dias. Deus, então, disse: "Vamos, Noé, está na hora de todos vocês entrarem na arca." E, depois de sete dias, a chuva começou a cair fortemente. Chovia dia e noite, sem parar. As águas começaram a inundar tudo sobre a face da Terra.

Muito tempo se passou e, com a enorme quantidade de água, somente a arca de Noé manteve-se a salvo do dilúvio.

As Águas do Dilúvio Abaixam

Gênesis 8

JANEIRO - DIA 9

As águas do dilúvio permaneceram por cento e cinquenta dias sobre a Terra. Só depois é que, lentamente, foram abaixando. Dia após dia, abaixavam até que, de repente, a grande arca parou sobre as montanhas do Ararate. Ainda assim, Noé, sua família e os animais não podiam desembarcar.

Eles tiveram que esperar mais seis semanas, até que finalmente Noé abriu a janela da arca e soltou um corvo, que saiu e voltou. Depois, soltou uma pomba para ver se ela encontraria terra seca. A pomba voou, voou, mas depois de um tempo voltou para a arca, porque não encontrara onde pousar.

Noé esperou, então, mais sete dias e resolveu soltar mais uma vez a pomba. Ela saiu em disparada, voando pelos céus, e foi para longe do alcance da vista.

Mais tarde ela voltou, trazendo em seu bico uma folha de oliveira. E, quando Noé soltou a pomba mais uma vez, após uma semana, ela não retornou mais para a arca. Isso foi um bom sinal. Assim, eles souberam que a terra estava seca o suficiente para que pudessem desembarcar e voltar a viver normalmente.

Então, Deus disse a Noé: "Saia da arca com a sua família e todos os animais! Não há mais dilúvio!".

Pacto de Deus com Noé

Gênesis 9

JANEIRO - DIA 10

Todos estavam felizes por poder sair da arca. Os animais e pássaros podiam agora sair e procurar um novo lar, construir ninhos, comer relva fresquinha, enfim, viver em sossego e povoar a Terra.

Noé, sua família e os bichos ficaram quase nove meses morando dentro da arca. Em terra, Noé e sua família construíram um altar para oferecer sacrifícios a Deus e mostrar sua gratidão a Ele por tê-los salvo do dilúvio.

Deus os abençoou e disse a Noé e a seus filhos Sem, Cão e Jafé: "Povoem a Terra e tenham muitos filhos."

Deus, então, fez um pacto com Noé, dizendo: "Nunca mais haverá dilúvio para destruir a Terra e os seres viventes. Este arco-íris será o sinal do pacto entre mim e todos os que vivem sobre a Terra." E disse mais: "Quando aparecerem nuvens carregadas de chuva sobre a Terra, logo aparecerá um arco-íris que Me fará lembrar o meu pacto. Por isso, vocês não precisam ter medo. O belo e colorido arco-íris estará nas nuvens, e Eu o verei e me lembrarei da minha promessa."

Como Deus é poderoso!

A Confusão das Línguas

Gênesis 11

JANEIRO - DIA 11

Noé e seus filhos obedeceram ao mandamento de Deus e tiveram muitos filhos e filhas. Algum tempo depois, a Terra já estava povoada novamente.

Alguns desses descendentes eram prudentes e obedeciam a Deus, mas outros resolveram construir uma cidade que tinha uma enorme torre. Eles queriam que a torre tocasse os céus.

Deus se entristeceu, pois não gostou nada do plano daquelas pessoas. Elas queriam seguir suas próprias ideias e não estavam dispostas a obedecer-Lhe. Todos que estavam ali, construindo a torre, falavam a mesma língua.

E o Senhor disse: "As pessoas falam um só idioma, planejam uma só coisa, e vejam o que elas estão fazendo!"

Deus resolveu, então, confundir as línguas. Assim ninguém mais poderia se entender. Houve, por causa da dificuldade de comunicação, uma enorme confusão por ali. Com isso, foram forçados a parar de construir a imensa torre e a cidade.

Grupos pequenos de pessoas que falavam a mesma língua se uniram e foram morar em lugares distantes, deixando abandonadas a torre e a cidade. Esse lugar se chamou Babel, porque Deus misturou todas as línguas para que as pessoas não se entendessem mais.

O único caminho que nos leva ao céu é o caminho do amor a Deus e a todas as pessoas!

Deus Chama Abrão

Gênesis 12

JANEIRO - DIA 12

Havia um homem chamado Abrão que morava em uma cidade com sua família e seus parentes. Ele era descendente de Noé. Abrão amava muito a Deus. Enquanto muitos vizinhos adoravam outros deuses, ele continuava firme em sua fé no Deus verdadeiro.

Certo dia, Deus falou com ele: "Abrão, pegue a sua mulher, seu sobrinho Ló e os seus bens e saia dessa terra. Vou levar vocês para uma nova terra. O nome do lugar é Canaã. Eu vou abençoar e dar essa nova terra a você, e ela será sua, de sua família e de seus descendentes para sempre."

E, como o Senhor Deus havia ordenado, assim Abrão fez em total confiança e obediência a Deus. Muitos perigos e dificuldades surgiriam durante a viagem. Muitas coisas eles teriam que deixar para trás, já que o caminho era longo. Mesmo assim, Abrão confiou em Deus, pegou seus pertences, empregados, carregou mulas e camelos e partiu em direção a Canaã.

Abrão Deixa Ló Escolher a Terra

Gênesis 13

JANEIRO - DIA 13

Abrão, sua esposa Sarai, Ló e todos os seus vários empregados viajaram muito até chegar à terra de Canaã. Abrão e Ló tinham muitas posses; tinham muitos bois e vacas, ovelhas, camelos, jumentos. Tinham também empregados para cuidar de tudo.

Mas, ao chegarem à Terra Prometida, seus animais começaram a comer os pastos. Perceberam que não haveria pastagem suficiente para todo o gado. Abrão e Ló tinham tanto gado que logo os empregados começaram a brigar entre si por causa dos poços de água, para ver quem daria água aos animais de seus donos.

Certo dia, Abrão disse a Ló: "Veja, este é um país bem grande. Que tal se nos separarmos? Será melhor se você e eu tivermos áreas separadas. Assim teremos água e terras suficientes para cada um. Afinal, somos como irmãos."

Deus havia prometido a terra de Canaã a Abrão. No entanto, Abrão deu a Ló a oportunidade de escolher a terra que quisesse. Foi um ato nobre e generoso! Ló, então, pôde se decidir.

Porém, o coração de Ló não tinha tanta bondade quanto o de Abrão. Ele escolheu a melhor terra, perto do Rio Jordão, pois era bem regada e muito bonita.

Os dois se despediram. Ló partiu para o oriente, e Abrão para o lado oposto. Abrão poderia ter brigado com Ló pelas terras, mas, no fundo, ele tinha certeza de que a promessa de Deus não falharia.

Abrão, assim, habitou a terra de Canaã, a Terra Prometida. Ló habitou as cidades da campina até Sodoma. Abrão era grato a Deus e O louvava de coração.

A Guerra e a Promessa de Deus

Gênesis 14 - 15

JANEIRO - DIA 14

Logo depois que Ló se estabeleceu nas campinas, perto do Rio Jordão até a cidade de Sodoma, começou uma guerra. Ló e outras pessoas foram levadas como prisioneiras. Mas alguém escapou e foi correndo contar a Abrão. Este, mais que depressa, saiu para resgatar o seu sobrinho. Abrão e seus homens perseguiram os inimigos e os venceram. E conseguiram trazer Ló a salvo. Seus bens e seu povo também foram trazidos de volta para casa.

Os reis de Sodoma agradeceram a Abrão por trazer Ló de volta e ofereceram pão, vinho e riquezas. Havia, porém, algo muito mais importante para Abrão e Sarai. Eles queriam ter filhos, mas Abrão tinha medo de que os dois já fossem muito velhos para isso.

Deus, então, apareceu em uma visão a Abrão, dizendo: "Veja as inúmeras estrelas no céu. Eu prometo a você que um dia você terá tantos filhos e descendentes quanto essas estrelas que não se podem contar. Aos seus descendentes darei esta terra."

Mesmo sabendo que seria quase impossível ter filhos naquela idade, Abrão confiava na promessa de Deus. Em breve, ele e Sarai teriam um filho.

Quem confia em Deus nunca perde as esperanças!

Agar, a Serva Egípcia

Gênesis 16

JANEIRO - DIA 15

Muito tempo se passou, e Sarai não conseguia ter filhos; apesar da promessa de Deus ter sido feita, ela ainda não havia engravidado. Com isso, ficou confusa e começou a duvidar daquela promessa. Ela tinha uma empregada egípcia chamada Agar.

Naquela época, era comum uma mulher que não pudesse ter filhos dar a empregada como segunda esposa. Se a empregada tivesse um filho com o patrão, ele seria o seu herdeiro legítimo. Agar engravidou.

Abrão continuava tendo Sarai como esposa. Ele amava muito as duas esposas e ao filho também. Sarai maltratava muito Agar, pois tinha ciúmes de Abrão e de seu filho.

Agar teve que fugir. O anjo do Senhor a encontrou e disse: "Volte já para a sua patroa. Deus vai proteger você". Agar fez exatamente como Deus disse. Deu à luz um filho e chamou-o Ismael.

O Nome de Abrão e Sarai, e a Visita de Três Homens

Gênesis 17 - 18

JANEIRO - DIA 16

Depois do nascimento de Ismael, Deus voltou a falar com Abrão. Lembrou a ele a promessa que havia feito: "Eu abençoarei o seu filho." Mas Abrão pensou que o Senhor estivesse falando de Ismael. Então, novamente Deus lhe afirmou que Sarai teria um filho dele e que o seu nome seria Isaque.

Quando Abrão tinha noventa e nove anos de idade, Deus disse assim: "Sou o Deus Todo-Poderoso. Você será o pai de muitas nações. Por isso o seu nome será, de agora em diante, Abraão. Dos seus descendentes sairão reis e muitas nações, e todos terão a minha bênção por causa de você."

Deus continuou conversando com ele: "Mudarei o nome de Sarai para Sara, já que ela vai lhe dar um filho. Também a abençoarei grandiosamente, pois ela será mãe de nações e reis."

Certo dia, quando Abraão estava sentado tranquilamente à porta de sua tenda, viu três homens vindo em sua direção. Saiu correndo ao encontro deles para que se sentissem bem-vindos e logo os convidou para jantar.

Abraão mandou que seus empregados trouxessem água para que lavassem os pés. Disse também a Sara: "Faça alguns bolos, temos visitas!" E continuou dando ordens aos empregados para que preparassem uma deliciosa vitela para os viajantes.

Eles disseram a Abraão: "No próximo ano, nesta época, Sara terá um filho seu." Abraão ficou surpreso. Como eles poderiam ter tanta certeza assim? E Sara também ouviu a conversa deles. Pensou logo que estavam fazendo piadas com Abraão e começou a rir. "Por que Sara está rindo?", perguntou um dos homens. "Para Deus não há nada impossível, nada mesmo!"

Deus tinha anunciado, por meio daqueles homens, que a sua promessa muito em breve se tornaria realidade. Abraão compreendeu a grandeza de Deus e o que iria acontecer. O próprio Senhor Deus havia falado com ele por meio daqueles viajantes.

Ló é Avisado

Gênesis 18-19

JANEIRO - DIA 17

Levantaram-se aqueles homens dali e foram embora. Abraão, porém, acompanhou-os até a cidade de Sodoma.

Deus queria revelar o seu plano a Abraão: "As pessoas que vivem em Sodoma e Gomorra são muito más e têm pecado muito", disse Deus. "Elas estão totalmente longe da Minha presença, fazendo tudo o que é errado, e, por isso, vou destruir essas cidades".

Abraão, entretanto, sabia que Ló e seus familiares viviam em Sodoma. Assim, ele pediu a Deus que poupasse a vida de Ló e de sua família.

Deus, em Seu infinito amor e justiça, enviou dois anjos para avisar Ló do que aconteceria. Ló estava sentado à porta de Sodoma, e prontamente os anjos contaram a ele o que Deus estava planejando. Ló deveria partir imediatamente com sua família.

A mulher de Ló e suas duas filhas estavam demorando a sair. Por isso, os anjos pegaram Ló, sua mulher e as duas filhas pela mão, e se apressaram em sair da cidade. "Corram, salvem as suas vidas e não olhem para trás.", disseram os anjos em alta voz.

Ló e sua família correram apressadamente, em direção às campinas, mantendo seus olhos fixos sempre para frente. Mas, infelizmente, a mulher de Ló desobedeceu e olhou para trás, para Sodoma. Imediatamente, ela se transformou em uma estátua de sal.

A Destruição de Sodoma e Gomorra

Gênesis 19

JANEIRO - DIA 18

Enquanto Ló e suas filhas corriam em fuga desesperada, o céu começou a escurecer. O Sol se pôs, quando Ló entrou em Zoar. O fogo impiedoso tomou conta de Sodoma e Gomorra. O céu parecia ter se transformado em chamas. Era uma verdadeira tragédia!

Ló, felizmente, estava a salvo. Estava também muito grato a Deus e contente por ter obedecido a Ele depois do aviso dos anjos. Ele e suas duas filhas foram de Zoar para os montes e moraram juntos numa caverna segura.

Abraão levantou-se de madrugada e viu toda a fumaça e o fogo sobre Sodoma e Gomorra. Com o olhar triste, refletia sobre o destino daquele lugar. Sabia perfeitamente o porquê daquilo tudo.

O Nascimento de Isaque

Gênesis 21

JANEIRO - DIA 19

Abraão seria pai de um filho com Sara e, mais tarde, teria netos e bisnetos que seriam conhecidos como judeus. Eles morariam na Terra Prometida, chamada Israel. E, como Deus havia prometido, Sara deu à luz seu filho. Abraão deu o nome de Isaque ao menino, assim como o Senhor tinha determinado.

O nome Isaque significa "riso", e Deus quis que ele tivesse esse nome porque Sara riu ao saber que teria um filho na velhice. Com a chegada do bebê, houve também muita alegria e risos na casa de Abraão. Sara amava muito seu filho e como mãe o protegia bastante.

Certo dia, porém, Ismael, meio-irmão de Isaque, zombou dele, e Sara não gostou nem um pouco. Na verdade, ficou muito zangada e foi falar com Abraão, seu esposo: "Quero que você mande Agar e Ismael embora daqui. Ismael não será seu herdeiro como Isaque." Mas Abraão não gostou muito desse pedido, já que Ismael também era seu filho. Ele o amava e não queria mandá-lo embora.

Deus disse a Abraão: "Não te preocupes com Ismael. Eu cuidarei dele e de sua mãe. Do filho dessa serva farei uma grande nação, pois é teu filho também." Com isso, Abraão se tranquilizou e fez a vontade de Sara. A confiança em Deus traz muita tranquilidade e segurança!

A Despedida de Agar e Ismael e o Plano de Deus

Gênesis 21

JANEIRO - DIA 20

Abraão se levantou bem cedo, pegou pão e água e deu a Agar e despediu-a. Agar e seu filho Ismael puseram-se, então, a caminho para retirarem-se daquele lugar.

Aconteceu, porém, que, após percorrerem alguns quilômetros, já não tinham mais água. Agar e Ismael estavam com sede e só havia deserto à frente. Agar deixou o menino debaixo de um pequeno arbusto e afastou-se um pouco. Muito triste, sentou-se e chorou, pois não queria ver o menino morrer de fome e de sede.

Deus ouviu a voz do menino, e logo um anjo disse a Agar: "Não tenha medo. Levante-se e pegue o menino pela mão." Assim que escutou as palavras do anjo, ela olhou para o lado e viu um poço de água. Saiu correndo para encher a garrafa e deu de beber a Ismael. Com isso, os dois mataram a sede e estavam prontos para prosseguir na difícil caminhada.

Ismael cresceu abençoado por Deus. Vivia com Agar no deserto de Parã, que era perto do Egito. Ao tornar-se adulto, casou-se com uma mulher egípcia e tiveram muitos herdeiros.

Como Deus havia prometido, Ismael, mais tarde, tornou-se líder de uma poderosa nação. E as pessoas nascidas ali eram chamadas de árabes. Assim como Ismael e Isaque eram rivais quando crianças, também nos dias de hoje árabes e judeus ainda não se entendem bem.

Deus Exige uma Prova de Fé

Gênesis 22

JANEIRO - DIA 21

Isaque cresceu, e Sara e Abraão amavam muito o seu filho. Abraão era muito grato a Deus por ter lhe concedido um filho, mesmo sendo os dois já bastante velhos. Abraão, a cada dia, tinha mais amor por Isaque.

Abraão era um homem temente a Deus. Mas o Senhor quis aplicar mais uma prova de fé a ele. E disse a Abraão: "Quero que você leve Isaque, este filho que você tanto ama, até a terra de Moriá e ofereça-o como sacrifício sobre uma das montanhas, que eu te direi."

Num ato de fé sem igual, Abraão se levantou de madrugada e, como confiava em seu Deus e em seu plano divino para Isaque, foi com o menino até a montanha.

Abraão carregou o seu jumento, levou dois empregados e Isaque, e cortou lenha para o sacrifício.

O inocente Isaque, muito obediente e prestativo, ajudou o seu pai a carregar a lenha até o local apropriado para montar o altar. No entanto, percebeu que faltava um cordeiro para ser sacrificado. Curioso, perguntou ao pai: "Onde está o cordeiro?"

E o pai respondeu: "Bem, meu filho, o Senhor providenciará." Abraão, com olhar triste, amarrou seu filho e o deitou sobre o altar. Retirou a faca e, quando estava prestes a usá-la, ouviu a voz de Deus através de um anjo que disse:

"Abraão, Abraão! Não faça nada ao seu filho! Você já deu provas suficientes de que tem uma fé muito grande e verdadeira em Deus!"

Obediente e muito feliz, Abraão logo tirou seu filho do altar. De repente, viu um carneiro que ficou preso pelos chifres entre os arbustos. Matou-o e o colocou sobre o altar como oferta a Deus, no lugar de Isaque.

Abraão Manda Buscar Uma Esposa para Isaque

Gênesis 24

JANEIRO - DIA 22

Sara, mãe de Isaque, viveu até ficar bem velhinha. Viu o filho crescer e se tornar um homem e depois morreu. Abraão, que também já estava bem velho, decidiu que era hora de Isaque ter uma esposa. Então, ordenou a seu servo que fosse procurar uma esposa para seu filho. Essa mulher teria de ser especial e bonita. Pediu a seu servo que não procurasse mulheres em Canaã. Ele não queria que seu filho Isaque casasse com uma mulher daquele povo.

A ideia de Abraão era conseguir uma nora em sua terra natal, uma mulher que amasse e adorasse o Deus de Abraão e Isaque. Foi com essas condições que o servo foi enviado para que encontrasse uma jovem esposa e a trouxesse a Isaque.

"E se, por acaso, a mulher não estiver disposta a fazer uma viagem tão longa, nem vir morar nesta terra estranha, que farei? Devo levar Isaque até ela?"

Abraão respondeu: "Não, de modo algum!" Ele sabia, em seu íntimo, que o plano de Deus era para que Isaque ficasse em Canaã e que dele uma grande nação surgisse.

"Bem, se a moça não quiser vir com você, então você estará livre da obrigação que eu lhe dei", disse, decidido, Abraão ao seu servo, que pegou dez camelos do patrão, colocou alimentos e presentes e partiu imediatamente para a cidade de Naor.

Os pais sempre querem o melhor para seus filhos. Deus também!

O Encontro com Rebeca

JANEIRO - DIA 23

Gênesis 24

O servo foi em direção à terra natal de Abraão e colocou os camelos para descansar fora da cidade, perto de um poço. Por ali estavam algumas moças tirando água. O fiel servo, naquele local, orou: "Ó Senhor Deus de meu patrão Abraão, ajude-me a encontrar a esposa certa."

Logo viu que muitas moças davam de beber aos viajantes num gesto de bondade. Pensou: "Aquela entre estas moças que vier e oferecer água para eu beber e para os camelos, com certeza, é a esposa escolhida por Deus para Isaque."

Logo em seguida, uma gentil senhorita foi ao seu encontro e, sem demora, o servo perguntou a ela: "Você poderia me dar um pouco de água?"

A moça prontamente lhe deu uma jarra de água bem fresquinha.

"Será que seus camelos precisam de água, senhor?" e mergulhou a jarra no poço novamente a fim de retirar mais água. Despejou bastante no bebedouro para os camelos. Repetiu isso até que todos eles tivessem bebido.

O servo, todo admirado, sabia que Deus havia escolhido aquela jovem à sua frente. Encheu-se de coragem e perguntou o seu nome.

A moça alegremente respondeu: "Meu nome é Rebeca; sou a filha de Betuel; sou descendente da família de Naor."

O servo mal podia acreditar; Naor era irmão de Abraão. A moça recebeu do servo um colar e pulseiras como presentes. Mais que depressa, o servo perguntou se poderia falar com o pai de Rebeca. Ele queria permissão para levá-la até Canaã. Ela seria a esposa de Isaque.

Rebeca e Isaque se Casam

JANEIRO - DIA 24

Gênesis 24

Com a permissão de Rebeca, o servo de Abraão foi até a casa dela. Lá ele conversou e explicou tudo o que havia acontecido. Pai e filha ouviram atentamente: ele era um servo de Abraão e havia pedido a Deus que lhe mostrasse a futura esposa de seu patrão, Isaque. Explicou também como Rebeca veio até ele e o ajudou no poço, dando de beber aos seus camelos e a ele próprio.

A família de Rebeca preparou comida e ofereceu ao servo, que declarou: "Gostaria de levar Rebeca para ser a esposa de meu patrão Isaque. Preciso ir embora logo!"

Tanto o pai quanto o irmão de Rebeca perceberam que todo o acontecido era parte do plano de Deus. Concordaram: Rebeca deveria se casar com Isaque. Perguntaram a ela se gostaria de partir e se casar com o patrão daquele servo.

Ela prontamente respondeu: "Irei, sim!"

O servo alegremente deu joias de prata, ouro e vestidos a Rebeca, e também deu presentes aos familiares. Ele estava mais que satisfeito e agradecido por Deus lhe ter mostrado a mulher certa. A família a abençoou e se despediram.

O servo, Rebeca e algumas servas dela partiram no dia seguinte, pois tinham uma grande jornada pela frente. Sobre camelos, andaram e andaram por alguns dias, até chegar a Canaã.

Isaque havia saído à tarde para orar no campo e, de longe, viu que o servo estava voltando e que havia uma jovem mulher com ele. Rebeca também viu Isaque e logo perguntou ao servo: "Quem é aquele homem que vem pelo campo ao nosso encontro?"

E o rapaz respondeu: "Aquele moço é o meu patrão Isaque!"

Logo ela cobriu o seu rosto com o véu. Era costume naquela época! Sinal de respeito.

Os dois jovens se encontraram, conversaram bastante e se conheceram bem.

Entre Isaque e Rebeca nasceu um bonito amor. Mais tarde, Deus abençoou o casamento deles. Rebeca tornou-se sua esposa e companheira.

Deus havia prometido a Abraão que, de Isaque e Rebeca, nasceriam muitos netos e netas.

Os Gêmeos Esaú e Jacó

Gênesis 25

JANEIRO - DIA 25

Quando Isaque se casou com Rebeca, ele tinha quarenta anos. Mas havia um problema: logo percebeu que não seria possível a Rebeca ter filhos. Ele, com fé, orou e pediu que Deus ouvisse a sua oração.

Imaginem a alegria de Isaque quando finalmente Rebeca engravidou! Deus era realmente fiel. E logo ela notou que estava grávida de gêmeos. Que felicidade!

Conforme o costume daquela época, o primeiro filho que nascesse teria mais privilégios materiais, receberia mais terras e dinheiro como herança. Logo chegou a hora e Rebeca deu à luz o primeiro gêmeo. Isaque e Rebeca deram-lhe o nome Esaú. Em seguida, nasceu o seu irmãozinho Jacó.

Os gêmeos cresceram. Eram muito diferentes um do outro, tanto na aparência física quanto nas preferências. Esaú se tornou um homem que gostava de caçar, de ir aos campos. Jacó, por outro lado, era simples, muitas vezes cozinhava as caças que o irmão trazia para casa.

Certo dia, Esaú voltou de uma caça muito faminto, pois não tinha comido nada durante o dia. Viu que o irmão Jacó havia feito algo delicioso e não se acanhou: "Posso comer um pouco?", perguntou.

Mas Jacó, muito esperto, quis fazer uma troca: "Bem, vou dar a você deste meu delicioso prato com uma condição!"

"Muito bem, diga logo o que você quer, Jacó!", disse Esaú muito cansado.

"Quero o direito de ser o primeiro da família e assim ter todas as riquezas. Darei a comida, se você me der, em troca, o direito da herança!", propôs Jacó.

Esaú, morto de fome, nem pensou muito sobre o seu futuro: "Tudo bem, eu concordo!"

E logo Jacó deu pão e o gostoso guisado de lentilhas ao seu irmão, que comeu bastante até que estivesse satisfeito, depois se levantou e saiu.

Uma Armadilha para Isaque

Gênesis 27

JANEIRO - DIA 26

Isaque estava ficando bastante idoso e mal podia enxergar. Mandou chamar Esaú, pois queria abençoar o filho mais velho. "Meu filho, estou muito velho e gostaria de abençoar você. Sei que não viverei muito tempo mais!", disse.

Ele pediu que Esaú saísse ao campo e trouxesse uma caça. Esaú deveria fazer uma comida especial para o seu pai. Rebeca ouviu tudo que Isaque tinha dito a Esaú. Lembrou-se também de que Deus tinha dito a ela que o filho mais jovem serviria ao mais velho. Como ela tinha um carinho especial por Jacó, planejou uma armadilha.

Enquanto Esaú caçava nos campos, Rebeca mandou que Jacó trouxesse a ela dois bons cabritos. Ela faria um guisado especial, do jeitinho que Isaque gostava. E, como a visão do marido estava muito ruim, disse a Jacó:

"Você vai levar a comida a seu pai no lugar de Esaú, e ele abençoará você e o fará herdeiro!"

"Mas mãe, eu sou bem diferente de Esaú. Ele é um homem cabeludo, e eu não sou. Papai vai desconfiar quando me tocar, e não terei a bênção!"

Mas Rebeca estava determinada: mandou Jacó

vestir algumas roupas de Esaú e amarrou peles de cabrito sobre seus braços, mãos e perto do pescoço.

"Quem está aí?", perguntou Isaque, sem conseguir enxergar direito.

"Sou eu, o seu filho mais velho. Eu trouxe a comida que preparei com a minha caça, papai!", mentiu Jacó.

Isaque estranhou que Esaú houvesse voltado tão depressa da caçada, mas Jacó conseguiu despistar bem, e o pai comeu a saborosa comida.

"É estranho, Esaú, mas a sua voz está muito parecida com a de Jacó!" Começou a apalpar o filho e notou que ele era cabeludo.

Um pai nunca merece ser enganado. Quem engana o pai engana a Deus!

Esaú Descobre que Jacó Tomou a sua Bênção

Gênesis 27-28

JANEIRO - DIA 27

Isaque, mesmo meio desconfiado, comeu o guisado. Estava delicioso mesmo! Quando acabou de comer, perguntou mais uma vez: "Você é mesmo o meu filho Esaú?" E Jacó novamente mentiu: "Sou, sim!"

Isaque, então, mandou que ele se aproximasse e o abençoou. Jacó beijou seu pai, e mais uma vez Isaque se enganou. Pensou estar sentindo o cheiro de Esaú, já que Jacó estava usando as roupas do irmão.

Jacó saiu, e logo apareceu Esaú, que preparou um ótimo guisado com a caça que tinha trazido. Foi alegre levar a comida ao seu pai. Quando falou com seu pai, dizendo que havia chegado e preparado a comida deliciosa, Isaque estremeceu. Ele tinha dado a bênção ao filho mais novo, e não a Esaú.

Esaú ficou muito zangado com tudo aquilo. Chegou a sentir ódio de seu irmão Jacó por lhe roubar a bênção. "Quando puder vou me vingar de meu irmão.", desabafou em voz alta.

Alguém ouviu aquilo e foi correndo contar a Rebeca. Assustada, ela arranjou um jeito de avisar Jacó do perigo que corria.

A mentira sempre traz muita intranquilidade. Acaba sendo trabalhoso demais viver depois de mentir!

A Visão da Escada de Jacó

Gênesis 28

Isaque não queria que seus filhos se casassem com mulheres de Canaã. Mandou chamar Jacó, que era solteiro, abençoou-o e ordenou que ele voltasse à terra dos seus antepassados. Lá ele deveria encontrar uma esposa que louvasse e amasse o Deus verdadeiro. E mandou Jacó seguir viagem.

JANEIRO - DIA 28

Jacó se pôs a caminho de Harã, a terra natal da família dos antepassados de Rebeca, sua mãe. Sabia que havia feito muitas coisas erradas em relação ao seu irmão, mas agora estava disposto a acertar.

Chegou a um lugar para passar a noite. O Sol já tinha se posto e ele estava cansado. Resolveu pegar uma pedra e fez dela um travesseiro. Ajeitou-se e logo adormeceu.

Jacó sonhou com uma escada que começava na terra e alcançava os céus. Também havia muitos anjos que desciam e subiam pela escada. E ele ouviu Deus dizer, do alto da escada: "Eu sou o Senhor Deus de Abraão e Isaque. Esta terra aqui será toda sua e dos seus descendentes. Eu sempre estarei com você, e um dia você voltará aqui."

Quando Jacó acordou do seu sono, sentiu a presença de Deus naquele local. Em gratidão, pegou a pedra que tinha sido seu travesseiro e derramou azeite em cima dela. E chamou aquele lugar de Betel, ou seja, "Casa de Deus". Também fez uma promessa: "O Senhor Deus será o meu deus para todo o sempre. E Lhe darei a décima parte de tudo quanto eu obtiver."

Lembrar de agradecer a Deus por tudo na vida e dedicar a Ele parte do que se tem é sinal de verdadeiro amor!

As Duas Filhas de Labão

Gênesis 29

JANEIRO - DIA 29

Jacó prosseguiu viajando até a terra do povo do oriente. Um pouco antes de Harã, viu um poço. Logo viu que lá havia outras pessoas também e perguntou se conheciam Labão, filho de Naor.

"Conhecemos, sim, ele está bem. Aquela ali é Raquel, a filha dele.", disseram eles a Jacó. Raquel gostava de cuidar das ovelhas de seu pai e estava se aproximando porque queria dar de beber aos animaizinhos.

Sem demora, Jacó a ajudou, tirando a pedra que servia de tampa ao poço e dando água às ovelhas. Contou a Raquel que era parente de seu pai e, muito emocionado, beijou-a no rosto. Esse gesto significava o surgimento de uma simpatia especial. Alegre, Raquel saiu correndo para casa e contou a seu pai tudo o que tinha acontecido.

Labão veio se encontrar com Jacó. Abraçou e beijou o rapaz e logo o levou para casa.

Jacó ficou com a família de Labão por um mês

inteiro. E, como estava trabalhando para Labão, ficou combinado que Jacó teria um salário justo. Ele estava muito apaixonado por Raquel e disse, com firmeza: "Vou trabalhar sete anos para você, Labão, mas em troca quero ter Raquel como esposa. Eu a amo!" Labão concordou com o casamento.

Jacó pensava: "Sete anos passam tão rapidamente quanto alguns poucos dias. Por ela faço qualquer coisa. Eu amo muito Raquel!" Jacó, por sete anos, ajudou e trabalhou muito para Labão.

Assim que se passaram os sete anos, Jacó quis logo se casar. Labão fez um grande banquete. Entretanto, no dia do casamento levou a sua filha Lia e a deu a Jacó. Quando amanheceu, ele percebeu que tinha casado com a irmã de Raquel.

Naquela época, era costume que a filha mais velha se casasse primeiro, e não a mais nova. Jacó perguntou a Labão: "Por que você fez isso comigo? Eu amo Raquel!"

Labão começou, então, a explicar tudo a Jacó. Disse que ele poderia se casar também com Raquel (naqueles tempos isso era possível) se trabalhasse mais sete anos para ele. Como Jacó amava muito Raquel e não havia outra escolha, decidiu aceitar a proposta do sogro. Ele amava Lia, mas amava muito mais Raquel.

O amor vale muito mais que qualquer sacrifício! Foi o melhor presente que Deus nos deu! Quem tem amor tem um tesouro!

Deus Ordena que Jacó Volte à Terra de Seus Pais

Gênesis 30-31

JANEIRO - DIA 30

Finalmente, Jacó e Raquel puderam se casar! Jacó era bom marido para as duas irmãs, esposas suas. Lia logo pôde ter filhos, mas a pobre Raquel, não. Só depois de muito, muito tempo, é que Deus ouviu o seu pedido e ela pôde ter um filho. O menino era saudável, e ela deu-lhe o nome de José.

Mas Jacó queria mesmo voltar para a terra natal dos seus pais e planejou uma maneira de conseguir sair dali. O sogro queria que todos eles ficassem por ali mesmo: "Jacó, me diga quanto você quer ganhar como pagamento!"

Mas Jacó tinha outros planos para si e para a sua família. "Cuidarei do seu rebanho, Labão, mas vou pegar para mim todos os que forem malhados e salpicados.

Isso será o meu salário", disse Jacó. O rebanho de Jacó cresceu e ficou forte.

Labão e seus filhos não gostaram muito disso e não tratavam mais Jacó como antes. Mas Deus era verdadeiro e não haveria de esquecer o que havia prometido em Betel. E o anjo do Senhor disse a Jacó, num sonho: "Pegue o rebanho a que você tem direito. Vá com a sua família para a terra dos seus pais. Volte para Canaã."

Jacó e sua família partiram sem dizer nada a Labão. Pegaram tudo o que lhes pertencia e se foram para a montanha de Gileade. Quando Labão ficou sabendo que eles haviam partido, resolveu persegui-los. Mas Deus pediu que Labão nada fizesse contra Jacó.

Jacó Chega a Canaã

Gênesis 32

JANEIRO - DIA 31

Embora Jacó quisesse muito voltar para a sua terra natal, ainda tinha medo de seu irmão Esaú. Sabia que Esaú tinha ficado muito zangado com suas mentiras. E, por isso, enviou mensageiros para propor que os dois fizessem as pazes.

Não demorou muito, os mensageiros voltaram com notícias para Jacó: "Fomos até o seu irmão Esaú, e ele está vindo com quatrocentos homens encontrar-se com você." Jacó ficou bastante amedrontado e muito angustiado também.

Em desespero, Jacó orou e pediu a Deus que o ajudasse. Resolveu mandar a Esaú muitos animais de seu rebanho. Tudo para que ele fizesse as pazes.

Ainda aflito, resolveu levar suas esposas, suas servas e seus onze filhos para um lugar seguro. Assim, sua família estaria a salvo. E Jacó ficou sozinho à espera do pior.

Durante a noite, apareceu alguém que o atacou. Os dois lutaram a noite toda. Por fim, aquele estranho, vendo que era difícil vencer a luta, deu uma pancada mais forte e tocou a coxa de Jacó. Mesmo machucado, Jacó não desistia.

"Qual é o seu nome?", perguntou o estranho.

"Jacó", foi a resposta.

E o estranho acrescentou: "A partir de hoje o seu nome será Israel, porque você lutou como um príncipe com Deus e não se deu por vencido."

Jacó perguntou o nome do estranho. Mas ele não respondeu; apenas abençoou Jacó e partiu. Refletindo, Jacó concluiu que ele tinha visto Deus face a face, e que o Senhor havia poupado a sua vida.

Deus nunca deseja o mal a ninguém. Ele sempre e sempre luta para que o bem esteja ao lado de seus filhos na Terra!

O Reencontro de Esaú e Jacó

Gênesis 33

FEVEREIRO - DIA 1º

No dia seguinte, Jacó levantou os seus olhos e viu Esaú chegando, e com ele quatrocentos homens. Apressadamente, preparou-se e passou diante deles, inclinando-se à terra sete vezes até chegar a Esaú.

Esaú já não podia mais se conter, correu para abraçar o seu irmão. Beijou-o e os dois choraram de alegria. Agora eles eram amigos outra vez. Mas logo surgiu a curiosidade, e Esaú quis saber quem eram aquelas crianças e mulheres que estavam com Jacó.

"Estes são os filhos que Deus graciosamente me deu", disse, todo orgulhoso, Jacó. E seus filhos e as servas também cumprimentaram Esaú. Só então Jacó apresentou suas mulheres: Lia e Raquel.

"Por que você mandou a mim todos estes animais?", perguntou Esaú.

"Deus me abençoou muitíssimo, e quero compartilhar com você, meu irmão."

Por estar muito alegre e grato a Deus, afinal acabara de fazer as pazes com seu irmão mais velho, Jacó foi até Siquém, onde levantou um altar ao Senhor.

O amor jamais deve desaparecer entre irmãos! Esse é o desejo de Deus!

A Morte de Raquel

Gênesis 35

FEVEREIRO - DIA 2

Deus disse a Jacó: "Vá até Betel e faça um altar ali, onde apareci para você, quando você fugia de seu irmão." Lá em Betel, Deus havia prometido a Jacó que um dia ele voltaria para a Terra Prometida. Deus estava sempre cuidando de Jacó.

Jacó disse à sua família e a todos aqueles que estavam com ele que abandonassem os deuses estranhos. "Vamos construir um altar a Deus, por tudo de bom que Ele tem feito para mim", disse Jacó.

Mais uma vez, Deus falou com Jacó: "O seu nome será Israel! Dos seus descendentes nascerão muitas nações e reis."

Algum tempo depois, Raquel, que estava grávida de seu segundo filho, teve complicações no parto e perdeu a vida, assim que o menino nasceu.

Jacó chamou o menino de Benjamim. Uma coluna especial foi colocada sobre a sepultura de sua esposa Raquel. Jacó realmente a amava de todo coração.

O amor é o sentimento mais lindo que existe! Ele não tem fim!

José, o Filho Predileto

Gênesis 37

FEVEREIRO - DIA 3

Jacó amava todos os seus doze filhos, mas José recebia do pai um carinho especial. José era o filho mais velho de Raquel.

Vendo que Israel amava José de modo especial, seus irmãos ficaram muito enciumados. Certo dia, José sonhou e contou a seus irmãos a respeito do sonho: "Vi que nós estávamos no campo e o maço de grãos de vocês se inclinava diante do meu!"

Com isso, José apenas conseguiu aumentar a fúria de seus irmãos. E desafiaram: "Você acha, José, que irá nos governar?"

Pouco tempo depois, José teve outro sonho. Viu que o Sol, a Lua e onze estrelas se inclinavam diante dele. Israel, contudo, repreendeu-o, dizendo: "Você acredita que eu e seus irmãos vamos nos inclinar diante de você, José?"

Tudo aquilo só fez com que a raiva crescesse no coração de seus irmãos. O ciúme entre irmãos nunca deveria existir. Os pais amam todos os filhos!

José é Jogado Em Uma Cova

Gênesis 37

FEVEREIRO - DIA 4

Os irmãos de José tinham ido aos campos cuidar dos rebanhos da família. Jacó pediu que José fosse encontrar os seus irmãos, que deveriam estar perto de Siquém. Jacó queria saber como estavam os seus filhos, seus rebanhos e resolveu mandar o filho até lá para saber o que andava acontecendo.

José procurava por eles, quando encontrou um homem que lhe informou que seus irmãos e os rebanhos estavam em Dotã. De longe, os irmãos de José logo o viram chegando.

"Lá vem aquele sonhador!", disseram, zombando, e logo planejaram tirar-lhe a vida. "Podemos acabar com ele e depois jogá-lo numa cova! Diremos ao papai que uma fera o devorou. Ninguém jamais descobrirá! Aí nunca mais teremos de ouvir sobre os seus grandes sonhos!"

Mas Rúben, o irmão mais velho, não concordava com aquilo. Ele não queria tirar a vida de seu irmão. Então, propôs o seguinte aos demais: "Vamos colocá-lo nesta cova e assustá-lo um pouquinho!"

Assim que José se aproximou, seus irmãos o agarraram. Jogaram-no em uma cova onde não havia água alguma. Seus irmãos não pareciam sentir remorso. Sentaram-se, comeram pão e fizeram de conta que nada havia acontecido.

Deus se entristece de verdade, quando vê tanta maldade entre irmãos!

José é Vendido Por Seus Irmãos

Gênesis 37

FEVEREIRO - DIA 5

De repente, os irmãos de José viram um grupo de ismaelitas a caminho do Egito. Judá, um dos irmãos, deu a ideia de vender José, como escravo, aos viajantes. "De que adiantaria dar um sumiço em José, esconder o seu corpo? Creio que seria mais vantajoso se o vendêssemos para esses homens!"

Os irmãos concordaram com a ideia e tiraram José da cova. Quando os mercadores iam passando, ofereceram José e o venderam como escravo por vinte moedas de prata.

Mas Rúben, mais sensato, quando retornou e refletiu a respeito da ausência de seu irmão, ficou deprimido e, em sinal de profunda tristeza, rasgou as suas próprias roupas. Ele, sendo o mais velho dos irmãos, era responsável por José.

"O que vou dizer ao nosso pai?", perguntou Rúben, desesperado.

Depois de pensarem e conversarem um pouquinho, os outros, sem tristeza alguma, mataram um cabrito e, com o seu sangue, mancharam o casaco de José para fazer de conta que ele tinha sido morto por um animal selvagem.

Voltaram e mostraram o casaco a Jacó. O pai logo o reconheceu e não teve dúvidas de que José havia sido atacado por uma fera. "Vou chorar até o dia em que eu for sepultado!"

Ninguém conseguia consolá-lo, nem mesmo seus filhos. Em desespero, ele rasgou as suas roupas e ficou lamentando a morte do seu amado filho por muito tempo.

Quanta dor uma pessoa é capaz de causar a outra. Deus sente essa dor também!

José Vai Para a Prisão Injustamente

Gênesis 39

FEVEREIRO - DIA 6

Quando os mercadores chegaram ao Egito, venderam José a Potifar, oficial e capitão da guarda que protegia o Faraó, rei do Egito. Deus, contudo, estava sempre com José. Logo o seu patrão viu que ele era um homem trabalhador e confiável. Tudo que José fazia era bem feito e dava lucro.

A esposa de Potifar viu que José era bom administrador e também muito bonito. Enamorou-se do jovem rapaz. Este, porém, permaneceu indiferente às suas atitudes de conquista. José se recusava a aceitar os carinhos da mulher, pois sabia que era errado. Afinal ela era esposa de Potifar, seu patrão.

Um dia, porém, ela mentiu a seu marido, acusando José de tê-la ofendido. Potifar acreditou na história de sua mulher e ficou furioso. Mandou José para a prisão.

Era tudo muito injusto! Mas José sabia que Deus nunca o abandonaria. Ele confiava plenamente no Senhor Deus. E Deus estava com José, mesmo dentro da triste prisão.

Deus nunca abandona aqueles que o amam de verdade e fazem tudo sem maldade.

José Interpreta Dois Sonhos

Gênesis 40

FEVEREIRO - DIA 7

Deus foi tão bom e generoso que José, mesmo estando preso, era abençoado. Até mesmo o carcereiro gostava muito dele.

Certa vez, o Faraó ficou muito zangado com dois empregados seus: o copeiro e o padeiro. Imediatamente, mandou-os para a prisão. Ao chegarem à prisão, o carcereiro colocou os dois no lugar onde José estava preso.

Ficaram muitos dias na prisão. Em certa noite, tanto o padeiro quanto o copeiro tiveram um estranho sonho. José viu logo que os dois ficaram meio perturbados com o que tinham sonhado.

"Deus pode interpretar todo e qualquer sonho", disse José, confiante, "Se vocês me contarem sobre o sonho, tenho certeza de que poderei ajudá-los."

O copeiro começou a contar o seu sonho a José. Sonhou que estava diante de uma vinha, e três ramos saíam dela com flores que logo se transformaram em belos cachos de uva. Daí, o copeiro espremia as uvas em um copo e colocava-o na mão do Faraó.

José, depois de escutar tudo direitinho, deu a interpretação: "Daqui a três dias, o Faraó vai tirar você da prisão, e você voltará ao seu trabalho."

Então, foi a vez de o padeiro contar: "Vi três cestos brancos de pão sobre a minha cabeça. Também vi pássaros comerem do cesto mais alto."

Infelizmente, a interpretação não era uma notícia boa. José, muito triste, contou ao padeiro que, dentro de três dias, o Faraó o mandaria para a forca.

Passados os três dias, o Faraó deu uma enorme festa de aniversário. E, nesse dia, ambos os sonhos se realizaram, exatamente como Deus havia revelado a José.

O copeiro se esqueceu de José.

Parece que alguns homens têm grandes poderes. Mas, na verdade, são os poderes de Deus emprestados aos homens!

José Interpreta os Sonhos do Faraó e Sai da Prisão

Gênesis 41

FEVEREIRO - DIA 8

Depois de o copeiro ser libertado, José ficou ainda por mais dois anos na prisão. É claro que injustamente!

Um dia, o faraó teve um sonho. Acordou certa noite e ficou preocupado com o sonho misterioso que tivera. Mandou chamar todos os homens sábios e adivinhadores do seu país. A eles contava o que tinha sonhado, mas ninguém conseguia decifrar o sonho ou encontrar algum significado razoável.

O copeiro, vendo a tristeza do faraó e que ninguém conseguia entender os seus sonhos, contou a respeito de José. Relatou ao faraó sobre o sonho que ele tivera na prisão e como José adivinhara o que viria a acontecer.

"Majestade, aquele homem na prisão poderá ajudá-lo!", afirmou o copeiro, "Tudo o que José disse sobre o meu sonho aconteceu nos mínimos detalhes."

O faraó mandou trazer José. Tiraram-no da prisão e o colocaram diante do faraó, que perguntou: "É verdade que você realmente pode interpretar os meus sonhos?"

"Bem...", disse José, "eu, por mim mesmo, não posso, mas o meu Deus vai dar o significado desses sonhos a você."

O faraó contou todo o seu sonho a José, nos mínimos detalhes: "Havia sete vacas gordas que saíam do rio. E logo apareceram sete vacas magras, feias. As vacas magras devoraram as vacas gordas e bonitas. Depois, vi sete espigas cheias e boas e também sete espigas secas e miúdas que vinham do mesmo pé. E, de repente, as espigas miúdas devoraram as espigas boas."

E José deu a interpretação. Disse que isso era o que Deus iria fazer: "Haverá sete anos de colheita abundante e de muita fartura e, logo em seguida, sete anos de fome em toda a Terra. Não haverá comida, e muitos passarão fome. Será uma época em que a terra não produzirá nada."

O importante, na verdade, não são os sonhos em si, mas o trabalho das pessoas para sempre evitarem problemas futuros!

José é o Novo Governador do Egito

Gênesis 41

FEVEREIRO - DIA 9

O faraó ficou aliviado por saber que Deus tinha mostrado tudo o que iria acontecer em breve. Mesmo assim, estava bastante preocupado com o povo do Egito. Ele não queria que todos tivessem de passar fome.

"Você deve escolher alguém muito inteligente para governar toda a terra do Egito. E, nesses sete anos de fartura, devemos guardar comida para que, quando vierem os anos de fome, todos tenham o que comer", disse José ao faraó.

Decidido, respondeu a José: "Deus deu a você muita capacidade! Não há ninguém tão esclarecido e sábio como você aqui no Egito. Você vai ser o meu novo governador. Só mesmo eu, o faraó, serei a maior autoridade aqui. Você é o segundo no comando de todas as coisas." Ele deu a José o seu próprio anel, como símbolo da autoridade que José teria. Deu tambémroupas muito elegantes e um colar de ouro.

Como governador, José, muito cuidadoso, começou a executar aquele brilhante plano de guardar alimentos. Mandou que, de toda colheita, fosse armazenada uma parte, que seria utilizada nos sete anos de fome. Deus estava com José e o faraó sabia disso muito bem.

Por sete anos seguidos, houve muita fartura. Armazenaram tanta comida que não se podia contar. Logo em seguida, no entanto, vieram os anos de fome. E povos e animais de terras distantes vinham às terras do faraó para conseguir os preciosos alimentos. Em troca, entregavam verdadeiros tesouros. Sabiam que o alimento valia mais do que qualquer tesouro!

Como é bom prestar atenção aos avisos de Deus!

Os Irmãos de José Vão ao Egito

Gênesis 42

FEVEREIRO - DIA 10

Houve fome em todas as terras. Lá em Canaã, Jacó ficou sabendo que no Egito havia comida para todos. Então, falou com seus filhos a respeito:

"Ouvi dizer que no Egito há muita comida. Quero que vocês peguem os camelos e jumentos e vão até lá para comprar alimento, antes que morramos de fome aqui!"

Então, os dez irmãos foram ao Egito para comprar trigo. Quando lá chegaram, ficaram sabendo que tudo estava sendo administrado pelo governador do faraó. Se quisessem comprar trigo para levar para casa, teriam de falar com ele.

"Somos de Canaã e estamos sem comida também. Nosso pai Jacó nos mandou comprar trigo para a nossa família.", disseram eles.

José reconheceu seus irmãos, mas eles nem perceberam e não podiam sequer imaginar que José era o irmão que um dia eles tinham vendido e agora tinha se tornado governador. "Creio que vocês são espiões e estão aqui para ver tudo o que está acontecendo, não é?", perguntou José, testando a reação deles.

"Não, meu senhor, estamos aqui só para comprar alimento. Precisamos dele. Somos homens honestos, não somos espiões. Éramos, ao todo, doze irmãos. Um já morreu e o caçula ficou com o nosso pai, em Canaã."

José insistiu: "Bem, ainda acredito que vocês sejam espiões, e por isso ficarão presos. Apenas um voltará a Canaã, levando trigo e, em seguida, trará o seu irmão caçula. Assim vocês provarão que são homens de bem."

Saber perdoar é difícil, mas é uma atitude que Deus espera de todos!

José Quer o Caçula, Benjamim

Gênesis 42

FEVEREIRO - DIA 11

Os irmãos passaram três dias na prisão. José foi falar com eles outra vez. Teve outra ideia: "Se vocês forem mesmo homens de bem, um de vocês ficará aqui no Egito preso, e os outros voltarão para os seus familiares levando alimentos. Mas quero que todos vocês retornem trazendo o irmão caçula, então terei certeza de que são sinceros."

Os irmãos sabiam que tinham agido muito mal com um irmão no passado. Por isso, julgaram que toda aquela desgraça estava acontecendo como castigo pelo que fizeram de maldade, quando eram ainda jovens.

"Realmente agimos muito mal com o nosso irmão José. Deus está nos castigando por isso!", disseram eles.

Rúben acrescentou: "Eu pedi a vocês, naquela época, que não fizessem nada contra ele, não pedi? Agora teremos de pagar pelo erro que cometemos."

Eles estavam conversando no seu próprio idioma. José, sem eles saberem, escutou toda a conversa, saiu e chorou de tristeza. Depois voltou, mandou que Simeão ficasse preso e que os outros voltassem à sua terra natal.

Os Irmãos de José Retornam ao Egito

Gênesis 43

FEVEREIRO - DIA 12

Assim que voltaram a Canaã com os alimentos, viram que ainda havia muita fome e nem sinal de colheita. Em pouco tempo, tudo o que tinham trazido para comer terminou. Jacó, vendo que todos estavam famintos, pediu aos seus filhos que voltassem ao Egito para buscar mais comida. No entanto, Judá respondeu: "Pai, já contamos tudo a você. O governador de lá nos acusou de espiões e, para provar a nossa inocência, pediu que Simeão ficasse preso como garantia. Só nos deixou partir com alimentos porque sabia que teríamos de voltar para comprar mais. Mas ele fez mais uma exigência: temos de levar Benjamim conosco, ou Simeão não será libertado."

"Vocês estão doidos? Já perdi José; Simeão, não sei se vou ver de novo, e agora querem levar Benjamim?", disse Jacó, muito angustiado.

Judá, seu filho, prometeu cuidar de Benjamim e se responsabilizar por qualquer coisa que acontecesse a ele. Com isso, convenceram Jacó. Partiram novamente rumo ao Egito. Levaram presentes ao governador e também o dobro de dinheiro para comprar alimento.

Assim que José viu seus irmãos de volta, ficou emocionado. Mandou preparar um banquete e levou todos à sua casa. Os irmãos julgaram que o governador estivesse fazendo aquilo por causa do dinheiro que ele próprio havia colocado nas suas sacolas, na última vez em que estiveram lá. Acreditavam que o governador quisesse acusá-los de furto.

"Trouxemos alguns presentes e também dinheiro em dobro, pois não sabemos quem devolveu o nosso dinheiro aos sacos de trigo! Gostaríamos de comprar mais comida!", disseram os irmãos, um tanto aflitos.

"Tudo bem!", concordou José e perguntou a seguir: "Este rapaz é, por acaso, Benjamim, o irmão mais novo que vocês disseram ter?"

"Sim!", afirmaram os irmãos.

Mas José, muito emocionado, teve de se conter para não chorar diante de seus irmãos de sangue. Foi para seu quarto e chorou de felicidade por ter visto o seu irmão Benjamim, filho de sua mãe, Raquel.

Todos os seus irmãos se sentaram à mesa e foram bem servidos. Mas Benjamim ganhava uma quantidade maior de comida. E eles não sabiam ainda que José era seu irmão.

Deus reserva grandes surpresas às pessoas! Aceitá-las com tranquilidade é também sinal de amor a Deus!

José Usa uma Tática

Gênesis 44

FEVEREIRO - DIA 13

No dia seguinte, como fizera na vez anterior, José ordenou que os seus servos enchessem de comida as sacolas de seus irmãos e colocassem o dinheiro de volta em cada sacola. Além disso, pediu que colocassem um copo de prata na sacola de seu irmão mais novo. E assim os servos de José fizeram.

Pouco tempo depois, estavam viajando de volta para casa e já um tanto distantes da cidade. José disse a um servo seu: "Vá atrás daqueles homens. Quando você os encontrar, pergunte assim: 'Por que vocês roubaram um copo de prata do meu patrão?'" O servo fez exatamente o que José mandara.

Os irmãos, apavorados, defenderam-se: "Não roubamos nada. Nós até mesmo devolvemos o dinheiro que encontramos na boca das nossas sacolas, na vez anterior. Se por acaso um de nós tiver esse copo de prata em sua sacola, você poderá matá-lo e nos prender."

"Muito bem.", disse o servo.

Todos apressadamente foram abrindo as suas sacolas. O servo começou a olhar e procurar em cada uma delas. De repente, encontrou o copo na sacola de Benjamim. Judá, com medo de que o servo acabasse com Benjamim, voltou com seus irmãos ao Egito para falar com José.

Deus pôs muito amor no coração das pessoas. Ele fica feliz quando vê esse amor transbordando!

José se Revela para Seus Irmãos

Gênesis 44 - 45

FEVEREIRO - DIA 14

Judá sabia que seu pai morreria de desgosto se não trouxesse Benjamim são e salvo para casa novamente. Por isso pediu humildemente a José que deixasse seu irmão viver e que ele voltasse para Canaã.

"Ficarei no lugar de Benjamim, por favor", disse Judá, implorando por perdão. "O nosso pai morreria, caso alguma coisa acontecesse com Benjamim. Por favor, deixe-o voltar."

José não podia mais esconder os seus sentimentos. Ali estavam seus irmãos, e ele, em seu coração, amava-os muito, mesmo tendo sofrido por causa da maldade deles.

"Quero que todos os meus empregados saiam daqui por uns instantes. Quero falar a sós com estes homens.", ordenou José, com voz de autoridade.

Assim que os servos saíram, revelou o segredo a seus irmãos e chorou como nunca: "Eu sou José, irmão de vocês, aquele que vocês venderam como escravo para os mercadores que iam para o Egito!"

José conversou com seus irmãos e pediu que não se sentissem tristes ou culpados pelo que haviam feito. Deus tinha um grande propósito para a vida dele, por isso o salvara de todos os perigos, inclusive da maldade de seus irmãos.

"Estou agora no Egito, porque Deus me colocou aqui, assim ninguém morrerá de fome. Mas a fome ainda durará cinco anos, e não quero que vocês sofram com ela, muito menos meu querido pai e os outros familiares."

José alegremente mandou carregar os animais com alimentos, presentes e tudo do bom e do melhor para que seus irmãos voltassem para Canaã.

Perdoar é um dos atos mais nobres. Quem perdoa se assemelha muito mais a Deus!

Todos Vão Morar no Egito

Gênesis 46-50

FEVEREIRO - DIA 15

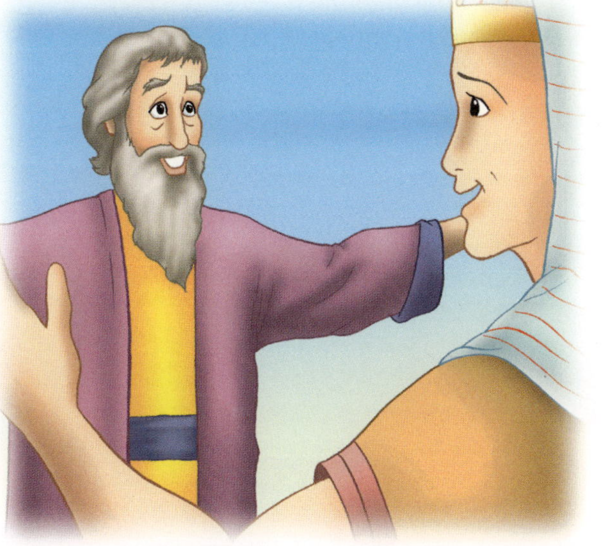

Logo que chegaram a Canaã, os irmãos começaram a contar tudo a Jacó. Já idoso, ele mal podia acreditar. Quase chegou a desmaiar de emoção ao saber que José, o seu amado filho, estava vivo.

A princípio, Jacó estava com medo de deixar a Terra Prometida, mas Deus falou com ele de noite: "Jacó, Jacó! Eu sou o Deus de seu pai, não tenha medo de ir para o Egito. Você será uma grande nação, estarei com você no Egito e com certeza você vai voltar a Canaã mais tarde."

Então, Jacó, seguro de que estava fazendo a coisa certa, arrumou todos os seus pertences, reuniu sua família, filhos e seus bens e foi rumo ao Egito. Jacó enviou Judá na frente para avisar a José que eles estavam quase chegando ao Egito; estavam em terras próximas.

José, muito feliz, não pôde esperar. Foi logo ao encontro do pai e dos outros irmãos. O reencontro de pai e filho foi emocionante. Os dois se abraçaram, beijaram-se e juntos choraram de alegria depois de tantos anos.

Jacó, satisfeito, disse a José: "Agora posso morrer em paz. Sei que você está vivo, que está bem e que Deus tem abençoado você de modo especial."

Mais tarde, José contou ao faraó tudo o que tinha acontecido. Disse também que seu pai, seus irmãos e todos os seus rebanhos tinham saído de Canaã por causa da fome. José e mais cinco dos seus irmãos pediram ao faraó permissão para ficar ali, em Gósen.

E ele disse: "José, você pode colocá-los para morar nas melhores terras. Eles são da sua família. Se querem morar em Gósen, que assim seja." E assim aconteceu. Jacó viveu até ter quase cento e cinquenta anos.

Mas, antes de morrer, Jacó abençoou todos os seus filhos. Depois fez um último pedido: "Gostaria de ser enterrado em Canaã, a terra dos meus pais!" E, terminado o pedido, Jacó morreu.

Todas as histórias da vida são criadas por Deus! Em todas, Ele coloca amor!

Os Descendentes de Jacó Como Escravos no Egito

Êxodo 1

FEVEREIRO - DIA 16

Jacó, José e seus irmãos morreram. Havia, porém, muitos descendentes deles no Egito.

Passaram-se séculos. Os descendentes de Jacó, agora chamados de israelitas, transformaram-se em nação poderosa. Os egípcios começaram a ficar preocupados e com medo de israelitas tão numerosos.

Com o passar do tempo, surgiu um novo rei no poder do Egito. Ele não sabia das coisas esplêndidas que José tinha feito pelo povo egípcio, muitos anos antes. Ele não gostava dos israelitas e foi logo tramando um plano para dominá-los. Fez dos israelitas escravos e usou-os nas construções de grandes templos para deuses egípcios. Embora esse novo faraó tratasse os israelitas muito mal, eles se tornavam um povo cada vez mais numeroso.

O último dos faraós teve, então, uma ideia para que os israelitas não aumentassem mais em quantidade. Chamou todas as parteiras e disse, com autoridade: "Quero que vocês não deixem viver nenhum bebê que nascer de israelitas, caso seja menino. Se for menina, o bebê poderá viver."

As parteiras estavam mesmo numa situação difícil; elas acreditavam em Deus e não gostaram daquela ordem do faraó. "Bem, Majestade, a verdade é que as mulheres israelitas não são como as egípcias; elas não precisam da nossa ajuda na hora do parto. São muito fortes e, quando chegamos até a casa delas, já estão com os bebês em seus braços.", disseram elas.

Mas, como o povo só aumentava, o faraó se irritava mais e mais. Ele resolveu, então, não voltar atrás quanto à sua horrível ideia. Colocou-a em prática.

Quanta maldade pode haver em um só coração! Isso deixa Deus muito triste!

O Nascimento de Moisés

Êxodo 2

FEVEREIRO - DIA 17

Aquela lei imposta pelo faraó era realmente cruel. Ninguém conseguia aceitar tamanha injustiça.

Algum tempo depois, um casal israelita teve um filho: um belo menino. A mãe não podia aceitar o fato de que ele teria de morrer. Daria tudo para salvar a sua vida. Conseguiu escondê-lo por três meses. Mas, a cada dia, o bebê crescia e ficava mais difícil ocultá-lo.

Como a mãe queria, a qualquer custo, salvar a vida do bebê, teve de fazer um cesto de juncos e planejou colocá-lo no rio. Ela fez um cesto bem firme e forte para que não afundasse. Colocou o menino dentro e levou-o até o rio. Deixou o cesto perto dos juncos. Mandou também que Miriã, irmã do menino, ficasse cuidando, de longe, para ver o que aconteceria.

Logo apareceu um grupo de senhoritas que acompanhavam a filha do faraó. Elas andavam por ali e costumavam brincar naquelas águas. A filha do faraó viu o cestinho na água do rio Nilo e mandou que uma de suas servas fosse pegá-lo.

Quando abriu, viu com surpresa um menino chorando. "Coitadinho do bebê, deve estar com fome!", disse a princesa, sensibilizada, "Ele deve ser filho de um hebreu!", concluiu ela (os israelitas também eram chamados de hebreus).

Miriã, que era uma garota muito esperta, foi logo se adiantando: "Princesa, eu conheço uma senhora hebreia que pode dar de mamar para este menino até que ele fique bem grande e fortinho."

"Vai, menina.", consentiu a princesa. E Miriã correu para buscar sua mãe.

A princesa pediu à mulher que cuidasse do bebê até que fosse um pouco maior. E pagou à mulher para que cuidasse dele.

Quando o menino atingiu certa idade, a hebreia levou-o até a filha do faraó. A princesa adotou-o como se fosse seu próprio filho. "Vou chamá-lo de Moisés, porque o tirei das águas." E Moisés foi educado como um príncipe.

Príncipe Egípcio ou Homem Hebreu?

Êxodo 2

FEVEREIRO - DIA 18

A princesa egípcia educou Moisés como príncipe do Egito. Nunca contara a ninguém a respeito da origem do rapaz. Mas, mesmo assim, ele sabia que era um israelita e não gostava do tratamento que os egípcios davam aos hebreus.

Todos de Israel ainda eram escravos do faraó, e a cada dia ele maltratava mais os parentes de Moisés, que muito se entristecia com tal situação. Certo dia, Moisés viu um egípcio ferindo um hebreu. Inconformado, saiu em defesa do hebreu e acabou se envolvendo em sério problema diante da justiça egípcia. Por tal motivo, Moisés fugiu do Egito para uma terra distante.

Tempos depois, em uma manhã de sol, sentou-se perto de um poço, e logo apareceram sete moças para tirar água e dar de beber ao rebanho. Moisés, muito cavalheiro, mostrou-se bastante prestativo e as ajudou. Mas vieram os pastores de ovelhas e as expulsaram dali. Moisés novamente saiu em defesa delas.

As moças mal podiam acreditar. Assim que chegaram em casa, foram logo contando ao seu pai, Reuel, a respeito do estranho que as ajudou a tirar água do poço e que saíra em defesa delas.

"Onde está esse homem? Chamem-no até aqui!", ordenou o pai.

Moisés foi bem aceito ali e logo se tornou genro de Reuel, casando-se com Zípora.

Moisés tornou-se pastor de ovelhas.

Deus Fala Através do Arbusto em Chamas

Êxodo 3

FEVEREIRO - DIA 19

Moisés era dedicado e gostava muito de cuidar das ovelhas de seu sogro. Certo dia, levou o rebanho pelo deserto até o monte chamado Horebe. De repente, apareceu um anjo do Senhor no meio de um arbusto em chamas.

Era difícil de acreditar. Moisés respirou fundo, olhou novamente com atenção e pensou consigo: "Inacreditável! O arbusto está em chamas, mas não está nem um pouco queimado ou arruinado!"

Então, Deus falou com ele: "Moisés, Moisés! Eu sou o Deus de Abraão, Isaque e Jacó."

Moisés, tremendo de medo, escondeu o seu rosto para não ver Deus. E o Senhor continuou dizendo: "Eu sei as coisas horríveis pelas quais os israelitas estão passando. Sei tudo o que acontece no Egito. Eu quero livrá-los da escravidão. Escolhi você para levá-los de volta a Canaã, a Terra Prometida. Você falará com o faraó."

"Ai, meu Deus, eu não sou um homem forte e inteligente o suficiente; sou até meio gago. Quem sou eu para falar com o faraó?", perguntou Moisés, aflito.

"Não se preocupe, Eu irei com você!", disse Deus.

"Creio que eles não acreditarão em mim; na verdade, nem sequer vão me ouvir", respondeu Moisés.

"Muito bem, jogue o seu cajado no chão, Moisés."

Obediente, Moisés assim o fez, e num piscar de olhos o cajado estava transformado em uma cobra.

"Pegue a cobra pelo rabo, Moisés!" E ele pegou-a pela cauda. A cobra logo se transformou em um cajado novamente.

Deus mostrou mais alguns sinais a Moisés e garantiu que estaria cuidando dele e lhe dando poder. Desse modo, todos saberiam que o Senhor o havia enviado. Deus sempre quer se comunicar com as pessoas. Elas é que não percebem os sinais do Senhor!

Moisés e Arão Diante do Faraó

Êxodo 4 - 5

FEVEREIRO - DIA 20

Deus falou com Arão, irmão de Moisés, para que fosse ao deserto encontrar-se com seu irmão. Assim que os dois se encontraram, Moisés contou tudo a Arão sobre o plano de Deus e sobre os sinais divinos que podiam ser mostrados.

"Vamos contar tudo isso aos mais velhos de Israel!", disseram os dois. Foi o que fizeram.

Os israelitas creram e estavam alegres por Deus ter enviado alguém para salvá-los da escravidão. Ficaram tão gratos que se ajoelharam, curvaram-se e oraram a Deus. Só então Moisés e Arão foram falar com o faraó:

"O Senhor Deus de Israel disse que você deve deixar o povo partir em liberdade."

"Quem é esse Deus? Eu não conheço o Senhor Deus de Israel! Jamais deixarei este povo partir!", disse o Faraó, com firmeza.

E decidiu, furioso, castigar ainda mais os israelitas. Deu ordem aos seus homens para que não lhes dessem palha para fazer tijolos. Assim, eles mesmos teriam de procurar palha e fazer com que a produção não parasse.

Que tarefa cansativa! Agora o povo tinha de trabalhar em dobro! Muitos foram falar com o faraó: "Por favor, clemência, Majestade, não bata em nós, estamos trabalhando o quanto podemos!" Nada mudou!

Saíram tristes e arrasados do palácio. No caminho de volta para as suas casas, encontraram Moisés e Arão. "Viram só o que vocês dois fizeram? Agora o faraó está pior do que antes, e nós é que temos de aguentar este sofrimento sem fim.", protestaram alguns representantes do povo de Israel.

Moisés desabafou com Deus: "Por que, Senhor Deus, me enviaste? Desde que fui falar com o faraó, as coisas só foram de mal a pior!"

"Confie em mim, Moisés!", disse Deus, "Eu livrarei o seu povo, e o faraó verá que não é tão poderoso."

Aliás, ninguém é tão poderoso e bondoso quanto Deus!

Deus Manda Pragas aos Egípcios

Êxodo 7-9

FEVEREIRO - DIA 21

O coração do faraó era realmente duro. Ele não acreditava que Moisés e Arão estivessem falando em nome de Deus. Moisés e Arão foram novamente conversar com ele, que tinha de deixar o povo de Israel partir livre.

Diante do faraó, Moisés e Arão fizeram exatamente o que Deus determinara: Arão jogou a sua vara ao chão, e logo ela se transformou em uma cobra. O faraó nem se abalou. Continuava se recusando a deixar os israelitas partirem assim, sem mais nem menos.

E o Senhor Deus, então, disse a Moisés: "Vá até o faraó e diga a ele, mais uma vez, que deve livrar o povo da escravidão. E, como sinal, você vai levantar o cajado e apontar sobre todos os rios do Egito. Suas águas se converterão em sangue, os peixes não poderão viver e ninguém poderá beber daquele rio."

Assim fez Moisés. Mas o faraó continuava decidido a não deixar os israelitas partirem! Em seguida, Deus mandou ao faraó uma nova mensagem através de Moisés.

"Deixe o povo israelita livre, caso contrário, o rio Nilo se encherá de rãs."

No dia seguinte, com a teimosia dele, eram rãs por todos os lados. Dentro de casa, fora, nos dormitórios, sobre camas. Em tudo o que existia, lá estavam elas. O faraó, em desespero, chamou Moisés e Arão: "Se vocês pedirem ao seu Deus, tenho certeza de que Ele tirará as rãs daqui. Prometo que liberto o povo e todos vocês poderão partir."

No dia seguinte, as rãs já não mais estavam por ali incomodando. Mas o faraó não foi homem de palavra; quando viu que estava tudo bem, proibiu o povo de partir. Deus, então, enviou o seu terceiro aviso. Piolhos! Piolhos e mais piolhos por toda parte. Que loucura! Mesmo assim, o faraó não cedeu.

O Senhor, então, deixou que moscas de todos os tamanhos invadissem a cidade. Surgiram enxames na casa do faraó e nas de seus servos. E a teimosia continuava! Deus enviou o seu quinto aviso. Era uma peste sobre os animais. Por causa dela, todo o gado egípcio se acabou. Mesmo assim, o coração insensível do faraó não cedia.

Veio, então, mais um aviso. Dessa vez quem sofreria seriam as próprias pessoas. Sarnas se espalharam sobre a pele de todos os egípcios. Logo, elas se transformaram em horríveis e dolorosas feridas.

O sétimo aviso divino deixou que todas as plantações morressem. Mesmo assim, o faraó não acreditava no poder de Deus. Quanta teimosia! Então, vieram mais algumas coisas ruins sobre o Egito.

Há pessoas que não querem compreender o poder de Deus. Elas sofrem mais do que todas as outras pessoas por causa disso!

Deus Manda a Última Praga

Êxodo 10 - 11

FEVEREIRO - DIA 22

Como se não bastasse tanta desgraça, o faraó continuava sendo teimoso e descrente em Deus. Então, um vento oriental soprou fortemente por uma noite e um dia inteiro. E, quando amanheceu, o vento trouxe milhares de gafanhotos. Que desgraça estava por acontecer! Encheram a Terra a tal ponto, que parecia noite em pleno dia. Comiam todo o verde que viam pela frente: árvores, plantações... Tudo era arrasado em poucos segundos.

O faraó apressou-se e mandou chamar Moisés e Arão novamente. "Pequei contra o seu Deus. Peço que me perdoem e orem ao Senhor Deus para fazer cessar esta praga horrível! Se assim se fizer, deixarei ir o povo", prometeu.

Mas, outra vez passado o problema, ele não foi sincero e logo se esqueceu da promessa feita. Deus fez vir uma escuridão tal sobre o Egito como nunca houvera antes. Por três dias!

O faraó disse, vencido: "Saiam desta terra, mas todo o gado de vocês ficará aqui." Moisés não concordou. Uma vez mais ele os proibiu de saírem do Egito. Por isso, fez-se necessário um último sinal de Deus.

Bastante contrariado, o Senhor disse, através de Moisés: "À meia noite, todo filho mais velho, no Egito, morrerá. Até mesmo o filho do faraó não escapará.

Haverá grande tristeza e todos chorarão por seus filhos." É claro que Deus faria isso com muita tristeza. Diante de tanta teimosia e maldade, Deus quis agir com dureza!

Nenhum filho israelita morreria, porque Deus o protegeria. Somente assim o faraó aprenderia a respeitar o outro povo. Tendo sido avisado, o faraó, porém, não acreditou. Mandou que Moisés e Arão saíssem do palácio e não deixou os israelitas partirem. Às vezes, a maldade nem tem explicação. Para esses casos, o Pai tem de ser severo!

A Primeira Páscoa

Êxodo 12

FEVEREIRO - DIA 23

Deus deu ordens claras a Moisés e Arão. Os dois reuniram os principais representantes dos israelitas e passaram a eles todas as instruções do Senhor Deus. Todos os israelitas deveriam se proteger naquela noite.

Assim, Moisés explicou aos representantes que

cada pai de família de Israel deveria pegar um cordeiro e matá-lo. O sangue desse cordeiro deveria ser espalhado no alto de cada porta principal e nas outras entradas da casa. Depois, o cordeiro deveria ser assado e comido naquela noite, que para eles seria como uma festa. O que restasse deveria ser queimado.

"Comam o carneiro, pães sem fermento e ervas amargas!", explicou Moisés, "Quando o anjo de Deus passar de noite procurando pelos filhos primogênitos, verá o sangue nas portas e saberá que vocês são do povo de Israel. Ele passará sobre a casa sem ferir nenhum filho."

Por isso, aquela festa foi chamada de Festa da Páscoa, que quer dizer: Deus passou sobre a casa e não feriu nenhum primogênito de Israel. A partir daquela data, a cada ano o povo deveria se lembrar desse acontecimento e, então, celebrar a Páscoa. Todos lembrariam, dessa maneira, que o Senhor os salvou poderosamente do malvado faraó.

Até hoje, os judeus comemoram a Páscoa. Nessa ocasião, ensinam seus filhos a se lembrarem do ocorrido durante aquela noite, há milhares de anos.

A Saída do Egito

Êxodo 12

FEVEREIRO - DIA 24

Os israelitas foram obedientes e fizeram tudo o que Deus tinha pedido. Comeram pães sem fermento, assaram e comeram o carneiro com ervas amargas e confiaram em Deus totalmente. Moisés também tinha avisado que todos deveriam estar prontos para viajar. Deveriam usar sapatos e roupas adequados para a viagem que seria longa e difícil. E, à meia noite, o sinal de Deus se realizou. E todos choraram muito. Assim como Deus dissera, aconteceu.

O faraó logo providenciou que Moisés e Arão fossem chamados. Sabia a respeito do que tinha acontecido aos primogênitos egípcios naquela noite. Deus tinha enviado tantos sinais, e ele não se importara com nenhum. Infelizmente, Deus precisou mostrar, de uma vez por todas, que Ele é o Todo-Poderoso Senhor de todos e de tudo.

O faraó percebeu que não podia lutar contra Deus. "Saiam daqui. Quero vocês e o seu povo longe da minha gente", disse o Faraó, muito irritado, "Levem também com vocês as suas ovelhas e vacas. Saiam do Egito agora mesmo!"

Os egípcios, querendo se ver livres dos israelitas, deram-lhes muitas joias e roupas, apenas para que logo fossem embora dali. E aconteceu que, naquele mesmo dia, partiram. Deus os conduzia através de Moisés.

Ficou bem claro para todos os da terra do Egito que o Senhor tinha tirado o povo israelita dali, porque era o Deus Poderoso. Partiram rumo à Terra Prometida. Essa era a vontade de Deus.

Não há quem possa ir contra a vontade de Deus!

Deus Guia o Povo Pelo Deserto e a Travessia Pelo Mar Vermelho

Êxodo 13 - 14

FEVEREIRO - DIA 25

O povo de Israel era muito numeroso. Moisés e Arão guiavam os israelitas conforme Deus ia ordenando. Deus tinha escolhido o seu próprio caminho; não era o mais curto; mas Deus sabia o que estava fazendo.

Andaram e andaram pelo caminho do deserto, perto do Mar Vermelho. Levaram também os restos mortais de José para que um dia fosse sepultado na Terra Prometida.

Lá, no Egito, o Faraó, todavia, logo percebeu que, sem seus escravos, não conseguiria construir tantos templos e belas mansões. Já estava arrependido de deixar toda aquela mão-de-obra partir. Não pensou duas vezes e mandou seu exército seguir os israelitas pelo deserto e trazê-los de volta para o trabalho.

Dias depois, o povo viu de longe os guerreiros egípcios vindo em sua direção. Inseguro, esqueceu de tudo o que Deus havia feito para livrá-lo e começou a tremer e a chorar por causa do medo.

Moisés, contudo, disse com autoridade: "Não tenham medo. Vocês verão com os próprios olhos o que Deus fará com essa gente maldosa. Esses egípcios nunca mais incomodarão ninguém. Deus nos salvará!"

Ainda com medo e pouco confiantes, os israelitas esperaram e obedeceram a Moisés. Viram a poeira que o exército do faraó levantava no deserto, à medida

que se aproximava deles. Todos olhavam espantados e nervosos.

Por fim, impacientes, reclamaram com Moisés: "Por que você nos trouxe aqui para morrer? Agora estamos no deserto e os egípcios vão nos matar! Não temos para onde fugir. Lá adiante estão as águas do Mar Vermelho! Não conseguiremos escapar!"

Deus, sabendo e vendo todas as coisas, disse a Moisés: "Mande o povo ir adiante e você, Moisés, levantará o seu cajado e o apontará em direção ao mar." Moisés, sem saber exatamente o que aconteceria, acreditava plenamente em Deus.

O Senhor nunca abandona os que O amam!

A Travessia Pelo Mar Vermelho

Êxodo 14-15 **FEVEREIRO - DIA 26**

Diante das águas, Moisés não pensou duas vezes. Fez exatamente como Deus pedira. Junto ao povo de Israel, levantou o seu cajado e o estendeu sobre as águas do Mar Vermelho.

Tão rápido quanto um piscar de olhos, todos começaram a ver o maravilhoso caminho de fuga. Um forte vento oriental fez o mar se dividir, deixando uma passagem seca para que escapassem a salvo.

"Olhem! O mar está se dividindo, poderemos passar em terra seca!", diziam, espantados.

Logo o povo se pôs a caminhar, atravessando o mar, sempre guiados por Moisés. Os egípcios os seguiram, tentando alcançar os israelitas numa corrida louca. Mas Deus tinha de proteger o povo israelita. Assim, nada adiantou aos egípcios: nem carruagens, nem cavalos, nem seus poderosos exércitos.

Deus mostrou seu extremo poder, fazendo com que as carruagens apresentassem problemas, dificultando, assim, a aproximação dos egípcios. Quando Deus mandou que Moisés estendesse novamente a sua mão em direção ao mar, era certo que livraria para sempre o seu povo

daqueles inimigos opressores.

Todos os israelitas já haviam atravessado o mar e estavam a salvo. O mar retornou ao seu curso normal, quando estava amanhecendo. Os egípcios, com todos os seus cavalos e carruagens, não puderam alcançá-los.

O povo viu, amou e creu no Senhor. Alegres como nunca, felizes por terem sido salvos, todos tinham motivo especial para comemorar a vitória. Fizeram uma bela canção que dizia: "Cantarei ao Senhor, porque gloriosamente triunfou. O Senhor é a minha força e o meu cântico."

Deus Manda Codornizes e Maná

Êxodo 15 - 16 **FEVEREIRO - DIA 27**

Agora que estavam livres dos egípcios, os hebreus tinham de enfrentar uma longa e dura caminhada até chegar à Terra Prometida. Não demorou muito e a água começou a faltar.

Chegaram a um determinado lugar e só encontraram água amarga. Não se podia beber dela de jeito nenhum.

O povo começou a reclamar diante de Moisés: "Estamos com sede, Moisés! E esta água aqui é impossível de se beber!"

Moisés orou e Deus mostrou o que ele deveria fazer. Em obediência, Moisés viu um madeiro e o jogou nas águas. As águas ficaram doces, e todos puderam beber à vontade.

Mas o povo realmente esquecia logo como Deus providenciava tudo. Não demorou muito e a comida acabou. Imediatamente, começaram a se queixar novamente diante de Moisés: "Vamos morrer aqui, sem comida. Seria melhor se tivéssemos ficado no Egito. Lá, pelo menos, tínhamos o que comer."

Deus, então, disse a Moisés: "Vou mandar pão dos céus, e o povo sairá e colherá uma porção para cada dia. Vocês também terão carne. À tarde vou mandar codornizes. Vocês saberão que o Senhor Deus é quem tirou vocês da escravidão do Egito. Saberão também que Eu sempre estarei disposto a ajudá-los."

E, logo de manhã cedinho, o povo viu o maná, que era o pão especial providenciado para eles por Deus. Todos dias, Deus alimentava o povo assim. Também surgiram pássaros dos céus para que eles pudessem comer sua carne. Deus certamente providenciaria comida para os outros dias. Eles só precisariam crer nisso.

No sexto dia, eles receberam uma tarefa especial: colher comida suficiente para dois dias, já que no sábado deveriam apenas se dedicar a louvar e a agradecer a Deus.

Deus Faz Brotar Água da Rocha

Êxodo 17

FEVEREIRO - DIA 28

A caminhada pelo deserto, porém, tinha de continuar. Surgiam obstáculos, era realmente tudo muito cansativo. Quando pararam para acampar, perto do Monte Horebe, já não havia mais água para as pessoas e para o gado. Novamente os israelitas se puseram a reclamar e a lamentar diante de Moisés por causa da falta de água.

Eles simplesmente ficavam cegos diante das dificuldades e, em vez de pedir, com fé, a ajuda de Deus, apenas ficavam se queixando. "Queremos água; temos sede. Não queremos morrer neste deserto. Por que nos tiraram do Egito para chegar até aqui e morrer desse jeito?"

Todos só sabiam fazer uma coisa: lamentar-se.

Moisés, quase sem saber mais o que dizer ao povo e o que fazer diante de tanta falta de fé, clamou a Deus: "Que faço com este povo, Senhor? Daqui a pouco vão me apedrejar!"

Deus disse a ele: "Pegue algumas pessoas mais idosas e experientes, tome o seu cajado e diga a elas que o sigam até o Monte Horebe."

Assim aconteceu. Lá, Moisés encontrou uma enorme rocha e, com o seu cajado, tocou-a. Instantaneamente, a água começou a brotar límpida e refrescante. Com isso, Deus havia provado ao povo de Israel, uma vez mais, que só Ele é o Deus verdadeiro e só Ele pode suprir as necessidades de todos.

Deus Vence Amaleque e Seu Povo

Êxodo 17

MARÇO - DIA 1º

Não demorou muito e novo problema surgiu. Naquele lugar vivia um povo liderado por Amaleque. Eles queriam enfrentar os israelitas numa batalha. Por isso, Moisés chamou Josué, um comandante de seu povo, e disse: "Josué, escolha os homens que você julgar como melhores para lutar contra esse Amaleque e o povo dele. Eu estarei no cume do monte, enquanto você estiver na batalha. O cajado de Deus estará na minha mão."

Josué obedeceu às instruções, pegou os homens para formar um exército e saiu para a guerra. Deus iria proteger o povo israelita a qualquer custo.

E assim, Moisés, Arão e Hur subiram ao monte para ver a batalha. Quando Moisés levantava a sua mão com o cajado, o exército de Israel avançava. Quando ele abaixava a mão, Amaleque e seu exército venciam.

Com o passar das horas, Moisés foi se cansando de ficar com suas mãos levantadas para que Josué e seu exército de Israel vencessem. Arão e Hur, muito inteligentes, perceberam o problema e pegaram uma pedra para que Moisés pudesse se sentar. Enquanto isso, Hur e Arão ajudavam a segurar as mãos de Moisés para o alto, um de cada lado, até que o dia findou.

O exército israelita tinha vencido os seus inimigos. Deus havia derrotado os inimigos e dado ao povo a vitória de uma forma sem igual, outra vez! Em gratidão, Moisés construiu, naquele local, um altar a Deus. E pronunciou as seguintes palavras: "Deus é a minha Bandeira!" E Deus se sentiu muito feliz diante de tanta fé e amor!

Deus Fala com Moisés no Monte Sinai

Êxodo 18-19

MARÇO - DIA 2

O povo israelita passou quarenta anos andando pelo deserto. Deus sempre à frente de tudo, providenciando e mostrando o caminho. Agora não faltava muito para chegar à Terra Prometida.

Jetro, sogro de Moisés, veio ao seu encontro, trazendo os filhos e a esposa de Moisés.

Sem se demorar, Moisés também correu, beijou e abraçou seus queridos familiares. Entraram na tenda, e Moisés contou tudo o que já havia acontecido. Contou também como Deus havia mostrado o Seu amor, livrando-os de inimigos, dando água e alimento e os guiando através dos perigos do deserto.

O povo era muito numeroso, e é claro que sempre havia problemas a serem resolvidos. Assim que surgisse alguma diferença, briga ou confusão, todos iam correndo procurar Moisés em busca de uma solução.

Jetro, homem experiente, notou logo que toda essa situação estava cansando Moisés. Eram muitos problemas a serem resolvidos por apenas uma pessoa. Resolveu, então, falar com Moisés: "Moisés, meu genro, vou dar a você um conselho. O povo é muito grande, e sei que é extremamente difícil liderar e administrar tudo sozinho. Que tal se você escolhesse alguns líderes entre o povo para que cuidassem dos problemas menores? Você continuaria responsável por aquelas questões mais difíceis. Escolha homens capazes, obedientes a Deus, honestos e que não sejam avarentos. Assim você administrará tudo melhor e com mais organização."

Moisés seguiu o conselho de Jetro, seu sogro. Nomeou homens de sua total confiança e conduziu o povo até o pé do Monte Sinai.

Deus tinha um propósito. Ele queria que Moisés subisse ao monte para falar com ele. Deus tinha uma mensagem para o povo de Israel.

Moisés obedeceu, subiu e, ao chegar ao alto do monte, Deus mandou que dissesse ao povo que não se aproximasse mais dali. O povo deveria respeitar a vontade de Deus e não ultrapassar certos limites. Deus amava o povo, mas queria ver obediência também.

"Vocês não podem subir ao Monte Sinai! Deus não quer! Apenas eu subirei novamente e ouvirei o que Deus tem a dizer. Vocês devem ficar aqui e obedecer", ordenou Moisés, seriamente.

Os Dez Mandamentos

Êxodo 20

MARÇO - DIA 3

Logo, Moisés foi subindo e, aos poucos, não viram mais a sua figura ao longe. Ficaram esperando, enquanto Deus falava com Moisés no Monte Sinai. O povo deveria ficar ali e aguardar.

Quando Moisés chegou ao cume, Deus começou a falar e deu a ele os Dez Mandamentos escritos sobre pedras. Eram regras que deveriam ser seguidas por todos que quisessem ser verdadeiramente felizes e obedientes a Deus. As regras garantiriam que o homem fosse mais feliz consigo e com o seu próximo, enquanto vivesse sobre a Terra.

Deus foi, passo a passo, explicando a Moisés cada uma de suas regras. Os quatro primeiros mandamentos fariam com que as pessoas sempre ficassem perto do Deus vivo.

1. Eu sou o Senhor, teu Deus. Vocês não devem ter e nem adorar outros deuses.
2. Não façam nem adorem qualquer tipo de ídolos ou imagens dea escultura.
3. Nunca falem o nome do Senhor em vão.
4. Lembrem-se de santificar todos os sábados.

Mandamentos em Relação ao Próximo

MARÇO - DIA 4

Gênesis 20

Os outros seis mandamentos deveriam ser igualmente seguidos pelo povo, se quisessem viver em paz e harmonia uns com os outros.

1. Toda pessoa deve amar, respeitar e honrar o seu pai e a sua mãe.
2. Não se deve matar.
3. Não se deve cometer adultério, isto é, só se deve amar o próprio marido ou esposa e não os maridos ou as esposas dos outros.
4. Não se deve roubar.
5. Não se deve mentir a respeito de uma pessoa.
6. Não se deve cobiçar algo que pertença a outra pessoa.

E todo o povo viu trovões e relâmpagos e o monte fumegando. Olhavam de longe, espantados. Deus havia escrito todas essas dez regras especiais sobre duas tábuas de pedra. E o povo estava em pé, ao longe, quando Moisés se aproximou, descendo da escuridão do monte onde Deus estava.

As Leis de Deus

MARÇO - DIA 5

Êxodo 21-24

Além dos Dez Mandamentos que Deus havia dado ao povo, havia mais algumas leis que deveriam ser observadas pelo povo de Israel. Moisés foi novamente ao Monte Sinai e lá ficou por quarenta dias e quarenta noites.

Deus dizia tudo o que deveria ser feito. Moisés escreveu todas as palavras do Senhor.

Moisés falou ao povo sobre todas as leis, e o povo respondeu em conjunto: "Tudo o que Deus disse, assim nós faremos e a tudo obedeceremos."

Moisés levantou-se de manhã, bem cedinho, ainda de madrugada, e fez um altar, ao pé do monte. Fez também doze monumentos que representavam as doze tribos do povo de Israel.

Então, alguns jovens, a pedido de Moisés, ofereceram sacrifícios de animais ao Senhor. Moisés pegou a metade do sangue e colocou em bacias, e a outra metade respingou sobre o altar. Pegou o Livro da Aliança, que continha todas essas leis de Deus, e leu alto para que todos pudessem ouvir. "Faremos tudo o que Deus está ordenando e seremos obedientes", disseram as pessoas, comprometendo-se diante de Deus.

Moisés pegou, então, o sangue da bacia e respingou-o sobre as pessoas, dizendo: "Lembrem-se sempre de que este sangue representa o pacto que Deus fez com vocês por meio de todas estas palavras."

Uma Tenda Especial para Deus

Êxodo 25-31

MARÇO - DIA 6

Durante os quarenta anos de peregrinação pelo deserto, o povo não tinha um templo fixo para adorar a Deus. Prestava culto ao ar livre, no deserto. Apenas construía um altar e, dependendo do lugar em que estava, sacrificava animais para demonstrar gratidão a Deus pelas bênçãos alcançadas. Faziam isso em atitude de adoração ao Senhor que os tinha livrado da vil escravidão.

Entretanto, agora era hora de os israelitas louvarem a Deus em um lugar mais adequado. Deus foi instruindo Moisés sobre como fazer e o que deveria conter essa tenda especial, que seria a casa de Deus.

Detalhadamente, e com a ajuda do povo, a tenda foi sendo construída. Logo Deus seria adorado pelas pessoas de modo mais digno e honrado. Tudo tinha um significado especial. E Moisés comandaria os filhos de Israel.

Deus disse a Moisés que as pessoas deveriam trazer seus objetos valiosos e ofertá-los ao Senhor. Tudo seria utilizado na tenda para adoração a Deus. Dentro da tenda haveria uma bela arca de madeira. Tudo ficaria bem bonito, porque era a Casa do Senhor!

Deus disse mais a Moisés: "Quero que o seu irmão Arão e os filhos dele fiquem como responsáveis pelo ofício sacerdotal. Serão os sacerdotes. Usarão vestes sagradas para glória e ornamento. Eles oferecerão os sacrifícios do povo no altar." Isso seria para Deus uma prova de que os filhos de Israel O amavam, respeitavam-No e a Ele obedeciam. Por fim, Deus ordenou a Moisés que o povo guardasse e santificasse o sábado. Em seis dias fariam as suas próprias tarefas, mas no sétimo todos descansariam e dedicariam aquele dia a Deus.

O Bezerro de Ouro

Êxodo 32

MARÇO - DIA 7

Como o Senhor ainda tinha muito a ensinar, chamou Moisés novamente para o alto do monte. O povo, vendo que Moisés demorava a voltar lá de cima, começou a ficar inquieto. Ele estava demorando bastante, porque Deus tinha muitas instruções a dar, e Moisés ouvia tudo cuidadosamente.

Infelizmente, enquanto Moisés não vinha, o povo resolveu desobedecer a Deus. Foram falar com Arão e pediram: "Arão, estamos acreditando que Moisés não voltará mais, pode até ter morrido lá no alto. Queremos adorar a algum deus ou ídolo. Não podemos ficar à espera de Moisés."

"Peguem todas as joias que as suas esposas, filhos

e filhas usam e tragam até aqui", disse Arão. Eles assim fizeram, e Arão, tendo habilidades como ourives, derreteu tudo aquilo e fez um bezerro de ouro. Depois, fez também um altar e declarou que, no dia seguinte, haveria uma festa em que todos comeriam e beberiam à vontade. Eles ofereceriam sacrifícios ao bezerro de ouro, isto é, ao falso deus.

Deus, conhecedor de tudo, viu o que estavam fazendo e mandou que Moisés se apressasse a descer. O povo havia se corrompido, adorando e se inclinando diante de uma imagem de fundição.

Deus ficou triste por causa da atitude do povo que tanto Ele ajudara. Moisés, porém, suplicou: "Senhor, não castigue este povo. Tenha piedade!" Deus o ouviu e lembrou-se de sua promessa a Abraão, Isaque e Jacó.

Moisés descia a montanha com as tábuas dos Dez Mandamentos quando percebeu a confusão que estava acontecendo. Ele viu pessoas bêbadas, dançando e adorando o bezerro de ouro. Ficou tão furioso que lançou as tábuas ao chão por ver tamanho absurdo. As tábuas se quebraram. Moisés derreteu o bezerro até que o ouro virasse pó. Espalhou-o pela água e fez todo o povo bebê-la. Era uma forma de castigo e de lição ao povo. Moisés mostrou, assim, que todos devem assumir os seus próprios erros.

As Novas Tábuas dos Dez Mandamentos

Êxodo 33-34

MARÇO - DIA 8

O povo tinha cometido um grande pecado contra Deus. Mesmo assim, Moisés pediu ao Senhor que lhes perdoasse. Pediu também que Deus continuasse a confiar nele, como líder dos hebreus.

E disse o Senhor: "Vá agora, Moisés, e conduza o povo para onde tenho ordenado." Moisés falou ao povo duramente, a fim de que refletisse sobre os atos errados que tinha cometido.

Quando foi à tenda, um tanto afastada de todos, chamou-a de Tenda da Congregação. E, sempre que se levantava para ir até lá, o povo também se colocava em pé e o seguia com os olhos, até que entrasse. Enquanto estava lá dentro, descia uma nuvem que se colocava diante da entrada, e o Senhor falava com Moisés.

O povo via, a distância, e adorava. Sabia que Deus estava presente naquela tenda com Moisés. "Senhor, como podemos prosseguir dessa forma? Não sabemos se o Senhor irá nos guiar. Deve estar muito triste conosco, não é? Se realmente o Senhor me ama e quer me abençoar, por favor, considere este povo como Seu povo novamente!", Moisés implorou. "Moisés, você realmente é um homem honesto e sincero. Por causa de você, farei o que está pedindo!"

Deus, então, pediu que Moisés arrumasse duas tábuas de pedra como aquelas primeiras que ele quebrara. E o Senhor escreveu novamente os Dez Mandamentos nas tábuas.

E esteve ali com o Senhor por quarenta dias e quarenta noites. Moisés não comeu nem bebeu nada.

Quando desceu do Monte Sinai trazendo as duas tábuas em suas mãos, Moisés não sabia que seu rosto resplandecia. Arão e todos os filhos de Israel olharam para ele admirados. Moisés tinha estado realmente com Deus e refletia a Sua glória diante do povo.

O Santuário (Tabernáculo) de Deus

Êxodo 35-40

MARÇO - DIA 9

Moisés convocou todo o povo e disse: "Deus quer que vocês trabalhem seis dias, mas o sétimo dia será santo; será o dia do repouso e de orações ao Senhor." E um santuário a Deus começou a ser construído pelo povo.

Moisés acrescentou ainda que todos poderiam, de coração, fazer uma oferta a Deus. Então, vieram homens e mulheres, todos dispostos e alegres, e trouxeram fivelas, pendentes, anéis, braceletes e diversos objetos de ouro. Trouxeram também tecidos lindíssimos, peles de carneiro e de texugos, pedras de ônix e outras especiarias. Todos, com boa vontade, traziam alguma coisa para a obra do santuário, como o Senhor tinha pedido que Moisés fizesse.

Tudo foi sendo feito com cuidado e detalhadamente, conforme as instruções do Senhor Deus. Mesas, cortinas, o altar, as vestes dos sacerdotes, os candelabros, a arca, os véus e as colunas, tudo estava sendo executado da forma como Deus estabelecera.

Quando terminaram a construção, uma nuvem cobriu a tenda, e a glória do Senhor se irradiou pelo santuário. Moisés não podia entrar na tenda enquanto a nuvem permanecesse sobre ela, pois a glória de Deus estava ali presente.

Assim, se a nuvem cobrisse o santuário, o povo

não continuaria a sua caminhada, mas se a nuvem se levantasse seria sinal de que Deus estava com eles, guiando-os pela dura jornada. Sempre que prosseguiam, levantavam acampamento e desmontavam a tenda do Senhor. Levavam cuidadosamente todos os objetos feitos para o santuário. Quando a nuvem parava, eles também paravam para acampar. Armavam a tenda para que o santuário do Senhor sempre estivesse presente para adoração ao Deus de Israel.

Deus Estabelece Regras

Levítico 11-25

MARÇO - DIA 10

Deus era um deus de ordem e também muito sábio. Ele sabia que certos alimentos poderiam trazer doenças terríveis para o povo. Foi assim que Deus, muito cuidadoso de seu povo, resolveu estabelecer algumas regras básicas de higiene e saúde.

Esclareceu quais alimentos poderiam ser consumidos. Ensinou como deveria ser a higiene das mulheres depois do parto. Fez leis sobre a lepra, problemas de higiene de homens e mulheres e outros tantos. Tudo tinha uma razão de ser. Deus estabeleceu tais leis, porque amava o povo e queria o bem daquela nação.

Deus pediu ainda que se lembrassem e festejassem, todos os anos, a Páscoa, que era a comemoração da libertação do povo da escravidão no Egito. Deveriam celebrar a Páscoa comendo pão sem fermento por sete dias. O primeiro e o último dia seriam para adoração; não seria permitido fazer nenhum trabalho servil. Fazendo isso, os israelitas demonstrariam sua gratidão por Deus os ter libertado do cativeiro e trazido à Terra Prometida.

Outra celebração aconteceria por causa da colheita. Assim que a tivessem terminado, deveriam trazer uma porção dos melhores produtos colhidos para o Senhor. Eles lavrariam a terra por seis anos consecutivos, e no sétimo a terra teria descanso. Esse ano seria chamado de ano sabático.

Também haveria o ano do jubileu que aconteceria de cinquenta em cinquenta anos. Todos se alegrariam por ser um ano todo especial.

As Lamentações do Povo de Israel

Números 11-12

MARÇO - DIA 11

O povo de Israel que tinha saído do Egito era em grande número. Muitos, apesar do amor de Deus, eram ingratos e só o que sabiam fazer era reclamar.

E o povo queixava-se. Deus obviamente se entristeceu com aquelas pessoas. Não entendia como o povo podia ser tão ingrato. Até então Ele sempre tinha cumprido tudo o que havia prometido; nunca os tinha abandonado, mesmo quando foram desobedientes. Deus, de fato, havia feito maravilhas por eles, fazendo brotar água de onde parecia impossível, providenciando o maná para servir de alimento e tantas outras coisas.

Mesmo assim, o povo se lamentava. Desejava ter comida como nos tempos do Egito. Lá, comiam peixes, pepinos, melões, cebolas, alhos... Relembravam, saudosos, os tempos antigos só por causa da comida, mas se esqueciam de que eram escravos naquele lugar. Estavam se queixando, porque só tinham o maná para comer.

Moisés, extremamente zangado por ouvir tantas reclamações do povo, disse ao Senhor Deus: "Como é difícil ser o governante de um povo assim! De onde vou tirar alimento para dar a todos, já que só sabem choramingar e pedir carne? Estou começando a ficar cansado, Senhor!"

"Eu enviarei carne ao povo por um mês. O povo vai até ficar enjoado de tanta carne!", disse Deus, bastante aborrecido. Então, soprou um vento que trouxe codornizes do mar e as espalhou pelo arraial do povo. E o povo as colheu por dois dias. E aqueles que comeram demais até passaram mal, muito mal mesmo.

Alimentar o corpo é muito importante, mas alimentar a alma com o amor a Deus é mais importante ainda! Este último alimento nunca faz mal!

Espiões em Canaã

Números 13-14

MARÇO - DIA 12

Moisés e o povo estavam perto da terra de Canaã. E Deus disse a Moisés: "Envie de cada tribo de Israel um homem. Eles devem espiar a terra de Canaã para ver como é; que povos habitam; se a terra é produtiva ou não." Deus queria um relatório completo para que Moisés soubesse como lidar com a situação. Moisés fez como Deus pedira.

Depois de cerca de quarenta dias, os espiões voltaram. Todos os doze homens deram informações a Moisés, a Arão e ao povo a respeito das terras, das nações que a habitavam e também trouxeram frutos para mostrar a todos.

Disseram alguns dos espiões: "Bem, a terra é realmente muito produtiva. Vejam pelos frutos que há ali. Mas o povo que mora lá é muito poderoso. Eles são fortes e gigantes. Nós, ao lado deles, parecemos gafanhotos. Não teremos chance de vitórias; eles nos matarão logo!"

Mas Calebe, um dos espiões, tinha uma opinião diferente: "Subiremos até lá e, com certeza, Deus estará conosco e nós seremos donos daquela terra." Os outros espiões estavam com muito medo; julgavam os povos de lá muito mais fortes e altos do que eles. Então, todo o povo chorou e reclamou contra Moisés e Arão: "Seria melhor se tivéssemos morrido no Egito, ou até mesmo no deserto! Qualquer coisa seria melhor do que morrer assim, esmagados por estes povos poderosos."

Deus se entristeceu novamente vendo que o povo não tinha fé, que se queixava sem parar diante de Moisés. Deus se aborreceu a ponto de prometer que aqueles muito queixosos não entrariam na Terra Prometida.

Calebe e Josué, os espiões, mesmo vendo o quanto os povos inimigos eram fortes, acreditaram que Deus poderia dar aquela fértil terra ao povo de Israel. A estes e a outros Deus permitiu que entrassem na Terra Prometida. Os descrentes foram derrotados pelos cananeus e tiveram que continuar vagando pelo deserto.

Moisés tinha avisado que Deus não daria vitória na batalha aos que não tivessem fé e amor no coração.

A Rebelião de Coré, Datã e Abirão

Números 16-17

MARÇO - DIA 13

Não demorou muito e uma rebelião se levantou entre o povo hebreu. Muitos se puseram contra Moisés, que continuava com o povo no deserto. Os revoltosos eram em número de duzentos e cinquenta. Entre esses homens havia líderes israelitas que também apoiavam a rebelião.

Reuniram-se contra Moisés e Arão e chamaram todo o povo para assistir. Moisés, irritado, disse: "Povo, vocês agora saberão que o Senhor me enviou para ser o líder e realizar a vontade Dele. Se aqueles homens ali morrerem normalmente como todos os homens morrem, então é porque o Senhor não me enviou. Mas, se o Senhor fizer com que a terra abra fendas e eles caiam nelas, vocês saberão que esses homens irritaram ao Senhor."

E, mal Moisés tinha acabado de dizer aquilo, a terra que estava debaixo dos pés de um dos revoltosos e de seus aliados se abriu numa enorme fenda. Os revoltosos caíram. O povo, com medo, fugiu dali bem depressa.

No dia seguinte, toda a congregação dos filhos de Israel se queixou contra Moisés e Arão, dizendo que eles haviam castigado homens do povo do Senhor. Era muito difícil para Moisés liderar um povo tão inquieto e rebelde. Sempre se mostravam descontentes. Mas Moisés continuava com eles.

É diante das situações mais difíceis que o Pai conhece, em seus filhos, a fé!

Moisés Age sem Pensar

Números 20

MARÇO - DIA 14

Mais uma vez, após muitos dias, o povo ficou sem água. Como já era costume, falaram com Moisés para que esse tomasse as providências necessárias e conseguisse água para todos.

Deus mandou que Moisés pegasse o seu cajado e fosse com Arão e o povo diante de uma pedra e falasse com a rocha. Da rocha brotaria água para dar de beber ao povo e aos animais.

Mas Moisés, sem medir as consequências, agiu pela emoção. Em vez de pedir que a rocha fizesse brotar água, bateu nela duas vezes com seu cajado e disse ao povo: "Ouçam, rebeldes! Poderemos acaso fazer brotar água destas rochas para que matem a sede?"

Mas logo muita água saiu da rocha. Todos beberam, e os animais também mataram sua sede. Porém, Deus disse a Moisés e Arão: "Vocês não creram em mim. Já que desobedeceram às minhas palavras, os dois não entrarão na Terra Prometida." Moisés e Arão sabiam que tinham errado e que Deus não voltaria atrás em seu julgamento. Mesmo triste com o próprio comportamento, Moisés continuou a conduzir o seu povo. E a caminhada prosseguiu.

Em certo ponto do caminho, o rei de Edom não permitiu que o povo passasse sobre o seu território. Por isso todos tiveram que desviar para outro rumo. Partiram de Cades para o Monte Hor. Moisés, Arão e todos os filhos de Israel foram para lá.

Deus havia avisado a Moisés que Arão não entraria na terra de Canaã. Por esse motivo é que Moisés, Arão e seu filho Eleazar subiram ao monte. Ficariam por lá. E foi justamente ali que Arão adoeceu e morreu.

Moisés, muito triste, pegou as roupas de Arão e as vestiu em Eleazar, seu filho. Isso significava que agora Eleazar era o novo sacerdote responsável pelo santuário de Deus. Moisés e Eleazar desceram o monte. O povo soube da morte de Arão, e todos choraram e lamentaram por trinta dias.

A desobediência é algo muito grave. Nada no mundo entristece mais ao Pai!

As Serpentes

Números 21

MARÇO - DIA 15

Partiram todos do Monte Hor pelo caminho do Mar Vermelho, a fim de rodear a terra de Edom. O povo, entretanto, muito ingrato, não demorou a começar a reclamar outra vez: "Por que você nos fez sair do Egito? Aqui neste deserto não temos nem pão, nem água! Estamos fartos desse pão chamado maná que Deus nos envia!"

Deus, então, deixou que serpentes venenosas os picassem. Isso serviu como sinal do descontentamento de Deus. Somente assim o povo reconheceu que era ingrato para com o Senhor e pediu que Moisés orasse a Deus para que as serpentes fossem embora.

"Moisés!", disse Deus, "Faça uma serpente de bronze e coloque-a sobre um poste." Moisés obedeceu. E todos aqueles que foram picados por serpentes, ao olharem com muita fé para a serpente de metal feita por Moisés, curavam-se e ficavam gratos a Deus.

A fé em Deus é a força mais poderosa que alguém pode ter!

Balaão e a Sua Jumenta

Números 22-24

MARÇO - DIA 16

Depois, partiram os israelitas para as campinas de Moabe e acamparam lá, uma região além do Jordão. Balaque, rei de Moabe, sabia de tudo o que havia acontecido até aquele momento. Sabia também que Deus estava com aquele povo e que vencia nas batalhas. Além disso, o povo de Israel era numeroso.

Com muito medo, Balaque julgou por bem enviar mensageiros até Balaão para pedir ajuda a ele. Balaque pediu incessantemente que Balaão, mais poderoso, viesse derrotar os israelitas. Antes de tomada qualquer decisão, Deus falou com Balaão: "Não lute contra esse povo, pois ele está sob a minha proteção."

Assim sendo, Balaão negou ajuda a Balaque. Mas Balaque era um homem insistente. Mandou mais príncipes e nobres com a missão de convencer Balaão. O rei Balaque mandou presentes em ouro e prata, tudo para convencê-lo.

Balaão ouviu a voz de Deus, durante a noite: "Se aqueles homens vierem chamá-lo, levante-se e vá com eles. Mas, atenção, você vai fazer somente o que eu disser!" Amanheceu, e Balaão levantou-se. Montou em sua jumenta e foi com os homens de Balaque. Deus mandou um anjo se colocar no caminho de Balaão.

A jumenta viu o anjo com uma espada na mão e desviou. Balaão, sem entender, batia muito no pobre animal. E assim aconteceu mais duas vezes. Balaão, furioso como nunca, batia nela com força.

Então, Deus, com seu poder, fez com que a jumenta falasse: "O que fiz a você, Balaão? Por que você já me espancou três vezes hoje?" Confuso, e mal acreditando que sua jumenta falasse, respondeu: "Se eu tivesse uma espada comigo, acabaria com você agora mesmo!"

"Mas, Balaão, não tenho sempre sido uma ótima jumenta para você cavalgar? Alguma vez na vida fiz algo semelhante ao que fiz hoje, desviando do caminho pelo qual você queria ir?"

E, de repente, Balaão viu a causa de tudo. Viu o anjo e, em sua mão, a espada. Só então se deu conta de que não estava agindo como Deus queria. Ele entendeu que sempre e sempre a vontade de Deus deve ser respeitada! Nunca se deve desviar do caminho traçado pelo Pai!

Deus Manda Contar o Povo de Israel

Números 26-36

MARÇO - DIA 17

Os israelitas passaram um tempo em uma região chamada Sitim. Não demorou muito, e o povo de Israel já estava sendo influenciado pelos habitantes daquele lugar. Adoravam outros deuses e diante deles se inclinavam.

Deus mais uma vez se entristeceu. O povo israelita não deveria fazer como os habitantes daquela região. Não deveriam adorar outros deuses. Moisés fez o que pôde em nome do Senhor. Moisés sabia que, em breve, a longa e cansativa viagem através do deserto estaria chegando ao fim.

Eles estavam nas campinas de Moabe, perto do Rio Jordão e de Jericó. Para melhor organizar seu povo, Moisés e Eleazar, o sacerdote, contaram todos os israelitas das doze tribos (consideraram apenas os que tinham acima de vinte anos).

E chegaram a este resultado: havia mais de seiscentas mil pessoas naquela faixa de idade.

Deus fez uma lei para dividir a terra de Canaã entre as doze tribos dos israelitas. Deus considera que todos têm direito a um pedaço de terra!

Moisés Faz Suas Últimas Recomendações

Deuteronômio

MARÇO - DIA 18

Como Deus havia prometido, Moisés não entraria na terra de Canaã, pois havia desobedecido ao Senhor. Arão já havia morrido e, em breve, Deus levaria Moisés também. Mas, antes de morrer, Moisés ainda tinha algumas recomendações e instruções que deveriam ser observadas. Reuniu todo o povo além do Jordão, na planície defronte do Mar Vermelho, e começou o seu discurso final.

Moisés pediu ao povo que fosse obediente a Deus em todos os momentos da vida. Fez o povo se lembrar da aliança que Deus fizera em Horebe, no Monte Sinai. Pacientemente, repetiu todos os Dez Mandamentos ao povo de Israel e recordou como Deus o havia guiado no deserto, durante tantos anos, suprindo as suas necessidades.

Moisés lembrou ao povo que todos os ídolos deveriam ser destruídos, pois para o Senhor Deus é falsa a adoração a ídolos. Tudo, nos mínimos detalhes, Moisés fez questão de lembrar ao povo. Depois, sabendo que logo partiria para sempre, Moisés nomeou Josué como seu sucessor. Seria o novo líder dos israelitas.

Então, subiu Moisés ao monte Nebo. E, apesar de Deus haver prometido que ele não entraria na Terra Prometida, mostrou a Moisés toda a terra de Canaã. "Moisés, esta é a terra que jurei a Abraão, Isaque e Jacó. Vou dar esta terra a sua descendência, mas você não chegará a pisá-la", disse Deus.

Logo em seguida, Moisés adormeceu para sempre, ali naquele monte, na terra de Moabe. Moisés tinha então cento e vinte anos. Os filhos de Israel choraram e ficaram de luto por trinta dias.

A vontade de Deus nunca falha!

Josué: O Novo Líder

Josué 1

MARÇO - DIA 19

Depois do que acontecera no monte Nebo, Deus foi falar com Josué: "Meu servo Moisés morreu. Agora, pois, levante-se e atravesse com o povo o rio Jordão." Deus prometeu que todo lugar que ele pisasse seria do povo, como havia prometido a Moisés. Prometeu ainda que sempre estaria com Josué e jamais o iria desamparar.

"Esforce-se e tenha bom ânimo, Josué. Observe todas as leis que criei no tempo de Moisés. Guarde e medite sobre as palavras desse livro e será bem-sucedido. Eu, o Senhor Deus, estarei com você por onde quer que ande!"

Josué deu ordem aos príncipes do povo: "Digam ao povo que se preparem para atravessar o rio Jordão. Levem comida e tudo o que for necessário, porque daqui a três dias atravessaremos o rio e tomaremos posse da terra que Deus prometeu a nossos antepassados."

"Faremos tudo o que você pede, Josué, e seguiremos as suas ordens", responderam, "Assim como ouvimos Moisés, ouviremos você, desde que Deus esteja com você!", garantiram eles.

Quem guarda Deus no coração nunca está sozinho!

Raabe Ajuda os Espiões de Josué

MARÇO - DIA 20

Josué 2

Josué era um homem bastante inteligente e cuidadoso. Antes de atravessar o Jordão com todo aquele povo, mandou dois espiões para se garantir. Ele queria saber mais sobre aquela cidade, Jericó.

Os espiões imediatamente partiram e ficaram alojados na casa de uma mulher chamada Raabe. Os espiões dormiram ali, mas alguém contou ao rei que eles estavam em Jericó, na casa de Raabe. Preocupado, o rei mandou dizer a ela: "Quero que você mande embora os homens hospedados em sua casa; eles são espiões."

Raabe, mesmo assim, escondeu os dois em sua casa. Quando os soldados do rei chegaram ali, ela simplesmente declarou: "É verdade, eu tinha dois hóspedes, mas eles já partiram. Já devem estar bem longe daqui. Não sei para onde foram, mas talvez vocês os alcancem."

Assim que a porta se fechou, e vendo-se longe do perigo, ela foi até a parte superior da casa, onde os havia escondido entre as canas do linho, e disse: "Eu sei que Deus é poderoso e que Ele dará esta terra ao povo de Israel. Por isso protegi vocês aqui. Por favor, peçam ao Senhor que, assim como eu fui bondosa com vocês, Ele seja bondoso e proteja a vida de meus pais, irmãos e irmãs."

Ainda meio desconfiados, os dois concordaram, desde que não fossem denunciados. Raabe pegou uma corda e pela janela ajudou os dois a descerem. "Vocês devem ir até aquele monte, assim os soldados não os encontrarão. Fiquem lá por três dias e, quando os soldados tiverem retornado, vocês poderão prosseguir mais tranquilos.", explicou Raabe, muito cautelosa.

Gratos, os dois espiões garantiram a ela que Deus pouparia a sua vida e a de seus familiares: "Raabe, quando nosso povo invadir Jericó, você deve fazer o seguinte: amarre este cordão vermelho na sua janela. Fique dentro de casa com os seus familiares e nada acontecerá a vocês." E os espiões partiram.

As atitudes bondosas sempre serão reconhecidas e abençoadas por Deus!

A Travessia do Jordão

MARÇO - DA 21

Josué 3-4

Assim que os dois espiões conseguiram retornar, contaram a Josué tudo o que tinha acontecido. Com entusiasmo, disseram mais: "Com certeza, Deus nos dará aquela terra, pois até os moradores já estão com medo de nos enfrentar."

Josué levantou-se na madrugada seguinte e convocou o povo a partir de Setim. Foram até a beirada do rio e acamparam ali, cerca de três dias antes da travessia. "Povo de Israel, quando vocês virem a Arca da Aliança do Senhor, que os sacerdotes vão carregar, vocês levantarão acampamento e a seguirão."

Aos olhos humanos era muito difícil atravessar um rio tão profundo. Muitos se afogariam. Mas Deus era soberano sobre todas as coisas. Assim que os sacerdotes pisaram na água à beira do rio, as águas que vinham de uma direção pararam e ficaram detidas como em uma barragem. As águas ficaram totalmente separadas.

Os sacerdotes que carregavam a arca pararam firmes, no seco, no meio do Jordão. Todo o povo de Israel passou a salvo. Quando todos já tinham atravessado, Josué pediu que doze homens, cada um de uma tribo, fossem até o meio do Jordão, onde estavam os sacerdotes firmes com a arca, colhessem doze pedras e as trouxessem até a margem. Pediu também que as colocassem em cada um dos acampamentos para passar a noite.

Com as pedras também construiriam um altar. No futuro, quando os filhos viessem a perguntar o que tudo aquilo significava para o povo, diriam que a Arca do Senhor fizera o Jordão se dividir para que o povo passasse a salvo.

As pedras em forma de altar seriam um memorial para sempre!

Jericó é Destruída

Josué 5-6

MARÇO - DIA 22

Josué sabia que teria de batalhar para conquistar Jericó. Certo dia, viu um homem com uma espada na mão. Josué se aproximou e perguntou: "Você é um dos nossos, ou do exército inimigo?"

E ele respondeu: "Venho como príncipe do exército do Senhor!" Josué, reconhecendo que aquele era um mensageiro de Deus, colocou o seu rosto na terra e o adorou.

"Tira os sapatos dos teus pés, porque o lugar que estás pisando é santo", pediu o mensageiro. Josué obedeceu de imediato.

Disse o Senhor a Josué que levasse sete sacerdotes para diante da arca. No sétimo dia deveriam rodear os muros da cidade por sete vezes. Ali deveriam os sacerdotes tocar as trombetas de chifres de carneiro. E, ao ouvir o som, todo o povo gritaria em alta voz. Com o forte som produzido, o muro cairia.

E assim aconteceu. Josué executou tudo conforme Deus pedira e, de repente, os muros de Jericó caíram. Os soldados israelitas avançaram para dentro da cidade rapidamente. Deus deu ordens expressas para que não se levasse nada de Jericó.

Josué mandou os dois espiões protegerem Raabe e tudo o que estivesse dentro da casa dela, assim como tinham prometido. E o povo daquela cidade foi vencido.

Acã e Seu Pecado

Josué 7-8

MARÇO - DIA 23

Tudo havia corrido, até aquele momento, como estava previsto. Mas Acã, da tribo de Judá, levou para si os bens que havia roubado, enquanto o seu povo conquistava Jericó. Deus ficou muito zangado, porque tinha proibido tal atitude. Josué nem desconfiava do que Acã tinha feito!

Mais tarde, dois espiões foram mandados à cidade de Ai. Josué queria informações a respeito daquele povo e de seu exército. Voltaram logo os espiões e informaram a Josué: "O exército de Ai é bem pequeno. Precisaremos apenas de uns dois ou três mil homens e conseguiremos tomar a cidade."

Josué, então, mandou uns três mil homens à batalha para a conquista da cidade. Para surpresa de Josué, todos os seus homens foram derrotados e fugiram da batalha em Ai. Josué não entendia a razão de isso ter acontecido: "Senhor, como é que isso foi acontecer?! Pelo seu poder atravessamos o Jordão, conquistamos Jericó e agora somos massacrados pelos amorreus?!"

Então, Deus disse a Josué: "O povo furtou e mentiu, escondendo em sua bagagem ouro e prata que pertenciam aos moradores daquela cidade. Eu, o Senhor Deus, proibi e avisei que não levassem nada."

Aquele era o motivo pelo qual Israel não havia vencido a batalha contra a cidade de Ai. Deus não os abençoou por causa do erro cometido. Josué, então, procurou entre todos quem havia cometido tal desobediência a Deus. Logo Acã confessou o seu pecado. Ele havia realmente furtado alguns objetos e roupas. Acã e toda a sua família foram apedrejados pelo povo.

E Deus disse a Josué: "Não se preocupe, leve os seus guerreiros e vá até a cidade de Ai. Eu os ajudarei a conquistá-la!" Realmente, mais tarde, conseguiram conquistar Ai. Jamais se deve tirar o que é dos outros!

O Acordo dos Gibeonitas Com Josué

Josué 9

MARÇO - DIA 24

Com o passar dos tempos, as tribos de Canaã começaram a ouvir sobre as vitórias e conquistas dos israelitas. Os vários povos, com medo de que logo tudo fosse tomado pelos israelitas, fizeram um acordo entre si para lutar contra Josué e o seu povo.

Havia, porém, um povo, os moradores de Gibeom, que foi muito esperto. Nem pensou em fazer parte do acordo entre as tribos. Ouvindo falar o que Josué e seu exército tinham feito com Jericó e Ai, cheio de astúcia, o povo foi falar com Josué.

Os gibeonitas vestiram-se com roupas velhas, sapatos bem gastos e colocaram velhos e remendados odres de vinho sobre seus jumentos. Também levaram consigo pão velho e bolorento. Então, foram até o arraial onde estava Josué e disseram a ele e ao povo: "Somos de uma terra distante e queremos fazer um acordo com vocês!"

Josué respondeu imediatamente: "Não! Não podemos fazer um acordo de paz com vocês! De onde vocês são?"

"Somos de uma terra muito distante, e ouvimos dizer que Deus fez muitas coisas por vocês, e também lá no Egito quando tirou vocês da escravidão!", disseram eles.

"Deus disse para lutarmos contra os povos que habitam Canaã", respondeu Josué. Mas eles, muito espertos, mostraram os pães bolorentos e repetiram que eram de um país muito distante dali e que tinham viajado muito.

Josué e o povo não pediram conselho a Deus. Acabaram fazendo um acordo com eles. Juraram não matar ninguém do povo gibeonita que, muito esperto, havia enganado a todos. Eles eram seus vizinhos.

Quando o povo de Israel soube da verdade, quis castigá-los, mas Josué disse que teriam de honrar o tratado. O tratado, no entanto, não impediu que Josué lhes desse uma lição. Aquele povo serviria para rachar lenha e tirar água para a congregação e para o altar do Senhor. E assim aconteceu.

A mentira nunca vai longe demais!

O Sol e a Lua Pararam

MARÇO - DIA 25

Josué 10

O rei de Jerusalém ficou sabendo do tratado de paz que os gibeonitas espertamente conseguiram fazer entre Josué e seu povo. O rei temeu que o povo de Gibeom se aliasse ao povo de Israel. Mandou que outros reis atacassem a cidade de Gibeom antes que fosse tarde demais.

O rei de Jerusalém e mais quatro outros se reuniram e foram cercar a cidade de Gibeom. Com medo, os gibeonitas mandaram avisar Josué: "Por favor, Josué, ajude-nos e livre-nos desses reis! Todos eles se juntaram para nos destruir."

Josué, avisado por Deus, sabia que derrotaria todos aqueles inimigos e que era da vontade de Deus que Gibeom não fosse destruída. Josué reuniu o seu exército de homens valorosos e foi em direção à batalha.

A batalha foi grande. Os inimigos começaram a fugir. O povo de Israel os perseguiu pelo caminho afora. Como a batalha ainda não havia acabado, e o Sol já estava se pondo, Josué orou ao Senhor, diante dos israelitas: "Sol, não se ponha; fique parado em Gibeom. E você, Lua, fique parada no vale de Aijalom."

E assim o Sol e a Lua pararam até que o povo

derrotasse os seus inimigos. E não houve dia igual a esse nem antes nem depois, porque Deus ouviu a oração de Josué.

Deus protege os que oram!

Josué Reparte a Terra

MARÇO - DIA 26

Josué 13-22

Houve muitas batalhas. Ao todo Josué lutou contra trinta e um reis e saiu vitorioso sempre. Porém, ele já estava bem idoso e cansado. Um dia, Deus lhe disse: "Josué, meu servo, você está com bastante idade, e ainda existe muita terra para ser conquistada. Está na hora de repartir a terra como herança entre as tribos de Israel."

A tribo de Levi não recebeu terras, porque a herança deles seria cuidar e ficar a serviço do santuário ou tabernáculo. E todos os filhos de Israel se reuniram em Siló. Lá armaram a Tenda da Congregação, e ali o tabernáculo de Deus ficaria de agora em diante.

Já que os levitas não haviam recebido terras por herança como as demais tribos, Deus estabeleceu que teriam cidades especiais para morar com suas famílias e assim cuidar do tabernáculo, pois eles eram os sacerdotes. Josué chamou as várias tribos e disse: "Vocês têm sido muito prestativos e obedientes. Estão sempre guardando os Mandamentos de Deus. Vocês podem ocupar as suas terras. Mas lembrem-se sempre dos Mandamentos de Deus para trilhar o bom caminho!"

Josué abençoou-os e se despediu deles. As várias tribos partiram e, ao chegarem às margens do rio, construíram um altar para lembrar a todas as tribos que estavam em Canaã que eles obedeciam ao Senhor.

Todos, felizes, foram habitar as suas terras. Deus, afinal, havia cumprido a promessa de muitos anos antes, feita a Jacó. Deus cumpriu, conduzindo os descendentes de Abraão até a Terra Prometida, uma terra fértil onde havia mel e leite.

Cedo ou tarde, Deus recompensa os bons filhos!

É Hora de Renovar o Pacto com o Povo

Josué 24

MARÇO - DIA 27

O povo agora estava dividido. Cada tribo de Israel tinha as suas terras. Já bem idoso, Josué mandou convocar todos os líderes e responsáveis. Ele queria conversar com todos antes de morrer. "Hoje é o dia de vocês fazerem uma escolha. Julguem se preferem servir aos deuses falsos, que os pais de vocês adoraram, ou a qualquer outro deus. Mas digo que eu, Josué, e a minha família serviremos ao Senhor", ele enfatizou e continuou o seu discurso: "Se vocês querem servir ao Senhor, então joguem fora todos os deuses estranhos e obedeçam de coração ao Senhor Deus."

Naquele dia, Josué fez aliança com o povo e escreveu tudo no Livro da Lei de Deus. Pegou uma pedra grande e a colocou debaixo de uma árvore de carvalho, perto do santuário do Senhor. E Josué disse ao povo: "Esta pedra servirá como testemunha! Todas as palavras aqui ditas são promessas que devem permanecer para sempre. Esta pedra é testemunha disso!"

Não muito tempo depois, Josué, com a idade de cento e dez anos, foi para junto do Senhor. Foi sepultado nas terras da sua herança, no monte de Efraim.

O povo que tem um líder fiel a Deus sempre alcança paz e tranquilidade!

A Época dos Juízes em Israel

Juízes 1-2

MARÇO - DIA 28

Pouco a pouco, aquela geração de Josué foi morrendo. Os filhos e netos do povo de Israel foram tomando o seu lugar. Eles estavam morando na Terra Prometida, mas não tinham passado por tudo aquilo que seus pais passaram. Os Mandamentos e Leis de Deus logo foram sendo deixados de lado; foram sendo esquecidos.

O povo de Israel começou a adquirir hábitos e costumes dos povos sem fé em Deus. Em pouco tempo, além dos hábitos, estavam adorando e servindo a deuses diferentes. Aquilo entristeceu ao Senhor.

Muitos daqueles povos que adoravam deuses estranhos faziam rituais em que sacrificavam até seus próprios filhos para agradar aos deuses. O povo de Deus estava seguindo o mesmo caminho. Esqueceu-se do pacto feito com o Senhor. O pacto de amor e adoração.

Deus ficou aborrecido com o povo de Israel. Como lição pelo erro, deixou que os israelitas fossem derrotados por seus inimigos. O Senhor Deus resolveu, então, providenciar juízes para que o povo não cometesse tantos erros. Mas sempre que um juiz morria, logo o povo se corrompia de novo. E assim foi por algum tempo.

Ao todo, Deus enviou quinze líderes distintos para conduzir o povo nos caminhos de Deus. Esses homens eram os juízes sobre o povo de Israel. Deus, através daqueles homens, mostrava às pessoas o quanto elas estavam pecando e que deveriam se voltar para o Senhor.

Um Libertador: Otniel

Juízes 3

MARÇO - DIA 29

O povo realmente estava fazendo o que era errado diante do Senhor. Esqueceu-se totalmente de Deus e dos pactos feitos. Teimava em servir a outros deuses. Entristecido, Deus permitiu que o povo de Israel sofresse as consequências, tendo de servir ao rei da Síria,

chamado Cusã-Risataim, por oito anos. Somente assim se lembraram de Deus. Estavam aflitos, e outros povos os dominavam, tornando-os nada mais do que simples servos.

Lembraram-se, um dia, de clamar a Deus, e o Senhor fez surgir um libertador. Seu nome era Otniel. O espírito do Senhor estava com Otniel. Ele liderava o povo israelita. E por quarenta anos houve paz em Israel. Foi o seu primeiro juiz.

Mas quando Otniel faleceu, os israelitas voltaram a viver do jeito que bem entendiam. Tornaram a desobedecer a Deus e a praticar o mal. Não demorou muito, e Eglom, rei dos moabitas, tornou a vida deles bem difícil.

Somente quando tudo ia mal é que o povo de Israel se lembrava de orar a Deus. Oraram novamente para que Deus tivesse compaixão deles. E o Senhor atendeu ao seu pedido. E assim foi acontecendo durante anos e anos. Outros juízes foram providenciados por Deus sempre que o povo recorreu a Ele, suplicando ajuda.

Deus nunca deixa de atender às orações, quando feitas com fé!

Débora, Uma Juíza em Israel

Juízes 4-5

MARÇO - DIA 30

Os filhos de Israel estiveram sob o domínio do rei Jabim, que reinava em Hazor. Ele era um rei poderoso e possuía um forte exército. Seu principal ajudante era o capitão Sísera. Por vinte anos, o rei Jabim oprimiu com grande violência os filhos de Israel.

Naquele tempo, Deus havia colocado Débora como mulher profetisa e juíza do povo. Débora se sentava nas montanhas de Efraim, à sombra das palmeiras, e todos a procuravam para que julgasse as questões problemáticas. Deus estava com Débora.

Um dia, ela mandou chamar Baraque: "Baraque, você deve liderar dez mil homens e lutar contra Sísera que tem exército poderoso. Mas seremos vencedores", disse ela, totalmente confiante.

"Bem, se você for, Débora, eu irei", propôs Baraque. "Claro, Baraque, pode contar comigo. Porém a honra de vencer o inimigo será dada ,pelo Senhor, a uma mulher."

Baraque convocou homens de outras tribos de Israel e, com cerca de dez mil, foi rumo à batalha. Débora foi com eles.

O exército de Sísera foi derrotado, mesmo sendo poderoso. Ninguém foi poupado, porque Baraque perseguiu o exército até não ficar um só homem. Mas ele conseguiu escapar a pé.

Quase sem fôlego, Sísera avistou uma tenda e uma mulher. "Entre, meu senhor, e não se preocupe.", disse Jael, a mulher. Sísera pediu água, e ela deu a ele leite e o cobriu com um cobertor. Sísera também pediu que não dissesse a ninguém que ele estava ali.

Quando pegou no sono devido ao extremo cansaço, Jael deu um jeito de lhe tirar a vida. Baraque, procurando pelo capitão, viu que Jael estava vindo em sua direção. Disse ela: "Venha, vou mostrar a você o homem que está procurando."

Baraque entrou na tenda e teve certeza de que seu povo estava livre de Sísera. E foi assim que Deus libertou o seu povo do rei Jabim e de Sísera, o violento capitão do exército.

Um Anjo Fala com Gideão

Juízes 6

MARÇO - DIA 31

Por sete anos, os midianitas destruíram as plantações de Israel. Os filhos de Israel haviam pecado e, por isso, eram castigados pelos midianitas. Essa era a vontade de Deus. O povo de Israel se escondia em cavernas nos montes para se proteger, mas não adiantava. Os midianitas vinham em grande número e arrasavam tudo: plantações, tendas, bois, ovelhas e jumentos.

Assim o povo israelita se tornou pobre e faminto. Tudo o que tinha sempre era destruído. Quando o povo não pôde mais aguentar essa situação, clamou ao Senhor para que Ele o livrasse dos midianitas. Então, o anjo do Senhor apareceu a Gideão, enquanto ele estava triturando o trigo.

"Gideão! O Senhor está ao seu lado. Você é um homem de valor!", disse o anjo. Gideão, temeroso, respondeu: "Pois bem, se Deus está conosco, por que esta desgraça está sobre nós? Os midianitas estão sempre depredando as nossas plantações!"

"O Senhor quer que você livre o povo de Israel do domínio dos midianitas", respondeu o anjo.

"Mas como é que eu vou poder salvar Israel? Eu e a minha família somos pobres. Eu sou o mais jovem lá de casa!", argumentou Gideão, preocupado.

Mas o Senhor disse a Gideão que ele venceria os midianitas. Deus estaria com ele e a vitória na batalha era certa.

Gideão Quer um Sinal como Prova

Juízes 6

ABRIL - DIA 1°

Mesmo sabendo que aquelas palavras do anjo eram verdadeiras, Gideão queria uma confirmação daquilo. Ele queria um sinal como prova. Pediu ao anjo que não saísse dali, pois voltaria com um presente. "Eu esperarei até que você volte, Gideão!", disse o anjo tranquilamente.

Gideão se apressou e foi preparar um cabrito e pães sem fermento. Colocou a carne em um cesto e o molho numa panela. Retornou ao carvalho onde o anjo estava e lhe ofereceu a comida. "Gideão, coloque a carne e os pães sobre esta pedra e derrame o molho sobre eles."

E assim fez o jovem rapaz. Então subiu fogo da rocha, assando a carne e os pães totalmente. E o anjo sumiu. Era um sinal de Deus.

Deus falou com Gideão naquela noite: "Vá e pegue o boi de sete anos do seu pai, derrube o altar de Baal e corte o bosque que está ao redor dele." Muito obediente, Gideão fez exatamente como Deus ordenara.

E, ao se levantarem no dia seguinte, os moradores daquela cidade viram que alguém tinha derrubado o altar

de Baal e também cortado o bosque perto dele. Descobriram logo que Gideão tinha sido o responsável. Foram falar com o pai dele. "Joás, o seu filho Gideão tem de ser castigado. Foi ele quem derrubou o altar.", disseram eles, zangados.

Mas Joás defendeu o seu filho. E disse mais: "Se Baal é um deus de verdade, ele mesmo que se defenda, já que foi derrubado o seu altar."

O Exército de Gideão e os Midianitas

ABRIL - DIA 2

Juízes 7

Gideão se levantou de madrugada e com ele foi todo o povo. Acamparam perto da fonte de Harode. Era um exército bem grande o que estava com Gideão. Mas Deus sabia que, se vencessem a batalha contra os midianitas, o povo de Israel acabaria se vangloriando. Diriam que venceram por causa da grande quantidade de soldados. Deus, porém, queria mostrar mais uma vez que venceriam por causa da Sua vontade.

Gideão, a pedido de Deus, disse ao povo: "Quem de vocês for medroso e covarde para lutar, volte agora

mesmo para casa." Então, vinte e dois mil voltaram; só ficaram dez mil do povo.

Mas Deus conhecia tudo e ainda julgava que tinha sobrado muita gente. Deu um jeito de fazer outra seleção e acabaram sobrando trezentos homens para ir com Gideão. Apenas esse pequeno grupo iria lutar contra os midianitas!

Dividiu os trezentos homens em três companhias e deu, a cada um, uma buzina e um cântaro vazio com uma tocha acesa dentro. Além disso, Gideão explicou como seria a sua estratégia de ataque. "Quando eu tocar a minha buzina, vocês também devem tocar, jogar os cântaros no chão e gritar: "Pelo Senhor e por Gideão!", ordenou ele.

Assim foi feito. Os midianitas ficaram apavorados. Imaginaram tratar-se de um grande exército e fugiram gritando. Dessa forma, foram vencidos por Gideão. A verdadeira força do homem não está em seu corpo, mas em sua fé!

Jefté Livra os Israelitas

ABRIL - DIA 3

Juízes 11

E aconteceu que, depois de algum tempo, o povo de Amom veio a lutar contra Israel por causa das terras. Jefté era um homem muito corajoso. Ele tinha sido afastado da família, havia muito tempo, porque era um filho ilegítimo. Por isso, foi habitar em um lugar distante.

Quando, porém, a guerra estava para começar entre Israel e Amom, os irmãos de Jefté, já idosos, foram buscá-lo, pois era um bravo guerreiro. "Vocês me expulsaram da casa do meu pai! Agora que estão em apuros me procuram, não é?", disse Jefté, indignado, "Se eu liderar o exército e vencer os amonitas, vocês farão de mim chefe sobre todos os moradores de Gileade?"

Os irmãos disseram a Jefté que Deus era testemunha e que, se acontecesse a vitória sobre os amonitas, cumpririam a promessa. Jefté estava decidido a vencer os inimigos. Prometeu a Deus que se ele fosse vitorioso sacrificaria a primeira criatura que visse sair de sua casa e que viesse ao seu encontro após a guerra.

Deus deu a vitória a Jefté. Os amonitas foram derrotados completamente. Mas quando Jefté estava voltando para casa, saiu ao seu encontro a sua única filha. Quando ele a viu, lembrou-se do que tinha prometido a Deus e rasgou suas roupas em sinal de profunda tristeza.

Com grande mágoa, Jefté contou tudo à sua filha e o que havia prometido a Deus. Jefté teve de cumprir a sua palavra. Perdeu assim o que era mais precioso para ele: sua filha. Jefté deveria saber que as promessas feitas a Deus devem ser cuidadosas e bem pensadas. Todas elas devem ser cumpridas com alegria e bondade. Prometer algo que traz tristeza não é sinal de amor!

O Nascimento de Sansão

Juízes 13

ABRIL - DIA 4

Muitos anos se passaram. E os israelitas voltaram a cometer erros e a fazer coisas que desagradavam profundamente a Deus. Por isso Deus permitiu que os filisteus os dominassem por quarenta anos.

Havia, entretanto, um homem chamado Manoá que tinha uma boa esposa. O anjo do Senhor apareceu a ela certo dia e disse: "Você em breve terá um filho. Não beba vinho e nenhuma bebida forte. Esse menino será um líder."

A mulher de Manoá, sem saber que se tratava de um anjo, contou tudo ao marido sobre o que o estranho homem tinha dito: que teriam um filho e ele começaria a livrar Israel do domínio dos filisteus. Além disso, o estranho disse que ela nunca deveria cortar o cabelo do menino, pois seria consagrado a Deus desde a sua concepção.

Manoá orou a Deus pedindo que aquele homem aparecesse novamente. Queria saber o que deveriam fazer com o menino que nasceria. Deus ouviu a oração de Manoá. O estranho homem apareceu novamente diante da mulher, quando ela estava no campo. Mas Manoá não estava com ela naquele momento.

Ela, então, foi correndo até o seu marido e disse, ofegante: "Aquele homem estranho apareceu novamente. Perguntei-lhe se foi comigo que ele falou na outra vez, e ele confirmou!"

O anjo do Senhor deu instrução aos dois, em especial à mulher, para que não bebesse vinho ou bebida forte e não comesse certos tipos de comida. Manoá e sua esposa fizeram comida especial ao estranho visitante. Mas ele recusou e mandou que eles oferecessem a Deus. Manoá não sabia que aquele homem era um anjo do Senhor. Pegou um cabrito e alimentos, colocou sobre uma rocha e ofereceu ao Senhor. A chama do altar de repente subiu ao céu, e o anjo subiu entre a chama.

Naquele momento, ele e sua esposa entenderam que aquele era um anjo do Senhor. Amedrontado por ver tudo aquilo, Manoá pensou que iria morrer. Mas sua sábia esposa o acalmou: "Não se preocupe, Deus aceitou a nossa oferta e holocausto, e nos mostrou tudo isso."

Quando, enfim, chegou a hora, ela teve um filho e o chamou de Sansão. E o menino crescia dia após dia. Deus o abençoava de modo especial. Era um menino consagrado ao Senhor.

Todas as pessoas são escolhidas por Deus, se não fossem, nem teriam nascido! A única diferença é que algumas sempre estão pertinho do Pai!

Sansão é Forte

Juízes 14

ABRIL - DIA 5

Logo Sansão se tornou um homem feito e quis se casar. Certo dia foi à cidade e viu uma bela moça. Era filha de filisteus, povo que há muito vinha oprimindo os israelitas. Mesmo assim, quis se casar com ela e disse aos seus pais: "Quero me casar com uma mulher do povo filisteu!"

Os pais, muito surpresos e indignados, não conseguiam aceitar tal absurdo: o casamento de seu filho querido com a filha dos maiores inimigos deles, os filisteus! "Meu filho," disseram seus pais, "será que você não encontraria alguém do nosso povo para se casar?"

Mas Sansão não se deixou convencer. Ele estava disposto a se casar com aquela moça do povo filisteu. Ele a achava muito bonita e se apaixonou por ela. Assim, voltou a afirmar sem dúvida que queria se casar com a moça.

Certo dia, Sansão foi com seu pai e sua mãe à cidade para pedir em casamento a moça. No caminho, de repente, surgiu um rugido. Sansão viu que era um jovem leão pronto para atacá-lo. Mas Deus e Seu espírito estavam fortemente com Sansão. E ele, então, lutou com a fera e a venceu com muita facilidade, sem nada nas mãos. Mas seus pais, que iam à frente, nada viram. E Sansão também não contou a eles sobre o leão.

Alguns dias depois, Sansão voltou a visitar sua futura esposa e, no caminho, parou onde havia vencido o leão. Ele viu um enxame de abelhas e também bastante mel dentro da carcaça do pobre animal. Pegou o mel e seguiu andando e comendo. Levou também um pouco para seus pais, mas não comentou a respeito de onde o tinha conseguido.

Deus dá a todos a força necessária para viver. Usar dessa força é tarefa de cada um!

O Enigma de Sansão

Juízes 14

ABRIL - DIA 6

Como era costume naquela época, quando um moço se casava, fazia-se uma festa. Sansão convidou uns trinta amigos para festejar com ele. "Vou dar a vocês um enigma. Caso descubram a charada durante estes sete dias de festa, darei a vocês muitos presentes. Mas, se não decifrarem o mistério, será o contrário: vocês é que terão de me dar presentes!", disse Sansão, todo animado. "Bem, o enigma é o seguinte: do comedor saiu comida e do forte saiu doçura."

Os amigos foram falar com a moça recém-casada: "Dê um jeito de descobrir qual é a resposta deste enigma." E só foram embora depois de fazerem sérias ameaças à moça. Queriam que ela se empenhasse em descobrir a charada. A jovem chorou diante de Sansão todos os dias, implorando que ele lhe contasse qual era a resposta do segredo.

"Não contei nem ao meu pai, nem à minha mãe. Você acha que eu contaria a você?", respondeu Sansão, firmemente. Mas ela continuou chorando e implorando.

No sétimo dia, Sansão, já muito cansado de tanto ouvir os choros e lamentações da esposa, contou a ela. Sem perder tempo, a moça foi logo contar aos homens a resposta do enigma. No dia em que Sansão foi perguntar a eles, descobriu, surpreso, que tinha sido trapaceado, pois eles deram a resposta certa: "O que é mais doce do que o mel e mais forte do que o leão?!"

Sansão cumpriu a sua promessa feita aos amigos. Extremamente zangado, Sansão voltou para a casa de seus pais. Mas antes deixou a sua mulher na casa dos pais dela.

A falta de lealdade é o que separa as pessoas!

Trezentas Raposas

Juízes 15

ABRIL - DIA 7

Depois de algum tempo, Sansão resolveu visitar novamente a sua esposa. Levou um cabrito, e, ao chegar lá, o pai da moça proibiu Sansão de entrar no quarto dela. "Sansão, pensei que você tinha abandonado sua esposa e a dei a um dos seus companheiros daquela festa!", disse o filisteu, "Que tal se eu der a caçula para que você se case com ela? Ela é até mais bonita do que a irmã!"

Mas Sansão não gostou da proposta. Não poderia aceitar casar-se sem amor. Ficou muito aborrecido, porque os filisteus o tinham trapaceado e agora tinham tirado a sua esposa também. Sem muita paciência, Sansão fez sérias provocações aos filisteus.

Um dia, Sansão pegou trezentas raposas, amarrou-as pelas caudas, de par em par, e colocou uma tocha com

fogo entre o nó feito com as caudas das duas raposas. Soltou-as no meio das plantações dos filisteus. Logo todas as plantações estavam queimadas.

A vingança não é atitude bondosa. Mas, sem pensar muito bem, Sansão agiu assim para dar uma lição aos maldosos filisteus. Houve muita briga entre eles. Pela força, Sansão sempre saía vitorioso.

As atitudes vingativas sempre acabam provocando outros problemas!

O Segredo da Força de Sansão

Juízes 16

ABRIL - DIA 8

Sansão liderou o povo de Israel por vinte anos, enquanto os filisteus ainda dominavam tudo e todos. Infelizmente, ele se apaixonou novamente pela mulher errada. A moça se chamava Dalila. Sansão tinha se apaixonado por ela perdidamente.

Os príncipes dos filisteus foram falar com ela: "Dalila, queremos que você descubra qual é o segredo da força de Sansão. Descubra também como podemos amarrá-lo e acabar com ela. Se você descobrir esse segredo, cada um de nós dará a você mil e cem moedas de prata."

Dalila aceitou a oferta dos filisteus e logo começou a pôr o seu plano em prática. Ela sabia que Sansão a amava e que não seria tão difícil convencê-lo a contar o segredo de sua grande força. "Sansão, querido, conte-me de onde vem essa sua enorme força. Como é que alguém poderia amarrar um homem assim tão forte como você? Diga-me, por favor!"

Sansão disse a ela que, se fosse amarrado com sete vergas de vime fresco, perderia suas forças e seria como um homem comum. De noite, enquanto Sansão dormia, amarraram-no assim como ele tinha dito a Dalila. Ela gritou ao seu lado: "Os filisteus estão aqui." E ficou assistindo para ver se tinham conseguido deter a sua força.

Sansão, assustado, levantou-se, quebrando as vergas de vime com tanta facilidade que Dalila disse a ele, indignada: "Você está caçoando de mim! Você é um mentiroso, Sansão! Quero saber agora como é que você poderia ser amarrado!"

Ele disse, então, que se pegassem cordas novas, nunca usadas antes, e o amarrassem com elas, perderia a sua força. Mas novamente a força de Sansão surgiu quando tentaram amarrá-lo com as cordas novas, de maneira que os filisteus não conseguiam pegá-lo.

Quem dá a força a um homem não são os músculos. É o pensamento em Deus!

O Ponto Fraco de Sansão

Juízes 16

ABRIL - DIA 9

Toda vez que Dalila perguntava a Sansão, ele inventava algo e não contava o verdadeiro segredo de sua força. Dalila já estava irritada aos extremos, quando resolveu arriscar tudo e disse: "Como é que você tem coragem de dizer que me ama, se não é sincero comigo? Você já me enganou três vezes! Com certeza também é mentira o amor que você diz ter por mim!"

E, por alguns dias, Dalila sempre voltava a esse mesmo assunto, incomodando Sansão até que ele resolveu contar: "Pois bem, nunca cortaram o meu cabelo, porque sou consagrado a Deus (naquela época, os consagrados não podiam cortar os cabelos por um certo tempo), desde quando fui concebido. Se cortarem o meu cabelo, perderei toda a minha força!"

Dalila, satisfeita com sua descoberta, mandou chamar os príncipes filisteus. Eles foram até ela e lhe deram o dinheiro. Dalila contou tudo a eles. Tentando agradar Sansão, Dalila o embalou em seus joelhos e o fez adormecer. Chamou um homem que cortou as sete tranças do cabelo de Sansão.

E ela disse, triunfante: "Acorda, os filisteus estão aqui para te pegar!" Mas, dessa vez, Sansão não tinha mais a força de Deus. Os filisteus o prenderam e o levaram para Gaza.

A deslealdade derrota qualquer amizade! Derrota qualquer pessoa!

Sansão no Templo de Dagom

Juízes 16

ABRIL - DIA 10

Preso em Gaza, Sansão foi transformado em um pobre prisioneiro. Amarrado com correntes de bronze, andava em círculos empurrando um moinho, dentro da prisão. Porém, os cabelos de Sansão voltaram a crescer e ficaram como eram antes de terem sido rapados. Mas os carrascos tinham deixado cego o fiel Sansão.

Certo dia, os príncipes dos filisteus se reuniram para oferecer um grande sacrifício ao deus Dagom. Durante a cerimônia, zombando, diziam em alta voz que o deus deles havia derrotado Sansão, homem israelita. Todos os filisteus diziam a mesma coisa: "É verdade, o nosso deus Dagom venceu o inimigo de nossa gente, derrotou Sansão. Vejam só o estado dele agora!" E festejavam comendo, bebendo e dançando para Dagom.

O povo filisteu, muito bêbado, mandou trazer Sansão para zombar dele na frente de todos. Sansão, com a barba e os cabelos compridos, pediu ao menino que o conduzia: "Leve-me até as colunas. Quero apalpá-las e sentir o que está sustentando este templo do falso deus. Quero me encostar nelas."

O templo estava cheio de homens, mulheres e príncipes filisteus. Todos só zombavam e brincavam com Sansão. E ele orou: "Ó Deus de Israel, peço-te pela última vez que eu volte a ter grande força e assim possa punir estes filisteus que cegaram os meus dois olhos!"

Deus ouviu sua oração e deu a ele a força. Sansão se colocou entre dois pilares e começou a empurrá-los. Um de cada lado, com os braços abertos. Colocou toda a força que podia naquele instante. E disse em alta voz: "Eu morrerei, mas os filisteus morrerão comigo!"

E o templo desmoronou sobre todo o povo.

Os irmãos de Sansão o sepultaram com tristeza. Há pessoas que, com extremo amor a Deus e ao próximo, sacrificam a própria vida em benefício de outras pessoas!

Rute e Noemi

Rute 1

ABRIL - DIA 11

Chegaram anos em que houve muita fome. A comida era escassa. Muitos tinham de ir a outros lugares para não morrer. Certo homem de Belém de Judá saiu de sua terra e foi para os campos de Moabe. Seu nome era Elimeleque, e sua esposa chamava-se Noemi. O casal tinha dois filhos.

Ao chegarem aos campos de Moabe, ficaram por ali. Passou-se um tempo, e Noemi ficou viúva. Elimeleque faleceu e a deixou com os dois filhos. Logo os dois filhos, já moços, casaram-se com mulheres daquela região. Uma se chamava Rute, e a outra, Orfa.

Viveram ali por dez anos quando, de repente, os dois filhos também morreram. Noemi ficou sem marido e sem seus dois filhos. Noemi, triste com a perda de sua família, sabia que, nesse tempo que haviam morado ali, Deus tinha voltado a abençoar a sua terra natal, de modo que já não havia mais fome por lá.

Certo dia, Noemi se levantou e disse às suas noras: "Escutem, minhas filhas, vou voltar para minha cidade natal. Não há nada aqui que me prenda. Vocês devem voltar para a casa dos seus pais. Deus as abençoe! Vocês foram ótimas esposas para meus filhos e sempre muito bondosas e prestativas comigo!"

Elas se beijaram e choraram bastante; afinal tinham se tornado grandes amigas. Rute e Orfa, no entanto, queriam partir com Noemi. "Escutem, minhas filhas, não há razão para vocês voltarem comigo a minha terra. Quero que voltem para a casa de seus pais. Sou uma mulher idosa e não tenho alegria."

Noemi tinha ficado muito amargurada; pensava que Deus a tivesse abandonado. Elas choraram. Orfa beijou a sua sogra e voltou para a casa de seus pais. Rute ficou com Noemi, pois tinha muita afeição e amor por ela.

Noemi disse, consolando Rute: "A sua cunhada já foi. Vá você também para casa!" Porém, Rute disse firmemente: "Não adianta insistir! Aonde quer que você vá, eu irei, e onde quer que você durma, ali eu dormirei. O seu povo é o meu povo, e o seu Deus é o meu Deus. Irei com você, Noemi!"

As verdadeiras amizades são um valioso presente de Deus!

Rute Colhe Espigas no Campo de Boaz

Rute 2

ABRIL - DIA 12

E Rute voltou com Noemi para Belém, bem na época da colheita das cevadas. As duas, desamparadas, não tinham o que comer. Rute disse a Noemi, sua sogra: "Vou até os campos e colherei espigas daquele que permitir que eu faça isso. Talvez alguém tenha compaixão e me deixe apanhar algumas." "Vai, minha filha", concordou Noemi.

Rute foi ao campo onde trabalhavam várias pessoas. Ali, colhia apenas as espigas que caíam das mãos dos colhedores. E, por coincidência, estava colhendo nas terras de Boaz, parente do marido de Noemi. Boaz era um homem valente e poderoso.

"Quem é aquela mulher colhendo as espigas?", perguntou Boaz, muito interessado, a um de seus empregados. "Aquela é a mulher moabita que voltou com Noemi.", respondeu o chefe dos homens que colhiam.

Boaz mandou que chamassem Rute e disse a ela: "Não vá colher espigas em outro lugar. Quero que você continue colhendo aqui, nas minhas terras! Já dei ordem para que ninguém mexa com você. Caso você queira beber, pegue a jarra, e os moços tirarão água para você."

Rute e Boaz conversaram bastante, e depois ela ficou ali até a tarde. Quando encontrou Noemi, Rute contou tudo a ela, sobre Boaz e como ele tinha sido bom deixando que colhesse as espigas. Noemi, muito alegre,

disse: "Bendito seja ele, pois é nosso parente, e bendito seja o Senhor que nos tem abençoado."

Deus nunca deixa de abençoar aquele que tem coração generoso!

Boaz e Rute Se Casam

Rute 3-4

ABRIL - DIA 13

A época da colheita estava acabando, e o povo costumava celebrar fazendo uma festa.

Noemi, como já era idosa, queria muito que a sua nora estivesse bem encaminhada na vida outra vez.

"Rute, hoje à noite haverá uma festa para comemorar a colheita de Boaz, meu parente. Vá se arrumar, coloque um belo vestido, vá até lá e não deixe que ele a veja até que acabe de comer e beber. Quando Boaz se deitar, você irá até o lugar onde ele estiver deitado e dormirá aos pés dele, como sinal de quem pede proteção."

Naqueles tempos, era costume a mulher viúva pedir proteção a um parente homem. Rute respondeu: "Vou fazer tudo como você está dizendo, Noemi!" Rute foi à festa e fez tudo exatamente como a sua sogra tinha dito. De mansinho, à noite, deitou-se aos pés de Boaz.

Quando Boaz acordou, perto da meia-noite, viu a mulher dormindo ali em um cantinho e perguntou, preocupado: "Ei, acorde! Quem é você?"

Rute imediatamente respondeu: "Sou Rute, sua serva. Eu gostaria que você me protegesse com a sua capa!"

Boaz sabia o que aquelas palavras significavam, conforme a tradição. Entendeu que deveria proteger sua vida. Boaz pensou em se casar com Rute. E até gostou da ideia!

"Você é realmente uma mulher do Senhor, e eu quero muito me casar com você. Você mostrou que é uma mulher de valor. Não foi à procura de homem rico nesta cidade. Quero que você seja a minha esposa e que todo o meu povo saiba que você é uma mulher virtuosa!", disse Boaz, muito feliz.

E assim casaram-se Rute e Boaz, e tiveram um menino. Noemi ajudou a criar o filho de Rute e Boaz, que se chamou Obede. Muitos e muitos anos depois, nasceu um bisneto de Rute e Boaz. Deram-lhe o nome de Davi.

Ana Pede um Filho para Deus

I Samuel 1

ABRIL - DIA 14

Havia um homem chamado Elcana que tinha duas esposas. Uma chamava-se Penina, e a outra, Ana. Penina deu filhos a Elcana, porém Ana não podia ter filhos.

Todos os anos, Elcana, suas duas esposas e seus filhos viajavam até Siló para adorar e oferecer sacrifícios ao Senhor. Quando Elcana oferecia sacrifícios ao Senhor, dava presentes a Penina, a seus filhos e suas filhas. No entanto, ele dava presentes muito mais valorosos a Ana. Elcana amava Ana de todo o seu coração, mesmo ela não podendo lhe dar filhos.

Certa vez, Elcana foi à casa do Senhor com sua família. E Penina, muito cruel, zombou de Ana porque ela não podia ter filhos. Ana, chorando muito, retirou-se dali. Procurou um cantinho para estar só e poder meditar sobre a sua vida.

Elcana, bastante preocupado, encontrou Ana e lhe perguntou: "Meu amor, por que você está chorando desse jeito? Por acaso não tenho sido um bom marido para você?" Ana levantou-se e foi, com a alma triste, orar a Deus. Chorou sem parar e fez uma promessa: "Senhor dos Exércitos! Se olhares com compaixão para esta pobre serva aflita e te lembrares de mim e me deres um filho homem, este filho darei para que, todos os dias, sirva ao Senhor."

Toda oração feita com muita fé é atendida pelo Senhor Deus!

O Nascimento de Samuel

I Samuel 1

ABRIL - DIA 15

Enquanto Ana, amargurada, suplicava a Deus, Eli, o sacerdote, ficou a observá-la por longo tempo. Ela orava muito em seu coração, mas não pronunciava palavra alguma que se pudesse ouvir. O sacerdote, intrigado, pensou que ela estivesse embriagada.

"Você está embriagada? Fique longe do vinho!", disse ele carinhosamente. "Não, senhor meu, não estou embriagada. Sou apenas uma mulher de coração aflito. Estou aqui colocando tudo nas mãos de Deus e contando a Ele todo o meu sofrimento!", respondeu ela.

Eli pediu que Ana fosse para sua casa em paz e desejou que Deus atendesse ao que o seu coração pedia. Deus, na sua infinita misericórdia, atendeu à oração daquela mulher sincera. Ela engravidou, depois deu à luz um menino e o chamou de Samuel. Para Ana, o nome Samuel significava que o seu pedido tinha sido atendido pelo Senhor.

Elcana e o resto da família continuaram indo a Siló, mas Ana e o bebê não mais foram por alguns anos. "Quando Samuel estiver um pouquinho maior, eu

o levarei até a casa do Senhor e lá ele ficará para servir a Deus!", explicou Ana a seu marido.

A gratidão a Deus nunca deve ser esquecida!

Ana Vai ao Templo e Canta em Gratidão

I Samuel 1-2

ABRIL - DIA 16

Quando Samuel estava maiorzinho, Ana levou-o para o templo, em Siló. Levou também três bezerros, uma boa quantidade de farinha e um odre de vinho. Lá encontrou Eli, o sacerdote que havia falado com ela, alguns anos antes.

"Ah, meu senhor, eu sou aquela mulher que esteve aqui para orar ao Senhor. Eu estava pedindo a Deus um filho. Aqui está ele. O Senhor Deus atendeu à minha

súplica. Prometi a Deus que, se eu tivesse um filho, eu o entregaria, e ele serviria no templo de Deus.", esclareceu Ana.

A bondosa mulher, muito grata por ter tido a oportunidade de ter um filho, orou e cantou. Seu coração estava muito alegre. Elcana e Ana voltaram para a sua casa em Ramá, mas o pequeno menino ficou servindo ao Senhor, aos cuidados do sacerdote Eli.

Eli tinha dois filhos, entretanto, seus filhos não obedeciam ao Senhor e davam grande desgosto à família. Com o passar do tempo, Samuel, o filho de Ana, foi aprendendo sobre as coisas do templo e ajudava Eli. Crescia mais e mais a cada dia.

Todos os anos, quando Elcana e Ana vinham ao templo, ela trazia uma roupa nova para Samuel. Eli abençoava Elcana e Ana. O sacerdote sabia muito bem como era difícil viver longe do filho que ela tanto quisera. Mas Ana era uma mulher de palavra e fez tudo direitinho, conforme prometera. Eli orou e pediu que Deus abençoasse Ana para que ela pudesse ter mais filhos. E assim Ana teve mais três meninos e duas meninas.

Os filhos são a grande bênção de Deus na vida de um casal!

Deus Fala com Samuel

I Samuel 3

ABRIL - DIA 17

O jovem Samuel era cada vez mais importante na vida do templo. Era importante também como ajudante de Eli. O velho sacerdote não tinha mais uma visão clara e perfeita. Estava ficando cego e dependia de Samuel para que o serviço no templo fosse feito adequadamente.

Certa noite, depois de ter ajudado Eli a se deitar, Samuel também se deitou. Porém, antes de a lâmpada do templo de Deus se apagar, Deus o chamou: "Samuel!" E o jovem prontamente respondeu: "Estou aqui, Senhor!"

E foi correndo até Eli, pois pensou que era Eli quem estava precisando de alguma coisa. "Meu filho, não chamei você, não! Vá se deitar!", respondeu o velho sacerdote.

Samuel foi para sua cama e se deitou novamente. Não demorou muito e ouviu de novo a mesma voz chamando: "Samuel!"

Ele saltou da cama, foi rapidinho até Eli e disse: "Estou aqui, Eli, por que você me chamou?"

"Não chamei você! Vá dormir, sim!?", disse Eli.

E aconteceu que o Senhor o chamou mais uma vez, e de novo o jovem foi até Eli para saber o que ele queria. Só então Eli se deu conta de que era Deus quem estava chamando Samuel e disse ao jovem: "Quando você ouvir alguém o chamando, diga assim: Fale, Senhor, porque o seu servo está ouvindo."

Assim fez Samuel, e Deus o chamou e falou com ele.

É preciso aprender a ouvir a voz de Deus! Ele gosta de falar com as pessoas!

A Arca de Deus é Tirada de Siló

I Samuel 4

ABRIL - DIA 18

Os filisteus continuavam inimigos dos israelitas, e novamente Israel entrou em guerra contra eles. Israel foi para a batalha, só que perdeu no primeiro confronto. Os sobreviventes voltaram ao arraial e perguntaram aos israelitas mais idosos e experientes: "Por que Deus não nos ajudou hoje, contra os filisteus?" E os idosos responderam: "Vamos trazer para cá a Arca da Aliança do Senhor. Ela ainda está em Siló. Assim nossos inimigos saberão que Deus estará ao nosso lado."

O povo foi a Siló, trouxe a Arca da Aliança do Senhor dos Exércitos. Os dois filhos de Eli estavam junto a ela. Quando a Arca adentrou o arraial para estar no meio do acampamento do exército israelita, o povo todo gritou de alegria. Os gritos foram ouvidos por toda parte. Até mesmo os filisteus ouviram.

No entanto, o povo estava desobedecendo outra vez a Deus por tirar a Arca do templo. Pela desobediência, Deus não os ajudou na batalha.

A Arca é Tomada

I Samuel 4

ABRIL - DIA 19

Os filisteus sabiam agora que os israelitas tinham levado a Arca para o meio de seu acampamento, e ficaram com medo. "Estamos perdidos! Eles trouxeram o próprio Deus para garantir a vitória. Quem irá nos livrar desse Deus poderoso? O Deus desses israelitas já deu amargas lições ao povo do Egito. Imaginem o que os israelitas farão conosco?", temiam os filisteus.

Mesmo assim, resolveram reunir todas as suas forças e lutar como nunca. Foram lutar contra os israelitas. A batalha foi um massacre. Muitos homens de Israel perderam a vida. Os filisteus, além de tudo, tomaram a Arca de Deus.

Um mensageiro foi até Siló para anunciar a todos na cidade que tinham sido derrotados na batalha, e que a arca tinha sido levada pelos filisteus. O mensageiro também foi até Eli, que já estava com noventa e oito anos, praticamente cego e temeroso pela Arca. O mensageiro contou-lhe: "O exército de Israel foi derrotado, e os que restaram fugiram dos filisteus. Mas o pior é que eles levaram a Arca de Deus. E também tiraram a vida dos seus dois filhos!", disse o mensageiro.

Eli ficou arrasado. Aquilo não podia ter acontecido!

Ficou tão deprimido com as notícias que, não suportando tanta tristeza em seu coração, caiu da cadeira, quebrou seu pescoço na queda, e morreu.

Eli tinha sido juiz em Israel por quarenta anos.

A Arca de Deus Volta para Israel

I Samuel 5-6

ABRIL - DIA 20

Os filisteus pegaram a Arca de Deus e, em sua cidade, colocaram-na dentro do templo de seu deus. Puseram-na junto ao deus Dagom.

Levantaram-se de madrugada para adorar a imagem do deus Dagom, porém, chegando ao templo, viram a imagem caída ao chão, diante da Arca. Os filisteus não

sabiam por que aquilo havia acontecido e levantaram Dagom novamente.

No dia seguinte, lá estava ele caído ao chão, só que agora suas mãos e cabeça estavam cortadas; só restava o tronco inteiro. Amedrontados e sem saber o que fazer ao certo, não quiseram que a Arca ficasse entre eles nem mais um dia. "Não queremos mais a Arca do Deus de Israel aqui. Este Deus está ameaçando a nós e ao nosso deus Dagom."

Levaram a Arca para Gate. Mas lá também houve problemas. Mandaram-na para Ecrom, mas os habitantes de lá não a queriam no meio deles. Sabiam que teriam problemas pela frente. "Mandem a Arca de volta para Israel!", disse o povo de Ecrom aos filisteus.

Os filisteus decidiram mandá-la de volta numa carroça puxada por duas vacas. E comentaram entre si que, se as vacas fossem sozinhas em direção às terras israelitas, estaria confirmado que Deus havia feito aquilo tudo. Soltaram a carroça, e as vacas foram, sozinhas, carregando a Arca de Deus para Israel.

Os Israelitas Pedem um Rei

I Samuel 7-8

ABRIL - DIA 21

Assim a Arca de Deus foi conduzida e ficou nas terras de Israel por vinte anos. Samuel começou a aconselhar e julgar o povo de Israel. "Se vocês se arrependerem de todo o coração, se tirarem de seu meio todos os ídolos e deuses estranhos e servirem somente a Deus, então o Senhor livrará vocês dos filisteus!", disse sabiamente Samuel.

E Samuel liderou o povo por muitos e muitos anos. Quando já estava com bastante idade, colocou seus dois filhos como juízes sobre Israel. Os dois irmãos, no entanto, não eram sábios e tementes a Deus como seu pai, Samuel. Eles eram avarentos, aceitavam suborno e faziam outras coisas que desagradavam a Deus.

Os anciãos de Israel foram conversar com Samuel: "Veja bem, Samuel, você já é um homem idoso, e os seus filhos não são homens bons como você. Queremos um rei para Israel para que ele nos lidere. Assim como as outras nações têm reis, nós também queremos um rei!"

Samuel orou ao Senhor, e Ele lhe respondeu: "Dê ao povo o que eles estão querendo. Eles não estão rejeitando você, Samuel. Estão rejeitando a mim. Este povo não quer que eu reine sobre eles. Já que querem um rei, um rei eles terão. Mas eles terão de saber que todo rei e seu reinado têm certas regras. E serão governados por essas regras."

Samuel avisou o povo sobre o que significava ter um rei. Eles teriam de obedecer às leis desse rei e, caso houvesse problemas, não adiantaria correr chorando a Deus. Eles é que tinham escolhido esse tipo de vida. Em seguida, Deus encarregou Samuel de encontrar um rei para os israelitas.

Saul se Encontra com Samuel

I Samuel 9

ABRIL - DIA 22

Havia um homem chamado Quis, da tribo de Benjamim. Ele tinha um jovem filho, e seu nome era Saul. Esse jovem era tão bonito que não havia nenhum homem mais belo do que ele.

Certo dia, as jumentas do pai de Saul se perderam, e Saul, a pedido de seu pai, saiu à procura dos animais. Levou consigo um dos empregados para ajudar na busca. Andaram muito, passaram por muitos caminhos e nem sinal das jumentas.

Saul disse ao moço que estava com ele: "Venha, vamos voltar. Daqui a pouco o meu pai vai começar a ficar preocupado, não com as jumentas, mas sim conosco por causa da demora."

O rapaz que acompanhava Saul sabia que naquela cidade morava um homem de Deus. Tudo o que esse homem dizia era verdade. "Vamos até lá, Saul! Talvez esse homem sábio possa nos dizer onde estão as jumentas de seu pai."

Mais tarde, Saul e seu empregado começaram a se aproximar da cidade. E um homem saiu ao encontro deles. Aquele homem era Samuel, mas os dois rapazes não o conheciam. Acontece que, um dia antes, Deus tinha avisado a Samuel que viria um homem da terra de Benjamim. Samuel deveria ungir esse jovem, e ele seria

o rei de Israel.

Samuel, com simpatia, juntou-se aos dois moços e foram até a cidade para falar com o homem sábio a respeito das jumentas. Defronte da casa do vidente, Samuel declarou a Saul: "Venha, passe a noite aqui e coma comigo. De manhã, você partirá, e eu direi tudo o que quiser saber. Não se preocupe com as jumentas. Sei onde você vai encontrá-las!"

Só então Saul descobriu que Samuel era o homem sábio por quem procuravam.

Samuel Unge o Novo Rei

I Samuel 9-10

ABRIL - DIA 23

No dia seguinte, Saul levantou-se bem cedo, despediu-se e seguiu seu caminho. Samuel os acompanhou por um bom trecho.

A certa altura do trajeto, Samuel disse a Saul que deveria mandar seu servo ir na frente, pois queria ficar a sós com ele. Samuel disse que tinha algo do Senhor Deus para lhe dizer. "Você, Saul, será o rei de Israel", disse Samuel.

Pegou azeite e derramou sobre a cabeça de Saul. Samuel explicou que ele iria encontrar dois homens junto ao sepulcro de Raquel. Esses homens contariam a ele que as jumentas foram encontradas. Além disso, no seu caminho de volta para casa encontraria outros três homens carregando alimento e vinho. E mais, encontraria um grupo de profetas com instrumentos musicais que estariam profetizando. E o espírito do Senhor o preencheria, transformando Saul em outro homem. E exatamente assim aconteceu. Era para que Saul não duvidasse das palavras de Samuel.

Mais tarde, Samuel convocou o povo e disse: "Vocês rejeitaram Deus e pediram um rei para governar. Escolhi o jovem Saul da tribo de Benjamim." E chamou todos os que pertenciam àquela família para que se aproximassem.

Samuel disse que não havia, em Israel, homem como Saul. Deus o tinha escolhido. O povo gritou em alta voz: "Viva o rei!" Samuel declarou ao povo todas as leis que existem em um reino, escreveu tudo em um livro, colocou tudo diante de Deus e mandou todos para as suas casas, incluindo Saul.

Tudo na vida acontece segundo a vontade de Deus!

Saul Vence os Amonitas

I Samuel 11

ABRIL - DIA 24

Naás, homem mau, comandava os amonitas que estavam cercando a cidade de Jabes-Gileade. Com medo, os moradores da cidade quiseram fazer um acordo de paz com Naás.

Naás, aproveitando-se da situação, fez uma proposta: "Farei aliança com vocês se me deixarem arrancar o olho direito de todo morador desta cidade para mostrar a Israel que sou poderoso."

Os anciãos da cidade de Jabes-Gileade pediram sete dias aos amonitas. Queriam pedir socorro, enviando mensageiros a todas as terras de Israel. Quando Saul voltou dos campos certo dia, viu que todos os seus parentes estavam tristes e chorosos. Chegou em casa e perguntou o que estava acontecendo.

Contaram a ele sobre o acordo com os amonitas. Saul ficou muito irado ao tomar conhecimento daquilo. Pediu que Deus o iluminasse e o orientasse.

Saul cortou em pedaços a carne de um boi e os mandou ao povo de Israel, dizendo: "Isso é o que acontecerá com o gado de vocês se não seguirem a mim e a Samuel." E o povo temeu. Todos se juntaram para formar um grande exército israelita.

Saul dividiu o exército em três companhias. De madrugada atacou os amonitas e foi vitorioso. E assim o povo proclamou Saul como seu rei também na cidade de Gilgal.

Como Naás, que queria cegar o povo sob seu poder, muitos governantes querem sempre fazer o mesmo! É preciso ter olhos bem abertos para nunca deixar que pessoas tão ruins governem! Pessoas assim nem pensam em Deus!

Saul Desagrada a Deus

I Samuel 13

ABRIL - DIA 25

Mas, como ocorre com todo rei que chega ao poder rapidamente, o reino e as regalias foram tomando espaço no coração de Saul. Ele começou a agir por conta própria. Gostava de contar vantagem sobre tudo e também era muito orgulhoso.

No segundo ano do seu reinado, aconteceu que Jônatas, seu filho, conseguiu derrotar uns filisteus que estavam em uma região próxima. Saul logo começou a se gabar da vitória de seu filho. Mandou tocar a trombeta da vitória por toda parte.

Os filisteus, furiosos, reuniram-se outra vez, agora em grande quantidade. Eles já tinham um grande e poderoso exército. Quando os israelitas viram que estavam em apuros, esconderam-se onde puderam: nas cavernas, entre os espinhais, nos penhascos, nas fortificações e nas covas.

Saul não devia tomar nenhuma decisão sem consultar Samuel. Deus falaria através de Samuel, e este daria a mensagem ao rei Saul. O rei esperou por sete dias. Mas como Samuel não vinha, e o povo se dispersava, resolveu oferecer um holocausto a Deus por conta própria. Quando Saul estava acabando de oferecer o holocausto, isto é, o sacrifício, Samuel chegou.

"Você agiu muito mal! Você foi muito tolo. Deus

daria o reinado de Israel a você para sempre. Agora, no entanto, o seu reinado não durará muito tempo. Deus vai colocar um outro rei sobre Israel. Um rei por Ele escolhido. O seu filho Jônatas não reinará em seu lugar!", repreendeu Samuel.

A vaidade e o orgulho são os maiores inimigos de um governante!

Um Ataque Ousado

I Samuel 13-14

ABRIL - DIA 26

Mesmo tendo poucos homens, Saul e Jônatas não se davam por vencidos tão facilmente. Jônatas teve uma ideia e a executou sem dizer uma palavra a seu pai. Chamou o responsável pelas armas e disse: "Venha, vamos passar pela tropa dos filisteus que está daquele lado."

Isso seria muito arriscado! Mesmo assim, o soldado aceitou ir com Jônatas ao campo inimigo. "Venha, vamos

passar por eles. Para o Senhor não existe nada impossível!", disse Jônatas, confiante.

"Sim, meu senhor, faça o que o seu coração estiver mandando. Siga, e eu irei com você", o soldado leal confirmou.

E disse Jônatas depois: "Vamos passar por aqueles homens e daí diremos a eles quem nós somos. Se eles nos disserem: 'Parados aí, vocês!', então ficaremos no nosso lugar. Porém, se disserem: 'Venham até aqui', então iremos, pois o Senhor garantirá a nossa vitória."

Assim aconteceu. Jônatas e seu soldado venceram o exército inimigo. Houve um grande tremor de terra, e todos sentiram o terremoto. Deus ajudou uma vez mais os israelitas.

Enquanto isso, Saul mandou contar o seu exército, e deram por falta de Jônatas e o guarda das armas. Logo ficou sabendo o que havia acontecido no arraial dos filisteus.

Lá nos campos dos filisteus, o alvoroço continuava. Saul reuniu todos, e foram à luta contra os filisteus. Houve muito tumulto. Mas o Senhor, mais uma vez, livrou Israel.

A paciência de Deus é infinita!

A Desobediência de Saul

I Samuel 15-16

ABRIL - DIA 27

Muitas outras batalhas aconteceram no período em que Saul foi rei. Felizmente, muitas delas foram bem-sucedidas, pois Deus cuidava do povo. Saul, no entanto, não era um rei muito obediente. Ele não guardava os Mandamentos de Deus. Seu interesse maior era sair lucrando com as guerras, em vez de vencer aqueles que adoravam outros deuses.

Deus avisou Samuel de que estava preparando outro rei para Israel. Saul já estava desagradando a Deus há muito tempo. Samuel seria encarregado de encontrar e preparar esse novo rei. "Arrependo-me de ter colocado Saul como rei. Ele não obedece às minhas palavras!", disse Deus.

Samuel, muito triste, ficou a noite toda orando ao Senhor. No dia seguinte, Samuel foi falar com Saul: "Você acredita que consegue agradar a Deus com seus holocaustos e sacrifícios? Seria melhor obedecer a Deus, isso sim O agradaria de verdade!"

Mas Saul não se importou muito. Acreditava que seu arrependimento não seria ouvido; era tarde demais. "Você rejeitou a Palavra de Deus. Deus está triste agora. Você não será mais o rei de Israel!", disse Samuel.

Nesse momento, então, Saul implorou, dizendo que tinha pecado e que gostaria muito que Samuel fosse com ele adorar ao Senhor. Mas Saul sempre voltava a errar e a agir de modo a desagradar a Deus.

Certo dia, Samuel resolveu que nunca mais desejaria ver Saul. Deus disse a Samuel: "Não tenha pena de Saul! Eu o rejeitei, e você sabe muito bem o porquê! Agora pegue uma bezerra e vá até Belém sacrificá-la para mim. Convide Jessé e toda a sua família para ir ao sacrifício que você fará. Eu farei com que você saiba o que fazer na hora, e quem você ungirá com óleo para ser o novo rei."

Os maus governos trazem consigo a mentira e a falta de amor a Deus!

O Novo Rei é um Pastor de Ovelhas

I Samuel 16

ABRIL - DIA 28

O profeta Samuel tinha recebido as instruções do Senhor. E assim ele fez. Foi até Belém para um sacrifício ao Senhor. Convidou os anciãos da cidade e também Jessé e seus filhos.

Quando Samuel viu Eliabe, um dos filhos de Jessé, logo pensou que esse era o escolhido de Deus para ser ungido. Deus, porém, advertiu Samuel, dizendo: "Não se importe tanto com a aparência, nem com a altura. O homem vê só o que está diante de seus olhos, porém, Eu, o Senhor Deus, vejo o coração."

Um a um, os filhos de Jessé passaram diante de Samuel. E a todos dizia a mesma coisa: "Não é esse o homem que o Senhor escolheu!"

E Samuel perguntou ainda a Jessé: "Só tens estes filhos aqui? Por acaso tens mais algum outro?"

"Bem, tenho mais um filho ainda jovem que está cuidando das ovelhas!", respondeu Jessé.

"Mande buscá-lo imediatamente!", ordenou Samuel, entusiasmado.

Quando Davi, o filho mais jovem de Jessé, chegou,

mandaram que entrasse. Davi era ruivo, tinha um belo e jovial rosto e era uma pessoa de presença marcante.

Deus pediu que Samuel ungisse Davi. Ele era o escolhido do Senhor. A partir daquele dia, o espírito do Senhor veio sobre Davi. Mais tarde ele seria o rei de Israel.

Samuel voltou para Ramá.

Deus sabe que o grande valor das pessoas está no coração e não na aparência!

Davi Acalma o Espírito Mau de Saul Tocando Harpa

I Samuel 16

ABRIL - DIA 29

Saul, a cada dia, tornava-se pior. Vivia atormentado. Os seus empregados, não aguentando vê-lo daquela forma, ofereceram-se para procurar alguém que tocasse harpa e assim acalmasse o espírito maligno de Saul.

"Tudo bem, busquem um homem que saiba tocar bem e tragam-no até aqui!", consentiu Saul.

Um de seus servos logo disse: "Senhor, creio que sei onde posso encontrar alguém assim. Um dos filhos de Jessé, chamado Davi, toca harpa como ninguém. Além disso, ele é valente, vigoroso, prudente ao falar. Sua presença é sempre alegre, pois o Senhor está com ele!"

"O que vocês estão esperando? Falem com o pai do jovem e tragam-me esse Davi depressa!", mandou Saul.

Mais tarde, diante de tal ordem, Jessé concordou e fez questão de enviar um presente a Saul, por meio de seu filho Davi. Davi foi montado em um jumento que tinha como carga: pão, vinho e um cabrito.

Assim que o rei viu Davi gostou muito dele. Tanto que o promoveu a seu guarda das armas. Sempre que o espírito de Saul precisasse de paz, Davi tocava a sua harpa. As belas canções acalmavam o rei, trazendo-lhe alívio ao espírito.

O rei Saul, entretanto, nem podia imaginar que aquele jovem seria, em breve, o seu substituto.

Golias Desafia o Exército de Israel

I Samuel 17

ABRIL - DIA 30

Novamente israelitas e filisteus estavam em guerra. De um lado, os filisteus, e, do outro lado, os israelitas. Um vale estava entre eles.

Os filisteus, certo dia, enviaram um de seus homens para falar com os israelitas. Esse homem era muito alto. Seu nome era Golias. Não havia ninguém como ele: forte, alto, realmente um guerreiro que dava medo só de olhar.

Golias usava um capacete de bronze e vestia uma couraça muito pesada. Também usava proteções de bronze por cima dos pés e um escudo entre os seus ombros. Carregava em sua mão uma poderosa lança. Um pouco a sua frente caminhava o escudeiro.

Quando finalmente chegou perto do exército israelita, o gigante Golias parou e desafiou em tom de zombaria: "Para que nossos exércitos devem entrar em guerra um contra o outro? Escolham um de seus homens para lutar contra mim. Se ele vencer, nós, filisteus, seremos os seus servos. Se eu vencer, vocês serão nossos servos!"

Os exércitos de Israel e Saul ficaram com muito medo quando ouviram aquelas palavras de Golias, pois ele era mesmo muito grande e forte. O rei Saul e os seus comandantes não tinham ninguém tão poderoso que pudessem mandar lutar contra Golias. Jamais poderiam imaginar que Deus concederia a vitória a Israel.

A esperança nunca deve ser abandonada pelos homens. Com esperança e fé tudo se torna possível.

Davi, um Simples Pastor de Ovelhas

I Samuel 17

MAIO - DIA 1º

Assim que a notícia da guerra entre filisteus e israelitas se espalhou, Jessé mandou seus três filhos mais velhos para a guerra. Foram para os campos de batalha. Davi, o caçula da casa, ficou cuidando do rebanho de ovelhas de seu pai.

Fazia um mês que os três mais velhos haviam partido, e Jessé começou a ficar preocupado. Ele queria ter notícias de seus filhos que estavam na guerra. Assim, quando já haviam passado quarenta dias, Jessé não suportou mais.

Jessé chamou Davi e disse: "Filho, quero que você vá até o acampamento dos israelitas. Preciso saber como estão os seus irmãos. Estou muito preocupado. Quero que você leve boa quantidade deste grão tostado e destes pães. Com certeza eles devem estar com fome por lá. Leve também estes queijos para o capitão da guarda."

"Sim, meu pai, partirei amanhã de manhã!", respondeu prontamente Davi. No dia seguinte, de madrugada, Davi deixou o rebanho de ovelhas aos cuidados de um outro pastor e partiu.

Quando chegou ao campo de batalha, ouviu muitos gritos de guerra. Ele logo foi perguntar sobre seus irmãos. Ao encontrá-los, a alegria foi grande. Davi soube direitinho como eles estavam.

Naquele exato momento, ouviram também Golias,

que insultava todos os israelitas. Davi escutou as palavras ditas por Golias e viu muitos israelitas fugindo. O gigante amedrontava a todos.

Cheio de coragem e fé em Deus, Davi perguntou em voz alta: "Quem é esse homem filisteu para zombar assim do exército do Deus vivo?"

Essas palavras deixaram todos os presentes muito admirados. Era coragem demais! Logo Saul ficou sabendo da presença de Davi e mandou chamá-lo. Ninguém, além de Davi, tinha ousado desafiar Golias, o gigante filisteu. Mas ele parecia não ter medo algum.

Quem tem Deus no coração sempre se sente forte e corajoso.

Davi Mata o Gigante Golias

I Samuel 17

MAIO - DIA 2

Quando Davi foi falar com o rei Saul, disse: "Não há motivo para vocês ficarem com medo desse filisteu. Eu irei lutar contra ele." O rei, no entanto, respondeu: "Você não pode com esse filisteu, já viu o tamanho dele? Você é tão jovem, e ele é um soldado experiente!"

"Quando eu cuidava das ovelhas do meu pai,

muitas vezes apareciam animais selvagens que vinham para atacar o rebanho. Eu lutava contra eles, afastava-os e livrava as indefesas ovelhas. É bem assim que vou fazer com aquele arrogante. Vou vencê-lo, porque ele zombou do exército do Deus vivo!", Davi discursava firme e decidido, "Assim como Deus me ajudou contra os animais selvagens, Ele me ajudará a derrotar esse malvado filisteu!", acrescentou Davi.

Saul deu a Davi uma armadura para se proteger. Mas o jovem mal podia se mexer dentro dela. Acabou tirando tudo aquilo. Pegou o seu cajado, escolheu cinco pedras do ribeirão e as colocou em sua sacola de pastor. Pegou também a sua funda. Foi desse modo que partiu para se encontrar cara a cara com o filisteu.

Quando Golias viu aquele garoto, quase morreu de tanto rir: "Que é isso? Por acaso sou um cachorro para você vir aqui com paus?", caçoava o gigante, "Vou dar a sua carne aos pássaros e aos animais do campo, sabia?" Golias, irritado, já estufava o peito.

"Você vem lutar comigo com espada, armadura e escudo, porém eu venho em nome do Senhor dos Exércitos, o Deus vivo, de quem você está zombando. Hoje mesmo eu vou vencê-lo, e todos saberão que há um Deus em Israel!", disse o jovem e valente Davi a Golias.

Sem mais conversa, Davi pegou uma de suas pedras, colocou na funda e a atirou na testa do gigante.

Golias caiu com seu rosto no chão, totalmente inconsciente. Davi correu, colocou-se em pé sobre ele e, com uma espada o matou, cortando a sua cabeça. Quando os filisteus viram que Golias estava derrotado, fugiram tão rápido quanto puderam.

Nada no mundo é mais forte que a vontade de Deus! Ah! Se os homens todos acreditassem nisso!

Saul Quer Matar Davi

I Samuel 17-18

MAIO - DIA 3

Davi e Jônatas, filho de Saul, logo ficaram muito amigos. Os dois se entendiam muito bem e tinham uma amizade muito grande. Saul não conseguia entender como é que Davi havia matado Golias com tanta facilidade.

O povo via Davi como um herói, como alguém que recebia glórias de rei. Todos festejavam a vitória e davam vivas a Davi, um jovem valente que tinha fé no Senhor. As mulheres cantavam e dançavam dizendo que Saul era

poderoso para vencer milhares, mas Davi era muito mais! Davi poderia vencer dezenas de milhares!

Saul começou a ter inveja e ciúmes de Davi. Estava indignado e só tinha em mente arranjar um jeito de eliminar o seu concorrente. Sentia-se ameaçado e temia perder o trono. Chamou Davi e pediu que tocasse harpa para ele novamente. Estava com uma lança em sua mão. Por duas vezes tentou jogar a lança em Davi, mas o jovem corajoso sempre conseguia desviar-se dela. Saul sabia que Deus o estava protegendo, e sua ira só aumentava com isso.

Para se livrar de Davi, Saul mandou que ele fosse o capitão de seu exército e que saísse à frente na batalha contra os inimigos. Esperava, assim, que alguém o derrotasse. Mas Deus protegia Davi!

Deus conhece direitinho todas as pessoas do mundo e nunca deixa de proteger e dar coragem aos que O respeitam e O amam!

Jônatas, o Amigo Fiel

I Samuel 19

MAIO - DIA 4

Certo dia, o rei Saul mandou que chamassem seu filho Jônatas. E lhe disse: "Quero que você e todos os meus servos arranjem um jeito de vencer Davi!" Jônatas não conseguia acreditar no que tinha escutado. Seu próprio pai dando ordens para derrotar o seu melhor amigo, Davi.

Davi e Jônatas tinham se tornado ótimos amigos. Assim que Jônatas soube das más intenções de seu pai, apressou-se para encontrar seu amigo e avisá-lo do perigo que corria. "Davi, meu bom amigo, meu pai, o Rei Saul, quer eliminar você! Você tem de se esconder! Vou tentar convencer meu pai de que isso que ele quer fazer com você é simplesmente loucura!", disse Jônatas, desesperado.

Jônatas, muito sensato, tentou de tudo. Conversou com Saul, mostrou as qualidades de Davi, disse que Davi nunca fizera nada contra o rei; muito pelo contrário, ele tinha arriscado sua própria vida pelo rei e pelo povo de Israel na luta contra Golias.

Saul jurou a Jônatas que nada faria contra Davi. Jônatas contou ao amigo a conversa que tivera com seu pai. Davi voltou a tocar para Saul como antes.

Mas houve guerra novamente, e Davi teve de ir à

batalha. Mais uma vez voltou vitorioso. Nova maldade, no entanto, veio invadir o espírito de Saul. E, enquanto Davi tocava harpa para ele, uma lança atirada por Saul veio em direção ao jovem, que conseguiu se desviar com rapidez. Naquela mesma noite, Davi fugiu para outra região, pois soubera que na manhã seguinte seria atacado novamente.

A vida sobre a Terra seria bem mais tranquila se todos se respeitassem com amor no coração!

Jônatas Faz um Pacto com Davi

I Samuel 20

MAIO - DIA 5

Não demorou muito e Davi estava de volta. Ele foi conversar com Jônatas, seu grande e verdadeiro amigo. "Por que o seu pai não gosta de mim? O que fiz de errado?", perguntou Davi, muito triste.

"Meu pai não faz nada sem que eu fique sabendo", disse Jônatas.

Mas Davi advertiu: "Ora, Jônatas, não seja ingênuo, Saul sabe muito bem que você gosta muito de mim e que a nossa amizade é muito forte. Para não magoar você, resolveu não lhe contar nada sobre as intenções dele."

Então, Jônatas e Davi combinaram um jeito de saber quais as intenções de Saul. Jônatas falaria com seu pai para ver qual a reação dele sobre Davi. Enquanto isso, Davi deveria se esconder no campo e esperar uns três dias e, então, voltar até o lugar onde os dois haviam combinado.

Jônatas explicou o resto do plano: "Davi, vou atirar três flechas para aquele lado, como se eu estivesse fazendo tiro ao alvo. Mandarei meu ajudante buscar as flechas. Se eu disser ao moço: 'Olha, as flechas estão para cá!', você pode vir que não há mais perigo. Mas se eu disser ao moço: 'Olha, as flechas estão bem para lá!', então será o sinal para que você vá embora. Há perigo em sua vida, e o Senhor quer que você se salve."

Como é bom ter amigos leais!

Os Amigos se Despedem

I Samuel 20

MAIO - DIA 6

Jônatas foi conversar com seu pai. Saul criticou Davi por não estar ali com eles para comer pão (havia esse costume na época da lua nova). Jônatas, sempre em defesa de seu amigo, disse ao pai que Davi queria ir a Belém para ver sua família e fazer sacrifício a Deus.

Saul, muito furioso, não compreendia por que Jônatas sempre defendia Davi. "Você realmente nem parece meu filho. Não entendo por que você protege o filho de Jessé! Será que você não entende que, enquanto Davi viver, nem mesmo você e o seu trono estarão garantidos?", comentou Saul com irritação. Saul gostaria de matar Davi naquele instante, se pudesse, porque estava muito nervoso.

Jônatas, sempre um bom filho, tentou acalmar os ânimos de seu pai. Mas Saul, num instante de fúria, arremessou uma lança contra Jônatas. Dessa forma, Jônatas passou a ter certeza de que seu pai estava determinado a eliminar Davi.

Magoado, humilhado e decepcionado, Jônatas saiu para o campo para lançar as flechas e avisar Davi. Atirou-as e disse ao moço que elas estavam bem longe dele. Assim que o moço pegou as flechas, Jônatas mandou-o de volta para a cidade. Dessa forma poderia despedir-se do seu amigo Davi e ninguém os veria.

Quando os dois amigos se viram sozinhos, abraçaram-se e choraram. A dor de ter de se despedir era grande em seus corações. E Davi chorou muito. "Vá em paz; e que o nosso juramento de amizade seja eterno. Que o Senhor esteja entre mim e você, entre os meus descendentes e os seus descendentes!", disse Jônatas. Davi levantou-se e partiu. Jônatas voltou para a cidade.

As verdadeiras amizades são abençoadas por Deus. As verdadeiras amizades dão muita alegria a Deus!

Davi e o Sacerdote de Nobe

I Samuel 21

MAIO - DIA 7

Davi viajou até Nobe para encontrar o sacerdote Aimeleque. Este, muito surpreso por ver Davi sozinho, foi conversar com ele. Davi não quis contar o verdadeiro motivo de estar sozinho e sem arma alguma. Ele não queria que soubessem que ele, na verdade, estava fugindo de Saul.

Resolveu dizer que estava ali a pedido do rei: "O rei quer segredo a respeito deste negócio. Dê-me cinco pães ou o que você tiver", disse Davi. O sacerdote só tinha os pães sagrados, mas Davi insistiu e convenceu Aimeleque para que lhe desse aqueles pães. Também pediu ao sacerdote armas de qualquer tipo. O que Davi não sabia, no entanto, é que naquele dia estava ali um dos pastores de Saul, chamado Doegue.

Aimeleque respondeu, dizendo: "Bem, a única coisa que temos por aqui é aquela espada de Golias, o gigante que foi vencido por você!" "Dê esta espada para mim!", pediu Davi, vendo que não havia outra arma. Davi mentiu ao sacerdote para conseguir a comida e a espada. Com certeza seria punido por tal atitude.

A mentira sempre quer fazer parte da vida das pessoas. Mas é preciso tomar muito cuidado com ela. Viver longe da mentira é sempre mais seguro!

Saul e os Sacerdotes de Nobe

I Samuel 22

MAIO - DIA 8

Saul ainda perseguia Davi, mas ninguém sabia do paradeiro do jovem corajoso. De repente, o mais poderoso dos pastores de Saul apareceu e quis falar com o rei: "Vi o filho de Jessé lá em Nobe. Ele falou com Aimeleque, o sacerdote, que deu a ele comida e também a espada do gigante filisteu."

Saul, tão rápido quanto possível, mandou chamar todos os sacerdotes de Nobe. Queria conversar com eles. Um pedido do rei não podia ser desrespeitado. Os sacerdotes fizeram como Saul pedira. Foram conversar com ele. Aimeleque estava também presente. "Por que você agiu contra mim? Por que você deu a Davi os pães, a espada e foi consultar a Deus em favor dele? Você quis armar uma cilada contra mim, não foi?", indagou o rei Saul, mais que furioso.

Aimeleque estranhou a atitude de Saul e perguntou: "Mas Davi não é o seu servo mais fiel? Ele não tem devotado ao rei toda a sua obediência? Não tem honrado e defendido o seu reinado? Eu não estou contra você, meu rei, jamais estaria! Eu só não entendo por que o rei o tem como inimigo já que ele é seu genro, não é?!", disse Aimeleque, tentando se defender.

Mas Saul estava muito contrariado. Furioso, não deu ouvidos a ninguém e ordenou que Aimeleque e seus outros sacerdotes saíssem de sua vida. Não mais queria saber deles!

Os corações que guardam raiva e rancor deixam as pessoas como cegas diante do mundo.

Saul Persegue Davi

I Samuel 23

MAIO - DIA 9

Davi ficou sabendo que os filisteus haviam atacado outra cidade. Eles haviam saqueado quase tudo. Davi orou, pedindo que Deus o orientasse. Queria que o Senhor dissesse a ele se deveria ou não ajudar aquela cidade e seus habitantes.

Deus disse que estaria com Davi. Ele, sem demora, foi para lá com seus homens, lutou contra os filisteus e foi vitorioso.

As notícias correram, e Saul ficou sabendo onde Davi estava. Satisfeito com a notícia, mandou todo o seu povo ir à luta, cercar Davi e os seus homens. Davi soube o que o rei Saul estava planejando e novamente pediu conselhos a Deus.

"Saul está atrás de mim. Eu soube que ele está vindo para cá e quer destruir esta cidade por minha causa. Os habitantes deste lugar vão me entregar a Saul?", perguntou Davi.

"Sim, eles o entregarão!", respondeu o Senhor Deus.

Davi e seus seiscentos homens fugiram para onde puderam. Saul, sabendo que Davi fugira, desistiu de ir até aquela cidade. Foi perseguir Davi e seus homens no deserto. Mas não conseguia pegá-lo de jeito algum.

Deus está sempre presente entre as pessoas boas e justas. Ele nunca abandona quem não O abandona também.

Davi Corta um Pedaço do Manto de Saul

I Samuel 24

MAIO - DIA 10

Saul perseguiu e perseguiu Davi, mas Deus não permitia que ele o pegasse. Saul, porém, ficou sabendo que Davi estava no deserto. Selecionou três mil homens a dedo e foi atrás do jovem valente, em perseguição. Subiu até o topo daquelas montanhas, onde as cabras viviam, e chegou às cavernas. Saul entrou em uma das cavernas e, cansado, acabou pegando no sono.

Davi e seus homens estavam lá. "Davi, o Senhor Deus está colocando o seu inimigo em suas mãos. Você está com a oportunidade na sua frente. Faça o que julgar melhor.", disseram os homens de Davi. Ele, então, de mansinho e, sem ser percebido, cortou um pedaço do manto real de Saul. Fez isso como sinal de que tinha Saul

em suas mãos. Mas logo se arrependeu.

"Deus, perdoe-me! Não quero fazer nada contra o ungido do Senhor; Saul é o rei.", disse Davi. E conteve os seus homens. Não permitiu que eles fizessem algo contra Saul. Assim, Davi disse em alta voz e com o rosto inclinado ao chão, em sinal de respeito: "Rei Saul, meu senhor! Por que você acredita que quero o seu mal? Veja, hoje o Senhor colocou você em minhas mãos. Tenho um pedaço de seu manto real comigo e poderia ter derrotado você se quisesse. Não fiz isso, porque sei que você foi ungido por Deus."

Na verdade, Saul tinha conhecimento de que o rei ali era Davi, o futuro rei Davi. E Saul sabia muito bem que se havia alguém injusto ali, esse alguém era ele mesmo. Então, Saul chorou e disse:

"Você é muito mais justo do que eu. Você me recompensou com o bem, mesmo eu querendo o mal para você. Hoje sei que um dia você vai reinar sobre Israel. Prometa-me apenas que os meus descendentes serão poupados e que você não desfará o nome da casa de meu pai."

"Sim, eu prometo!", disse Davi a Saul.

Quem sempre pratica o bem, com o coração cheio de amor, conquista a bondade e a confiança das pessoas ao redor.

Nabal, um Homem Egoísta

I Samuel 25

MAIO - DIA 11

Muito idoso, faleceu Samuel, e todo o povo de Israel se reuniu para chorar a morte dele. Sepultaram Samuel em Ramá. Por esse tempo, Davi foi para o deserto de Parã. Não muito longe dali, vivia certo homem de nome Nabal. Era muito rico e bastante poderoso. Possuía muitas ovelhas e cabras. Nabal era casado com Abigail, mulher formosa e compreensiva. Ele, porém, era muito maldoso. Costumava levar suas ovelhas para tosquiá-las no Monte Carmelo.

Estando pelo deserto, Davi soube a respeito de Nabal. Decidiu, então, mandar alguns homens pedir alimentos a ele. Os servos foram obedientes e fizeram exatamente o que Davi dissera. Chegaram ao monte e falaram com Nabal. Ele, muito severo, não quis ajudá-los.

Davi, irritado, reuniu parte de seus homens com a intenção de atacar Nabal. Assim que um dos servos de Nabal soube que Davi estava a caminho para atacar o seu senhor, correu e avisou Abigail.

"Davi e seus homens estão vindo. O senhor seu esposo não deveria tê-los tratado tão mal. Agora eles vão nos atacar!", disse o servo, preocupado.

Abigail apressou-se e, cuidadosa, preparou uma quantidade enorme de alimentos. Colocou tudo sobre jumentos e mandou o servo levar a Davi, enquanto ela o seguiria a uma pequena distância.

Nunca se devem ignorar as necessidades de outras pessoas. Deus nos dá tantas coisas boas. Por que não reparti-las com amor?

Abigail Acalma Davi

I Samuel 25

MAIO - DIA 12

Abigail seguia com seu jumentinho e, enquanto caminhava, viu que Davi e seus homens estavam vindo ao seu encontro. Ao vê-los, desceu logo do jumento e inclinou-se diante de Davi.

Muito humildemente, Abigail colocou-se aos seus pés e pediu: "Senhor, por favor, não faça nada de mal contra esse homem maldoso que é meu marido. Veja quanta coisa eu trouxe para você e seus servos. Sei também que Deus vai colocar você para reinar sobre Israel e seu povo. Peço que o senhor tenha piedade! Lembre-se desta atitude que eu, Abigail, tomo em seu favor."

Davi ficou impressionado com aquela mulher. Ela era honesta, corajosa e sabia como agir corretamente. "Bendito seja o Senhor Deus que hoje fez com que nos encontrássemos aqui. Bendito é o seu conselho, e bendita é você, Abigail, porque você me impediu de praticar o mal. Se não fosse você, Nabal não veria a luz da manhã outra vez. Vá em paz para casa", declarou Davi.

Abigail voltou para sua casa e, ao chegar à noitinha, viu que Nabal estava dando uma grande festa. Era praticamente um banquete. Nabal havia bebido muito e estava muito alegre, totalmente embriagado. Diante disso, Abigail não contou nada do que tinha acontecido.

Quando Nabal acordou na manhã seguinte e sentiu-se curado da ressaca, ficou sabendo por Abigail que, por causa de seu coração duro, egoísta e maldoso, todos eles poderiam estar derrotados. Passaram-se dez dias. Nabal adoeceu e logo morreu.

A bondade e a justiça sempre são reconhecidas, até pelos desconhecidos!

Davi Poupa Novamente a Vida de Saul

I Samuel 26

MAIO - DIA 13

Os zifeus foram até Saul e disseram que Davi estava escondido em uma colina. Saul, que voltara a querer pegá-lo, reuniu três mil homens, todos escolhidos por serem ótimos guerreiros e foram até o deserto de Zife tentar pegar Davi. Saul e seus homens acamparam na colina.

Davi sabia que Saul o estava seguindo pelo deserto, pois tinha mandado espiões seguirem o rei naquela região. Davi quis um ajudante para ir com ele: "Quem descerá comigo até o arraial onde está o rei Saul?"

E Abisai respondeu: "Eu irei com você!"

Ao anoitecer, os dois foram e, ao chegarem ao acampamento, viram Saul dormindo com a sua lança fincada na terra, perto de onde estava a sua cabeça.

Abisai disse a Davi: "Veja! Deus está entregando Saul em suas mãos! Se você quiser, posso cravar a lança nele!"

Mas Davi proibiu que Abisai fizesse qualquer coisa contra Saul. Sabia que não seria certo tirar a vida do ungido do Senhor. "Não, Abisai! Deus colocou-o como rei. É Deus quem deve tirá-lo deste reinado, e não eu!", esclareceu o justo Davi.

Assim que acabou de falar, pegou a lança e a jarra de água que estavam perto de Saul e foram embora. Ninguém os viu por lá; todos dormiam profundamente. Quando já estavam a uma boa distância, Davi berrou bem alto ao capitão do exército de Saul: "Você não é o homem que cuida da segurança do rei? Veja só onde está a lança e a água do rei! Você não consegue proteger ninguém! Poderíamos ter destruído o rei de vocês."

Saul reconheceu que era a voz de Davi e gritou: "É você, Davi?"

"Sim, sou eu, ó rei, meu senhor!" respondeu Davi.

Deus se orgulha e se alegra muito quando percebe que há respeito entre as pessoas!

Saul Consulta Uma Vidente

I Samuel 27-28

MAIO - DIA 14

Davi, mesmo sabendo que Deus o protegia, ficou pensando que, a qualquer momento, Saul conseguiria pegá-lo. Então, resolveu ir com seus seiscentos homens até a terra dos filisteus para procurar auxílio com o rei Aquis.

Davi pediu abrigo a Aquis, rei filisteu. Em troca ajudaria a proteger aqueles filisteus contra os israelitas. Passou a lutar por aquela terra e a defendê-la. Aquis confiava em Davi. "Com certeza Davi é tão odiado por seu povo por estar me ajudando que será meu servo para sempre", pensou Aquis. Ele sabia que podia contar com Davi e convocou todo o seu exército para lutar contra Israel.

Saul, vendo o exército dos filisteus, ficou apavorado. Tentou falar com Deus, mas Ele não lhe respondia, nem por sonhos, nem pelos profetas, por ninguém! Somente Samuel tinha conseguido falar com Deus para expor as petições de Saul; mas Samuel já estava morto há muito tempo.

"Encontrem uma mulher feiticeira com o dom de consultar os mortos. Ouvi dizer que há uma mulher vidente por esta região!", ordenou Saul aos seus servos. E assim foi feito. Saul e mais dois homens seus foram até essa mulher feiticeira. Disfarçado, mandou que ela invocasse o espírito de Samuel.

A feiticeira percebeu que estava falando com o próprio Saul e lhe disse: "Vejo um homem idoso com uma capa que está subindo das profundezas da terra!"

Saul, crendo que aquele espírito era mesmo Samuel, prostrou-se no chão. E contou ao espírito que estava angustiado, porque os filisteus estavam guerreando contra ele, e Deus não respondia mais aos seus pedidos.

E o espírito falou através da feiticeira: "Se Deus desamparou você e deixou que os seus inimigos fossem vencedores é porque você vai perder o seu reinado! Deus dará o reino a Davi. Já que você não obedeceu a Deus, estas são as consequências dos seus próprios erros! Amanhã você e seus filhos estarão comigo, e o Senhor entregará Israel aos filisteus. Eles vencerão a batalha."

Deus dirige a vida de todos, mas cada um deve procurar sempre o melhor caminho para que a vida seja como uma viagem tranquila!

Davi Não Luta Contra os Israelitas

I Samuel 29-30

MAIO - DIA 15

Juntaram-se todos os filisteus. Davi e seus homens iam com Aquis na retaguarda. Aquis tinha total confiança em Davi, mas nem todos os filisteus pensavam daquele modo. Acreditavam que Davi, chegando a hora da guerra, iria ajudar os que eram da sua nação, os israelitas.

Desconfiados, os filisteus pediram que Aquis não permitisse a Davi lutar junto deles nem ficar para o combate contra os israelitas. Davi acatou a decisão dos filisteus. Levantou-se de madrugada e partiu ao raiar do Sol.

Ao chegar à sua cidade, a mesma em que vivia com os filisteus, viu que tinha sido destruída. Percebeu também que as mulheres e as crianças tinham sido levadas dali. Haviam levado inclusive as duas esposas de Davi. Angustiado, ameaçado de apedrejamento pelo povo, Davi se consolou com Deus e pediu, em prece, seu auxílio e orientação.

E Deus o orientou: "Persiga aqueles homens. Você libertará os cativos! Você vai derrotá-los e trazer de volta tudo o que eles levaram!"

Deus confia nos homens bons e deixa-os agir em Seu nome sempre que há boas intenções em suas mentes.

Davi Salva os Cativos

I Samuel 30

MAIO - DIA 16

Davi partiu com seus quatrocentos homens, mas deixou na cidade outros duzentos, porque estavam muito cansados. Foram atrás dos inimigos para salvar as pessoas que tinham sido levadas.

No caminho, encontrou o servo de um dos inimigos. O servo havia sido deixado para trás, porque tinha ficado doente. Davi deu pão e água e pediu que o servo mostrasse onde era o acampamento dos inimigos.

"Eu guiarei vocês até lá, mas, por favor, não me entreguem ao meu senhor, nem me maltratem!", pediu o homem, assustado.

Davi concordou. Eles foram guiados até chegar ao acampamento inimigo. Quando lá chegaram ao anoitecer, viram que todos dançavam, bebiam e comiam, comemorando a vitória sobre a cidade dos filisteus e fazendo uso das coisas que haviam levado dali.

Davi e seus homens atacaram. A batalha durou até a tarde do dia seguinte. Os inimigos foram vencidos. Muitos fugiram montados em seus camelos. Ele e seus homens conseguiram reaver tudo o que tinha sido roubado. Também salvaram as mulheres e as crianças.

Voltaram com tudo e todos para Ziclague. Encontraram ali os homens que, pelo cansaço, não puderam acompanhar Davi na batalha. Os batalhadores comentaram com egoísmo: "Estes homens não merecem ganhar coisa alguma daquilo que recuperamos, já que não estiveram conosco na batalha!"

Mas Davi lembrou a eles que o Senhor é que havia vencido a batalha, e não eles, simples homens. "Repartiremos tudo igualmente!", Davi declarou, confiante.

Deus nunca aceita o egoísmo. É preciso aprender a repartir, sem fazer julgamentos.

A Morte do Rei Saul

I Samuel 31

MAIO - DIA 17

Os filisteus guerrearam novamente contra Israel, assim como o espírito havia dito a Saul quando foi consultar a vidente. Os homens de Israel fugiam dos filisteus a todo custo, mas muitos foram derrotados. Perseguiram Saul e sua família. E acabaram por tirar a vida de seus filhos, inclusive a vida de Jônatas. Esse fato muito entristeceu a Davi.

A batalha ficava cada vez pior para o rei Saul e seu povo, até que uma flecha deu novo rumo à sua história. Muito ferido, sentiu medo de cair prisioneiro dos filisteus. Então, jogou-se contra sua própria espada. Pelo menos não seria morto pelos inimigos, os filisteus.

No dia seguinte, quando os filisteus foram pegar os pertences do povo que haviam derrotado, encontraram Saul e seus filhos mortos. Sentiram-se realmente vitoriosos. Alguns homens valentes de Israel se lembraram de como Saul tinha sido bom para eles. Então, providenciaram tudo para os funerais de Saul e de seus filhos. Nas terras de Israel, fizeram o honroso sepultamento sob um bonito arvoredo. Ficaram tristes por muitos dias.

Toda guerra só traz tristezas, nada mais. Deus tem ensinado a todas as pessoas que elas precisam construir a paz. Mas algumas pessoas são tão teimosas!...

A Batalha de Joabe Contra Abner

I Samuel 2

MAIO - DIA 18

Davi ficou muito triste por causa do que ocorrera a Saul e a seus filhos. Também nunca guardou rancor pelo que ele lhe fizera. Davi aprendera a respeitar e a gostar muito de Saul.

Davi mandou mensageiros aos homens que tinham sepultado Saul e seus filhos. Mandou bênçãos em nome do Senhor por terem praticado aquele ato nobre: um sepultamento digno de um homem.

Depois de tudo, Davi perguntou a Deus sobre o que fazer e para onde ir. Escutou tudo direitinho e obedeceu ao Senhor. Então, partiu com suas duas esposas. Seus homens também partiram com ele e levaram suas respectivas famílias.

Pouco tempo depois, os homens de Judá ungiram Davi como rei sobre quase todas as regiões de Israel. No entanto, um homem chamado Abner, capitão do exército de Saul, havia conseguido escapar do domínio dos filisteus.

Ele pegou um dos filhos de Saul e o coroou rei sobre várias regiões de Israel (é que ele não concordava com as ideias de Davi). O povo de Judá, no entanto, seguia Davi, seu novo rei.

Abner saiu para lutar contra Joabe, servo de Davi. A batalha aconteceu e a luta foi bastante cruel. Ele viu que perderia a batalha e, com medo da derrota, resolveu juntar o exército de Is-Bosete ao exército de Davi.

Davi fez-lhe algumas exigências e aceitou a ideia de Abner. Entretanto, Joabe, ainda meio preocupado com Abner, pensou que ele estivesse tramando alguma coisa. Mandou mensageiros irem atrás dele e marcaram um encontro.

Joabe pediu a Abner que falassem a sós e, de repente, acabou com sua vida. Foi essa uma maneira de Joabe aplicar uma lição em Abner, pois este havia derrotado seu irmão em uma antiga batalha. Davi ficou sabendo a respeito dessa maldade e puniu quem merecia.

É muito triste quando a vingança está presente no coração das pessoas. Surpresas tristes e dolorosas acontecem. Elas desagradam a todos, principalmente a Deus!

Davi é Rei Sobre Israel

II Samuel 5-6

MAIO - DIA 19

Todas as tribos de Israel foram conversar com Davi: "Somos todos parentes, Davi! Somos seus ossos e sua carne! O Senhor disse que você cuidaria do povo e nos conduziria!" E assim os principais líderes e anciãos do povo declararam e ungiram Davi como rei de Israel. Tudo aconteceu segundo a vontade de Deus.

Ele começou a reinar com a idade de trinta anos. Mais tarde, partiu com seus homens a Jerusalém. Queriam tomar posse daquela região. Mas os servos de Davi o avisaram de que o povo de Jerusalém não se entregaria tão facilmente.

Jerusalém tinha imponentes muros ao redor, e os seus habitantes confiavam naquilo como proteção. Davi ordenou a seus homens que tomassem Jerusalém com valentia. Isso aconteceu! Jerusalém, a partir de então, ficou conhecida como a cidade de Davi.

Logo todos os filisteus ficaram sabendo que Davi havia sido escolhido como rei de Israel. Como eram guerreiros e não gostavam dele, mandaram tropas para lutar com o novo rei de Israel. Mas Davi, sempre pedindo orientação a Deus, vencia os exércitos inimigos de maneira esplêndida.

Deus nunca deixa de ficar ao lado dos homens bons e justos. Sempre os orienta para que sigam o melhor caminho!

Davi Traz a Arca da Aliança para Jerusalém

II Samuel 6

MAIO - DIA 20

Davi formou uma tropa com milhares de homens; todos escolhidos a dedo. E partiu para buscar a Arca da Aliança, de Judá para Jerusalém.

Em Judá, os homens de Davi puseram a Arca sobre uma carruagem nova, guiada por dois homens. Todos festejavam, levando-a para Jerusalém. Muitos tocavam instrumentos musicais, outros cantavam e dançavam. O povo dava graças ao Senhor.

Quando finalmente a Arca chegou a Jerusalém, todo o povo que a esperava vibrava de alegria. Era uma felicidade só! Davi saltava com todas as suas forças ao som das trombetas. Assim que puseram a Arca no seu devido lugar, Davi ofereceu sacrifícios perante o Senhor.

Quando Deus recebe alegria das pessoas, Ele sorri lá do céu!

Gratidão a Deus

II Samuel 6

MAIO - DIA 21

Mical, esposa de Davi e filha de Saul, viu quando seu pai e o povo chegaram a Jerusalém trazendo, alegremente, a Arca de Deus. Ela observou tudo; olhou pela sua janela e viu Davi bailando e saltando de pura alegria e gratidão a Deus. Mas ela, com um coração muito duro, julgou aquela atitude nada adequada a um rei. Por causa disso, Mical desprezou Davi em seu coração.

Em sua alegria, Davi deu pão, um bom pedaço de carne assada e passas a cada pessoa do seu povo. Depois, cada um foi para sua casa muito feliz com tudo o que acontecera naquele dia.

Davi, porém, ao chegar a seu lar e querendo abençoá-lo, viu que Mical estava bem aborrecida. E ouviu da esposa:

"Que belos modos são esses? Agindo dessa maneira, nem parece que você é um rei! Você parecia um bobo da corte diante da cidade inteira!", disse ela, muito autoritária.

"Eu me alegrei diante de Deus, porque Ele me escolheu para reinar sobre Israel. Se o Senhor me colocou como soberano sobre este povo, eu darei louvores a Ele de todo o coração.", respondeu Davi.

É muito perigoso, quando há rancor no coração, assim como julgar e condenar o comportamento de outra pessoa; principalmente quando é um comportamento que não faz mal a ninguém!

Davi Quer Construir um Templo ao Senhor

II Samuel 7

MAIO - DIA 22

Agora havia tranquilidade em Israel pela primeira vez! Fazia tempo que não havia paz, pois sempre guerreavam contra os inimigos que estivessem ao redor.

Davi, conversando com o profeta Natã, disse: "Estou eu aqui, morando nesta bela casa de cedro, e a Arca de Deus mora dentro de cortinas!"

"Faça aquilo que está no seu coração, Davi", argumentou o profeta, "pois o Senhor está com você."

Era hora de ter uma casa fixa para os louvores a Deus. Desde a saída do Egito, Deus e a tenda do tabernáculo caminhavam junto com o povo pelo deserto. Agora o povo teria um templo para cultuar a Deus.

Natã, tendo escutado, certa noite, a voz do Senhor, levou a seguinte mensagem ao rei Davi: "Você não chegará a construir o templo, mas um descendente seu edificará a casa do Senhor. Você, Davi, e os seus descendentes estarão no trono para sempre."

Todas as pessoas precisam de um lugar para morar! Deus também muito se alegra com Sua casa e com as pessoas que ali vão para conversar com Ele.

A Bondade de Davi com o Filho de Jônatas

II Samuel 9

MAIO - DIA 23

Davi jamais se esqueceu de Jônatas, seu grande amigo. Davi havia prometido ao amigo cuidar da sua família, caso algo de ruim acontecesse. Para ele, a promessa que havia feito a Jônatas, de cuidar de seus familiares, seria cumprida à risca.

Certo dia, trouxeram um servo que havia trabalhado na casa de Saul. Davi perguntou a ele: "Ziba, existe ainda alguém descendente de Saul para que eu tome conta? Assim prometi a Jônatas!"

"Bem, meu senhor, há um filho de Jônatas que tem um defeito em ambos os pés", respondeu Ziba.

Davi, todo interessado, queria saber onde ele estava. E soube, através daquele servo, onde Mefibosete (este era o nome do filho de Jônatas) vivia. Mandou que o trouxessem. Mefibosete se jogou ao chão diante de Davi, porque teve medo.

"Não se preocupe! Vou dar a você tudo o que pertencia a Saul, seu avô, e a Jônatas! Eu amava muito o seu pai. Éramos grandes amigos e prometi cuidar de sua família. Você terá estas terras, e Ziba trabalhará para que a terra seja produtiva. Ficarei feliz se você sempre for comer na minha casa comigo", disse Davi.

Uma grande amizade nunca é esquecida. Ela nos ajuda a viver melhor!

Davi Adultera e Comete um Homicídio

II Samuel 11

MAIO - DIA 24

Passou-se um tempo e novamente voltaram as épocas de guerra. Davi enviou Joabe e o seu exército para lutar contra os inimigos. Davi, que costumava ele próprio liderar e ir à frente do exército, desta vez decidiu ficar em Jerusalém.

E aconteceu que, numa tarde, ao passear pelo terraço do palácio real, Davi avistou uma moça de grande beleza! Ele se enamorou da moça logo que a viu. Mandou um de seus servos descobrir quem era a mulher.

"Aquela mulher se chama Bate-Seba. Ela é a esposa de Urias, um combatente do exército!", disse o servo ao rei.

Davi mandou que a buscassem. Ela veio. E o rei nem pensou nas consequências de seus atos e muito menos nos Mandamentos de Deus ("...não cobiçar a esposa de um outro homem"). Os dois agiram sem muito pensar.

Davi ficou preocupado porque, em breve, todos saberiam a respeito de sua má conduta com a esposa de Urias. Ele bem que tentou esconder sua atitude tão errada! Mas Deus não gostou nada daquilo!

Como não encontrava um meio de resolver aquele grave problema, ordenou que Joabe colocasse Urias no pelotão onde haveria a pior batalha. Talvez assim o esposo de Bate-Seba morresse, deixando os dois livres de problemas. Que plano mais feio!

Deus se entristece com as atitudes erradas das pessoas e não protege as que têm maus pensamentos e más intenções.

Urias Morre na Guerra

II Samuel 11

MAIO - DIA 25

Por mais horrível que fosse o plano de Davi, ele acabou se realizando. E o bom Urias, muito preocupado com seus homens e com a batalha em andamento, não tinha outro pensamento, se não o de lutar pelo seu povo. Por isso obedeceu às ordens do rei Davi. Ficou no batalhão que enfrentaria os mais perigosos inimigos!

Os israelitas, juntamente com Urias, conseguiram por várias vezes fazer o inimigo recuar. Urias lutou e lutou. Em dado momento, porém, viram-se os israelitas sob uma chuva de flechas atiradas dos muros da cidade. Muitos se feriram mortalmente. E Urias morreu lutando.

Muitas pessoas boas e justas sofrem por causa das atitudes maldosas dos outros. Mas Deus tudo vê e tudo sabe!

Davi Recolhe Bate-Seba

II Samuel 11

MAIO - DIA 26

Pouco tempo se passou, e logo um mensageiro correu palácio adentro, trazendo a Davi notícias da batalha contra os amonitas.

"Na verdade, os amonitas são mais poderosos do que nós. Eles foram ao nosso encontro no campo, mas nós os forçamos até a entrada da cidade. Infelizmente os flecheiros atiraram contra o nosso exército do alto do muro, e acabamos perdendo alguns homens, inclusive Urias."

Davi mandou seu mensageiro de volta, com a seguinte ordem a Joabe: "Não se preocupe. Invista com força contra a cidade e vença-a!" Assim foi feito.

Mas Bate-Seba, ouvindo as notícias de que seu marido Urias não mais estava vivo, ficou extremamente triste. Davi esperou que passasse a época de luto, mandou que a buscassem e tomou-a como sua esposa. Logo eles tiveram um filho. Mas Deus continuava muito triste por causa das atitudes de desobediência tomadas por Davi.

É preciso, antes de fazer qualquer coisa, pensar nas suas consequências. É melhor refletir antes do que sofrer depois!

Natã Conta Uma História a Davi

I Samuel 12

MAIO - DIA 27

Deus enviou o profeta Natã até Davi. Assim que Natã estava frente a frente com ele, começou a contar a seguinte história:

"Havia numa cidade dois homens, um rico e um pobre. O pobre não tinha nada, a não ser um pequeno cordeiro, que tinha criado desde filhote. O rico possuía muitas ovelhas e vacas. Então, o homem rico recebeu a visita de um viajante. Em vez de pegar uma de suas ovelhas para preparar como refeição para o viajante, pegou o pequeno cordeiro do homem pobre."

Davi ficou indignado, furioso, e quis saber de Natã quem era aquele homem. "Diga-me, Natã, quem é esse homem tão injusto? Vou dar ordens para que ele reponha quatro ovelhas no lugar daquele cordeiro que ele tomou para si. Além do mais, ele não foi piedoso com o homem pobre!", acrescentou Davi.

E Natã revelou: "Pois bem, esse homem é você, Davi. Você recebeu de Deus tudo que era possível imaginar e, mesmo assim, você desobedeceu ao Senhor! Você tomou a esposa de outro homem e foi muito injusto com ele."

Davi, reconhecendo o quanto tinha errado, confessou a Natã: "Você tem razão. Eu pequei contra Deus."

O profeta ainda advertiu: "Davi, Deus perdoa o seu erro. Mas não deixará de puni-lo para que você não volte a tomar decisões que desagradem ao Senhor. Algo acontecerá que o fará sentir-se muito triste. E você saberá sempre que um dia desobedeceu a Deus."

Ah! Se Davi tivesse pensado, refletido, antes de agir!

Os Filhos de Davi

II Samuel 12-13

MAIO - DIA 28

Natã foi para casa. Algum tempo depois, o filhinho de Davi e Bate-Seba ficou muito doente. Davi, muito triste, jejuava e orava durante a noite. Nada o consolava. Mais e mais ele sofria diante do filho doente. E, no sétimo dia, a criança morreu.

Davi não pôde fazer nada. Apenas tinha forças para consolar sua esposa Bate-Seba. Depois de um tempo,

tiveram outro filho. E chamaram o menino de Salomão. E Deus amou Salomão.

Além de Bate-Seba, Davi tinha muitas outras esposas. Naquela época era costume ter várias mulheres; as leis permitiam. Assim sendo, Salomão não era o único filho, havia outros meio-irmãos.

Um dia, o filho mais velho de Davi, chamado Amnom, ofendeu indignamente a Tamar, sua meia-irmã. Absalão, irmão de Tamar, ficou sabendo que sua irmã tinha sido ofendida por Amnom. Absalão não gostou nada daquela história!

Passaram-se dois anos. Mas Absalão não havia esquecido o que Amnom tinha feito com a sua irmã. Então, acabou dando um jeito de se vingar do meio-irmão Amnom. Absalão, com medo das consequências, fugiu para longe dali. Davi ficou sabendo de tudo. Mais uma vez o rei se entristeceu.

Deus também se entristece quando vê que irmãos brigam e se ofendem. Deus planeja as famílias com tanto amor!

Joabe Traz Absalão para Casa

II Samuel 14

MAIO - DIA 29

Joabe conhecia o coração de Davi. Sabia que, intimamente, o rei sentia muito a falta de seu filho Absalão. Joabe, então, contratou uma mulher e pediu que ela se fingisse de viúva. Ela deveria visitar o rei Davi e fazer uma encenação; ela diria tudo o que Joabe havia planejado.

"Meu marido faleceu e eu tinha dois filhos. Um dia eles brigaram muito, e ninguém conseguiu separá-los. Um deles tirou a vida do outro. Os parentes não querem perdoar meu filho violento", disse a mulher, diante de Davi.

Davi, calmamente, orientou a mulher sobre o perdão a ser dado ao filho. Mostrou-se justo e bondoso. Mandou-a, então, para casa. No entanto, a mulher resistiu e não saiu do lugar.

Davi perguntou se havia mais alguma coisa que ela quisesse dizer. "Bem, o senhor, meu rei, foi tão piedoso com o meu filho. Por que não perdoa o seu próprio filho e faz com que ele volte para sua casa?", lançou ela o desafio.

Davi, diante de tal situação, teve oportunidade de pensar direitinho, com justiça e bondade. Chamou Joabe e lhe disse: "Vá e traga o meu filho Absalão de volta para casa."

Muitas tristezas podem ser apagadas com o perdão!

A Rebelião de Absalão

II Samuel 15

MAIO - DIA 30

Absalão estava de volta e tinha domínio sobre muitas coisas no reino de seu pai. Mas tudo isso não parecia ser suficiente para ele. Absalão era ambicioso. Queria o trono de Davi.

E todo homem que vinha com alguma queixa ao rei, Absalão chamava à parte e o aconselhava. Procurava, assim, conquistar a simpatia de todos os súditos de Davi. Absalão queria o apoio do povo em troca de pequenos favores. E assim agiu durante muitos anos.

Um dia, Absalão disse a Davi: "Deixe-me ir para Hebrom. Eu fiz um voto a Deus!" E Davi mandou que ele fosse em paz.

Absalão partiu com cerca de duzentos homens. Ele já tinha tudo planejado. Mandou homens por todas as terras de Israel e lhes disse: "Quando vocês ouvirem o som das trombetas, todos dirão: Absalão reina em Hebrom!"

Pouco tempo havia passado, e Davi logo recebeu um mensageiro que o informou: "Senhor, meu rei, o coração de cada um em Israel segue a Absalão. Ele quer o seu trono. Está vindo em direção ao seu reino para conquistá-lo!"

Davi deu ordens expressas para que todos partissem de Jerusalém. Ele e seus homens fugiram às pressas.

O desejo incontrolável do poder deixa as pessoas cegas!

Davi é Amaldiçoado por Simei

II Samuel 16

MAIO - DIA 31

Ao sair de Jerusalém, Davi deixou ali um amigo de confiança, Husai. Este homem, a seu pedido, deveria simular juntar-se a Absalão. Essa seria uma maneira de conhecer os planos de Absalão para depois derrotá-lo.

"Meu amigo, ficando aqui, talvez você consiga a confiança de Absalão. Talvez ele conte a você quais os seus planos. Se você souber de algo, mande me avisar."

Dias depois, quando Davi chegou a Baurim, um homem de nome Simei saiu de sua casa e começou a insultar e apedrejar Davi e seus homens. Eles se viram em apuros. Eram tantas pedras! Só o que faziam era desviar-se delas.

Então, um dos companheiros perguntou: "Por que ele está atirando pedras e ofendendo com palavras o rei? Esse insolente merece uma boa lição. Deixe-me ir até ele!"

Mas Davi não permitiu que ninguém o atacasse. Contou aos seus comandados que era o Senhor quem havia enviado aquele homem para apedrejá-lo e ofendê-lo por causa de seus pecados.

Tantas coisas são compreendidas quando se tem consciência dos próprios erros!

Os Mensageiros: Jônatas e Aimaás

II Samuel 17

JUNHO - DIA 1º

Na ocasião em que Davi e seus homens fugiram de Jerusalém, Aitofel, conselheiro de Absalão, quis rapidamente sair em perseguição a Davi quando soube de sua fuga. Ele foi logo dizendo a Absalão: "Deixe-me levar doze mil soldados para atacar Davi. Ele está com seu exército mal estruturado e um tanto indefeso por ter saído às pressas de Jerusalém."

Absalão julgou ser muito bom o plano de seu conselheiro Aitofel. Estava tudo acertado, mas, mesmo assim, mandou chamar Husai para pedir conselhos. "O que você pensa, Husai? Devo fazer conforme Aitofel planejou ou não?", perguntou Absalão, indeciso.

Absalão nem desconfiava que Husai era amigo de confiança de Davi e que estava ali para conhecer e atrapalhar seus planos. "A ideia de Aitofel não é boa desta vez. Você bem conhece o seu pai Davi. A esta hora ele deve estar escondido em alguma caverna e os homens dele são muito valentes. Se houver um ataque e vocês não pegarem Davi, todos vão rir de você. No seu lugar, eu esperaria um pouco e depois eu mesmo conduziria a batalha. Assim, a vitória e as glórias serão só suas!", disse Husai.

Absalão julgou o conselho de Husai muito melhor do que a ideia de Aitofel. E fez conforme aquele lhe dissera. Muito esperto, Husai arranjou um jeito de avisar a Davi sobre tudo o que estava acontecendo. Dessa forma, Davi já saberia de antemão qual seria o próximo passo de Absalão.

Depositar confiança nas pessoas indevidas é muito perigoso. Nunca dá certo!

O Fim de Absalão

II Samuel 18

JUNHO - DIA 2

Davi preparou-se para lutar. Dividiu o exército e elegeu bons generais para o comando das tropas. E declarou: "Eu também irei com vocês à batalha!"

Porém, o povo não concordou que ele pusesse em risco a sua vida. Seus fiéis homens explicaram que, caso o exército tivesse de fugir ou fosse derrotado, estando longe dali, Davi ainda poderia um dia recuperar seu trono. E o rei, então, não os acompanhou na batalha.

Davi ordenou também a seus generais que tratassem Absalão bondosamente. Como todo bom pai, ele ainda amava muito Absalão. E todo o povo ouviu quando Davi deu essa ordem aos generais.

Finalmente, os exércitos de Absalão e de Davi se encontraram numa floresta e ali muito lutaram. A luta foi bastante violenta. Durante a correria própria de uma batalha, Absalão, montado em um cavalo, ao tentar rapidamente escapar do ataque dos soldados de Davi, passou por debaixo de espessos ramos de uma grande árvore. Absalão ficou preso com a cabeça entre os galhos, totalmente pendurado, enquanto a mula foi adiante, galopando sozinha. E, porque estava pendurado, Joabe lançou três dardos no coração de Absalão, mas ele ainda estava vivo. Então dez soldados de Joabe o cercaram e o feriram; e ele finalmente morreu.

Para muitas pessoas, seria bem melhor viver com simplicidade, sem desejos incontroláveis de poder e enormes conquistas. Viveriam mais tranquilas!

Davi Recebe a Triste Notícia

II Samuel 18

JUNHO - DIA 3

Depois do acontecido na floresta, foram correndo avisar o rei sobre o seu filho Absalão. Os homens do exército sabiam ter agido errado, pois Davi tinha pedido que fossem bons com seu filho e apenas o capturassem.

Dois mensageiros se encarregaram de avisar Davi, que estava muito ansioso, aguardando notícias da batalha. Um dos mensageiros lhe contou os detalhes da vitória na guerra. Eram boas as notícias, e Davi se alegrou!

Outro mensageiro trouxe a notícia a respeito de seu filho Absalão. Tudo foi narrado em detalhes. Davi não pôde esconder sua enorme tristeza! Os homens de Davi haviam vencido a batalha, mas sabiam que o preço da vitória fora a perda de Absalão.

Muitas vezes as pessoas acabam com a vida por causa de suas próprias ideias, por causa de sua cabeça!

Davi Volta para Jerusalém

II Samuel 18-19

JUNHO - DIA 4

Após a morte de seu filho Absalão, a tristeza do rei Davi foi tanta que ele não podia mais se conter! Procurou um lugar onde pudesse ficar sozinho. Queria desabafar toda a tristeza que parecia arrebentar seu coração.

Entre muitas lágrimas, lamentou: "Oh, meu filho Absalão!... Meu filho, meu filho Absalão! Que Deus me tivesse levado em seu lugar!... Meu filho, meu filho!"

Naquele dia em que Absalão fora derrotado em batalha, o povo também ficou triste e não celebrou a vitória conquistada. Não havia alegria em lugar algum. Mas Davi refletiu bastante a respeito de seu povo e de todo sacrifício feito em nome do rei. E mais uma vez se sentiu forte para continuar a viver.

Então, o rei Davi se levantou e se apresentou diante do povo. Todos de Israel, presentes ali, pediram que ele voltasse para Jerusalém.

A vida, às vezes, parece muito difícil, mas Deus nunca deixa de nos dar forças. É preciso crer no amor de Deus!

Davi, Idoso, Nomeia um Novo Rei

I Reis 1

JUNHO - DIA 5

Davi alcançou idade avançada. Adonias, um dos filhos de Davi, moço formoso, quis ser o novo rei de Israel. Davi não podia mais reinar e mal sabia o que se passava em seu reino.

Desejando muito o trono real, Adonias preparou carruagens, cavaleiros e cinquenta homens. Também mandou preparar grande quantidade de alimentos e bebidas. Convidou seus irmãos e os homens de Judá para a grande festa em que se coroaria rei.

No entanto, Zadoque, o sacerdote, e Natã, o profeta, não estavam de acordo com aquela atitude de Adonias. Eles sabiam que, na verdade, quem deveria reinar era Salomão, o outro filho de Davi.

Natã e Zadoque ficaram preocupados com aquela festa de coroação. Na verdade, Adonias nem quis conselhos de ninguém. Queria apenas coroar-se rei naquela ocasião. Eles foram falar com a mãe de Salomão, Bate-Seba. Contaram os planos de Adonias a ela: "Você sabia que Adonias planeja se coroar? Davi nem sequer faz ideia de que isto esteja acontecendo. Você precisa contar tudo a ele."

Bate-Seba foi aos aposentos do rei e disse: "Meu rei, Adonias já está tomando o seu reino. Todos acreditam que hoje ele vai se coroar rei de Israel. Meu rei, sua vontade sempre foi que Salomão, nosso filho, assumisse um dia a coroa, não é verdade?"

Davi ouviu tudo e mandou chamar Zadoque e Natã. Davi ordenou a eles: "Vocês devem ungir Salomão. Ele passará a ser rei de Israel. Em seguida toquem a trombeta e gritem em alta voz: 'Viva, rei Salomão!' e, então, vocês o seguirão até o meu trono, onde Salomão se sentará."

Um dos Mandamentos de Deus diz que não se deve desejar o que pertence a outro. Mas quanta gente se esquece disso!

Salomão Reina: Adonias, Joabe e Simei São Mortos

I Reis 1-2

JUNHO - DIA 6

Adonias e seus convidados comiam e bebiam muito durante a festa. De repente, ouviram as trombetas anunciando que Salomão, seu irmão, tinha sido ungido. Estava coroado como rei de Israel.

Logo se confirmou a notícia de que Davi tinha constituído seu filho Salomão como rei. Os convidados de Adonias ficaram com medo e cada um seguiu o seu caminho. Adonias teve medo de Salomão.

Adonias se preparou e foi buscar refúgio perto do altar, julgando que assim estaria seguro se houvesse alguma confusão. Ele temia que Salomão o maltratasse. Sabia que não estava agindo corretamente ao planejar coroar-se rei.

Longe dali, Salomão declarou: "Se ele for um homem de bem, prometo que nenhum de seus cabelos cairá, mas se for maldoso..."

Mais tarde, quando estava perto de morrer, Davi chamou Salomão e deu-lhe vários e bons conselhos a

respeito de tudo e de todos. Assim que Davi faleceu, Salomão assumiu o trono de seu pai.

Respeitar os mais velhos e ouvir seus conselhos é assumir atitude de amor!

A Sabedoria de Salomão

I Reis 3

JUNHO - DIA 7

Salomão amava ao Senhor, obedecia aos seus mandamentos e era homem justo diante de Deus. Certo dia, Deus apareceu em um sonho a Salomão. "Peça aquilo que você quiser, Salomão!", disse Deus.

Salomão respondeu: "Quero ter um coração sábio, cheio de compreensão, para que eu possa julgar o povo com justiça, sabendo diferenciar o bem do mal em todas as questões!"

O Senhor Deus se alegrou com o pedido de Salomão. Ele não pediu dinheiro, nem muitos anos de vida e nem desgraça aos seus inimigos. Pediu apenas sabedoria para ser justo com o povo.

Deus, além de conceder sabedoria jamais vista sobre a face da Terra, deu a ele também muitas riquezas. Quando acordou do sonho, Salomão foi até a Arca da Aliança e ofereceu holocaustos (sacrifícios) ao Senhor. Fez também um gostoso banquete e ofereceu a todos os seus servos.

Mas a vida continuava, e Salomão tinha de julgar as questões e os problemas que surgiam no meio do povo. Certa ocasião, vieram duas mulheres e se puseram diante do rei. Uma delas contou a seguinte história:

"Nós duas tivemos filhos. Cada uma teve um menino, mas certa noite o menino dessa mulher aí morreu. Ela viu que seu filho estava sem vida e, de noite, trocou os nossos filhos. Não havia mais ninguém na casa, só nós duas e os bebês. Agora ela diz ser a mãe desse menino que está vivo, quando na verdade eu é que sou a mãe dele."

Salomão a tudo escutou. Assim que acabaram de falar, mandou que trouxessem uma espada e o menino vivo.

"Cortem a criança ao meio e entreguem cada metade a cada uma das mulheres", ordenou o rei, calmamente.

Mais que depressa, uma das mulheres gritou: "Por favor, rei Salomão, não faça isso. Deixe o menino viver. Prefiro que ele fique vivo com aquela mulher a vê-lo morto!" E chorava muito.

Salomão, muito sábio, pegou o menino e mandou que o dessem à mulher que pedira por clemência. Ela sim era a mãe verdadeira, pois queria que seu filho vivesse, mesmo que longe dela, se fosse o caso. E assim a questão foi sabiamente resolvida.

Nada no mundo se compara ao amor de uma mãe! Os filhos têm de saber disso!

Salomão e o Templo

I Reis 5, 6, 8

JUNHO - DIA 8

No quarto ano do reinado de Salomão, o povo de Israel começou a construir o templo do Senhor. Seria uma grande casa para Deus, bem como Davi havia sonhado fazer.

Havia muita coisa a ser feita e Salomão não perdia tempo. Mandou buscar madeira, pedras valiosas, pedras lavradas, tudo tinha de ser do bom e do melhor para a casa do Senhor.

Salomão também mandou fazer colunas de cobre e tantas outras coisas muito bonitas. Tudo era planejado e construído com muito cuidado e sempre da melhor maneira possível. Afinal era a Casa de Deus!

Havia muita gente trabalhando naquela construção. Carregavam pedras, madeiras, colunas... E tudo, organizado por Salomão, ia tomando forma. Ao todo, foram sete anos construindo aquele belo e esplendoroso templo.

Finalmente chegou o dia em que a obra estava terminada e bela! Salomão logo ordenou que a Arca de Deus fosse colocada dentro do templo. Todo o povo foi reunido. E todo o povo viu a Arca ser carregada para dentro da Casa de Deus. Colocaram-na no lugar santíssimo.

Assim que os sacerdotes saíram do santuário, uma nuvem encheu a Casa do Senhor. Era a glória de Deus por todo o templo. Com certeza, Deus estava bastante feliz com sua nova Casa!

As Riquezas de Salomão

I Reis 7, 9, 10

JUNHO - DIA 9

Depois que Salomão concluiu a construção do templo, Deus falou com ele novamente. "Salomão, ouvi a sua oração. O templo que você construiu será santificado para que o meu nome seja colocado ali para sempre. Se você andar nos meus caminhos como fez o seu pai Davi; se você obedecer aos Mandamentos e de coração agir corretamente, conforme o que tenho ordenado, então o trono de Israel será confirmado para você e seus descendentes para sempre. Porém, se você ou os seus filhos se afastarem de mim, servindo a outros deuses, a história será bem diferente!"

A fama de Salomão correu mundo. Era um rei trabalhador e muito rico. Construiu templos, palácios e edifícios públicos. Até a rainha de Sabá ouviu a respeito de Salomão. Ela ficou sabendo que ele era muito sábio e que julgava o povo com justiça. Resolveu visitar Salomão para testá-lo. Pretendia fazer-lhe perguntas difíceis!

A rainha, então, foi a Jerusalém com uma grande comitiva. Havia camelos carregados com especiarias, muito ouro e pedras preciosas; tudo para presentear o rei. Assim que chegou, foi falar com Salomão, contando tudo o que ela pensava e o que havia em seu coração.

O rei Salomão possuía mesmo uma sabedoria dada por Deus. Logo respondeu a todas as perguntas, nem uma sequer ficou sem resposta adequada. Tudo isso impressionou demais a rainha.

"Realmente era verdade tudo o que diziam de você, Salomão. Tudo o que ouvi falar no meu país a respeito da sua grande inteligência, sua sabedoria e suas realizações é, de fato, sem igual!", disse a rainha de Sabá.

Ela presenteou Salomão com muita riqueza e bondade. Como era generoso também, Salomão também deu a ela muitos presentes. Depois, a rainha de Sabá e seus servos partiram de volta para o seu país.

A sabedoria e a sensibilidade são maravilhosos presentes que Deus dá às pessoas!

A Idolatria de Salomão

I Reis 11

JUNHO - DIA 10

Sabedoria e inteligência não faltavam a Salomão, porém, quando escolhia uma esposa, infelizmente a sua opção não era das mais acertadas. Ele amou muitas mulheres estrangeiras. Casou-se com a filha do faraó e também com mulheres de outras regiões muito distantes. Muitas até adoravam outros deuses. Por esse motivo Salomão, que sempre queria agradar às suas esposas, construiu vários templos aos ídolos adorados por elas.

Quando percebeu, já estava adorando outros deuses também. E Deus não se alegrou com isso nem um pouco. Deus ficou muito zangado com Salomão, pois ele tinha desviado o seu coração para outro deus, falso deus! Deus tinha pedido que ele não seguisse outros deuses, porém Salomão não obedeceu.

"Você não obedeceu aos meus Mandamentos! Por isso vou tirar-lhe o reinado.", declarou o Senhor, "Bem... Mas... Por amor a Davi, não vou tirar o seu trono agora, Salomão. Eu o tirarei do seu filho! Só restará uma tribo para o seu filho, as outras tribos não serão governadas

por ele."

Deus nunca se esquece de seus filhos! Pena que às vezes alguns se esquecem do Senhor Pai!

Israel Dividido

I Reis 11-12

JUNHO - DIA 11

Por causa da desobediência de Salomão (ele passara a adorar outros deuses), Deus se entristeceu e mudou seus planos em relação a ele. E assim aconteceu.

Um jovem chamado Jeroboão conquistou a simpatia e a confiança de Salomão. Era um moço leal e corajoso. Tornou-se conhecido e amado por todos. Certo dia, quando Jeroboão saía de Jerusalém, encontrou o profeta Aías pelo caminho. O profeta estava usando uma túnica nova naquele dia. Aías, sem qualquer explicação, rasgou sua roupa nova em doze pedaços e entregou dez

deles a Jeroboão.

"Tome, Jeroboão! Estes dez pedaços são seus, porque Deus disse que iria tirar o trono de Salomão e daria dez tribos a você!", disse o profeta.

Jeroboão julgou tudo aquilo muito estranho, mas nada disse. E Salomão ainda reinou por quarenta anos. Só deixou o trono quando faleceu. Então, seu filho Roboão começou a reinar em seu lugar.

O povo, porém, andava desgostoso com seu novo rei e foi, pois, falar com Jeroboão. "Jeroboão, por favor, ajude-nos a falar com o novo rei. Queremos que ele alivie a nossa carga. Queremos servi-lo, mas que não seja uma servidão tão pesada quanto a que o pai dele, Salomão, impôs a nós!", disse o povo.

No reinado de Salomão, o trabalho era árduo e intenso. O povo trabalhava horas e horas, a fim de conseguir terminar as construções de palácios e templos que o rei planejava. Salomão não era mau. Ele apenas queria trabalho e mais trabalho. Por isso às vezes ele se esquecia de que os homens mereciam um pouco de lazer. O povo tinha esperanças de que Roboão, seu filho, os trataria melhor.

O trabalho é necessário às pessoas, mas o descanso e a alegria nunca podem ser esquecidos!

A Causa da Separação Entre as Tribos

I Reis 12

JUNHO - DIA 12

Jeroboão, juntamente com alguns do povo, foi falar com o rei Roboão. Ele ouviu atentamente o pedido daquelas pessoas e disse: "Deem-me três dias. Quero pensar a respeito deste assunto. Depois voltem aqui para falar comigo."

Roboão reuniu muitos homens cultos, sábios e experientes. Todos foram reunidos para aconselhá-lo sobre o que deveria responder ao povo. Primeiro pediu conselho aos mais velhos, da época de Salomão.

"Se você for fiel e bom com este povo, todos os súditos serão sempre fiéis a você", disseram os anciãos.

Depois Roboão perguntou aos jovens de confiança, que tinham a sua idade, o que deveria dizer.

"Se você aliviar o trabalho pesado, pensarão que seu pai era um líder mais forte e melhor do que você. Diga a eles que você aplicará castigos mais pesados que os castigos que seu pai Salomão aplicava", explicaram os jovens.

Roboão pensou, refletiu... E acabou julgando como mais conveniente o conselho dos jovens assessores. Ele queria ser visto como um rei forte, autoritário.

No terceiro dia, quando o povo voltou para falar com Roboão, ele respondeu que as coisas iriam ser ainda piores do que na época do reinado de Salomão. Diante da

resposta agressiva do rei, o povo se revoltou e pôs-se a gritar pelas ruas: "Nós, israelitas, devemos voltar a nossos lares! Não serviremos mais à casa e à família de Davi!"

Apenas uma das tribos permaneceu fiel a Roboão. O nome dessa tribo era Benjamim-Judá. Essa foi a causa de o reino de Salomão ser dividido em dois (Israel e Judá).

As pessoas que governam nunca devem esquecer que o povo precisa ser tratado com respeito e consideração. O povo deve evitar escolher governantes maus! Eles sempre trazem muitos problemas!

A Idolatria de Jeroboão

I Reis 12

JUNHO - DIA 13

Roboão não deu atenção aos pedidos que o povo tinha feito. Por isso o povo se rebelou e, depois de algum tempo, elegeu Jeroboão rei sobre Israel. Apenas uma tribo, a tribo de Judá, permaneceu fiel a Roboão e à casa de Davi. Assim a nação de Israel ficou dividida, como o profeta havia previsto.

Jeroboão governou sobre dez tribos em Israel, e Roboão apenas sobre uma. Mesmo governando a maioria das tribos, Jeroboão tinha medo de que um dia isso mudasse.

Todos os anos, o povo de Jeroboão, mesmo tendo dito que não serviria à casa de Davi, ia até Jerusalém para adorar a Deus, no templo construído no período de Salomão. Jeroboão tinha tanto medo de perder o seu trono que decidiu fazer dois bezerros de ouro. Ele temia que o povo fosse a Jerusalém e acabasse não voltando mais. Pensou, então, que deveria convencer o povo a ficar onde estava e adorar os bezerros, tornando-os seus deuses.

"É longe demais ir até Jerusalém todos os anos para adorar a Deus no templo. Estes bezerros aqui representam os deuses que tiraram os seus descendentes do Egito. Vocês podem adorá-los aqui mesmo!", disse Jeroboão, querendo convencê-los.

Ele colocou os bezerros de ouro em altares e nomeou sacerdotes. Fizeram festa aos deuses e sacrifícios no altar que Jeroboão construíra. Isso foi uma grande ofensa a Deus. O Senhor viu o erro que cometiam ao adorarem um bezerro de ouro.

Se Deus é o Criador Supremo, somente Ele merece a nossa adoração.

Um Profeta e o Altar de Jeroboão

I Reis 13

Veio de Judá, por ordem do Senhor, um homem de Deus que foi até onde estavam Jeroboão e seu altar com o bezerro de ouro. O profeta clamou contra o altar, dizendo: "Altar, altar! Nascerá um filho da casa de Davi. O nome desse menino será Josias, e ele tirará deste lugar todos os sacerdotes idólatras (que adoram ídolos)."

JUNHO - DIA 14

Ainda, naquele mesmo dia, o profeta (sacerdote de Deus) disse que o Senhor daria um sinal para que todos acreditassem em suas palavras. E declarou: "Este será o sinal: o altar se romperá, e a cinza que há nele se derramará."

Jeroboão, aflito com tudo aquilo, mal pôde acreditar! E todos os que ali estavam viram o altar se romper, e as cinzas que estavam dentro se derramaram. Suplicou ao homem de Deus que rogasse por ele para que nada de mal lhe acontecesse. O sacerdote orou.

Em agradecimento, o rei convidou: "Venha até a minha casa. Você pode comer, beber, e também vou dar um presente a você!"

Ele, porém, não aceitou o convite de Jeroboão. Deus lhe tinha ordenado que não comesse nem bebesse nada e que não voltasse pelo mesmo caminho da vinda. E bem assim o sacerdote fez, em obediência ao Senhor.

Muitos são os convites dos amigos, muitas são as escolhas que um homem pode fazer, mas, antes de tomar qualquer decisão, é preciso se lembrar das palavras e ensinamentos de Deus!

Um Leão Matou o Profeta, Pois Ele Desobedeceu a Deus

I Reis 13

Outro profeta que morava em Betel ficou sabendo, através de seus filhos, o que o homem de Deus tinha feito com o altar. O velho profeta mandou que seus filhos ajeitassem o jumento e pediu que lhe mostrassem para que direção o profeta de Deus havia seguido. Assim, ele montou no jumento e caminhou na direção indicada.

Encontrou o homem de Deus sentado sob uma árvore de carvalho. "Você é o homem de Deus que veio de Judá?", perguntou o profeta montado no jumento.

"Sim, sou eu!"

Mais que depressa, o velho profeta convidou o outro para ir à sua casa. Assim poderiam comer e saciar a sede.

"Não posso! Deus disse que eu não deveria comer pão nem beber água neste lugar", respondeu o homem de Deus.

Então, o outro disse: "Eu também sou profeta. Deus ordenou a mim que o buscasse para que você comesse pão e bebesse água na minha casa."

É claro que tudo aquilo era mentira! Mas o homem de Deus acabou aceitando o convite e foi junto. Comeu e bebeu na casa do velho profeta. Enquanto comia, Deus

JUNHO - DIA 15

falou com ele, chamando-lhe a atenção pelo fato de haver desobedecido às ordens do Senhor.

"Você foi rebelde às ordens do Senhor. Você voltou e foi comer e beber no lugar onde Deus havia proibido."

E Deus ficou muito desgostoso com aquela atitude dos dois profetas. O homem de Deus partiu daquele lugar, e no caminho um leão o atacou e o matou.

As palavras e os ensinamentos de Deus colocam todos no caminho certo. Os que não dão ouvidos ao Senhor sempre estão em meio a graves problemas.

A Ruína de Jeroboão

I Reis 14

JUNHO - DIA 16

E aconteceu que Abias, filho de Jeroboão, adoeceu repentinamente. Em desespero, Jeroboão pediu que sua esposa, disfarçada, fosse buscar ajuda em Siló. Ela deveria procurar o profeta Aías (aquele que rasgara a própria túnica). Porém, deveria ir disfarçada para que não soubessem que era a esposa do rei.

"Vá até Siló e procure o profeta Aías. Leve dez pães, bolos e um pote de mel. Ele vai dizer a você o que acontecerá com o nosso filho!", disse Jeroboão.

E ela fez como o seu esposo pedira. Levou aqueles alimentos em forma de presente e foi procurar o profeta.

Aías já estava cego por causa de sua idade avançada. E, antes da chegada da mulher, Deus avisou ao profeta que ela era esposa de Jeroboão e viria para consultar e saber o que aconteceria ao menino doente.

Dali a pouco, Aías ouviu o ruído dos passos dela e disse: "Entre, mulher de Jeroboão! Por que você está disfarçada? Tenho notícias muito ruins para você."

O profeta disse a ela que, por causa das atitudes de desobediência de seu marido, muitos problemas teriam de ser enfrentados por Jeroboão e sua família. Jeroboão havia adorado outros deuses, e esse era o motivo pelo qual haveria tantos problemas na vida deles.

Reis Maus em Israel

I Reis 15-16

JUNHO - DIA 17

Depois da morte de Jeroboão e de Roboão, surgiram muitos reis que queriam tomar o trono de Israel. Abias, filho de Roboão, começou a reinar sobre Judá. Ele reinou três anos em Jerusalém, porém cometeu os mesmos erros que seu pai.

Abias também adorou outros deuses, desagradando, dessa forma, a Deus. Mas, por amor a Davi, Deus deixou, ainda assim, que Abias reinasse, pois Ele tinha prometido a Davi. Este havia sido correto aos olhos do Senhor, servindo a Deus e buscando andar em seus caminhos todos os dias (exceto quando se enamorou da esposa de Urias). No entanto, Davi tinha sido um rei fiel ao Senhor.

Não se passaram muitos anos e Abias faleceu. Seu filho Asa reinou em seu lugar. Asa não era como seu pai; ele obedecia a Deus e trilhava os caminhos do Senhor, assim como Davi fizera. Asa era tão justo que chegou a tirar do trono de rainha a sua própria mãe, Maaca (tinha ela feito um ídolo horrível para ser adorado).

Enquanto Asa governava Judá, surgiu outro rei para governar o restante de Israel. Esse novo rei era muito mau! Tinha por nome Nadabe e era filho de Jeroboão. Nadabe reinou por dois anos. Durante esse período, fez tudo o que era errado diante de Deus. Cometeu as injustiças que seu pai cometera.

Surgiu, então, um homem chamado Baasa, que planejou derrotar Nadabe e acabou conseguindo! Baasa tomou o lugar de Nadabe e se tornou um rei muito violento. E houve guerras entre o rei Asa e o rei Baasa, muitas e muitas vezes.

Os erros cometidos pelo rei Jeroboão, Baasa e seu povo também cometeram: eles adoraram deuses e fizeram ídolos, desobedecendo aos Mandamentos do Senhor Deus. Com isso, Deus se entristeceu novamente!

Parece que é tão difícil as pessoas aprenderem a escutar os ensinamentos de Deus! Mas não é! E, seguindo esses ensinamentos, a vida se torna bem mais feliz!

Surge a Cidade de Samaria

I Reis 16

JUNHO - DIA 18

Após a morte de Baasa, um de seus filhos começou a reinar em seu lugar. Pouco tempo depois, entretanto, foi vencido por um capitão de seu exército. Este homem acabou assumindo o reinado. Como também era um mau rei, o povo, com medo, constituiu um novo rei sobre Israel, Onri.

Algum tempo depois, Onri comprou o monte de Samaria e ali construiu uma cidade, a cidade de Samaria. Lá viveu como os reis maus anteriores. Fazia coisas horríveis diante de Deus. Construiu ídolos para que o povo adorasse aqueles deuses, em vez de seguir as leis do Senhor.

Quando Onri faleceu, deixou como sucessor seu filho Acabe. O rei Acabe também foi um rei mau. De fato, ainda pior do que os que reinaram antes dele. Casou-se com Jezabel, filha de outro rei, e ambos serviram e adoraram Baal, o deus deles. Acabe até construiu um altar para Baal, em Samaria.

O rei Acabe, assim, irritou muito ao Senhor Deus. Por causa disso, muitos problemas se abateram sobre aquela nação.

Maus governantes só causam problemas ao seu povo. Deus prefere que haja troca de respeito e amor entre as duas partes. E, acima de tudo, que ninguém se esqueça do Senhor.

Elias Prediz Grande Seca

I Reis 17

JUNHO - DIA 19

Elias era um profeta de Deus e, certa ocasião, o Senhor o enviou para falar com o rei Acabe. Todos sofreriam com a mensagem que o profeta iria trazer. Seria um verdadeiro castigo para o povo que estava ali, em Samaria, adorando outros deuses.

"O Senhor Deus não permitirá que chuva alguma

caia, nem mesmo orvalho haverá por muitos anos seguidos.", disse o profeta.

Assim que acabou de dizer aquelas palavras ao povo, Deus disse a ele que saísse dali e fosse se esconder no oriente, junto a um ribeirão. Teria de fugir, porque Acabe julgou ser Elias um farsante, julgou ser a sua mensagem uma estratégia para tirá-lo do trono. Acabe queria prender Elias.

Lá, em seu esconderijo, Elias tinha a proteção de Deus. Bebia água do ribeirão e todos os dias Deus providenciava alimento para o profeta. Mas, com o passar do tempo, como não chovia, o ribeirão secou. Deus, então, guiou Elias até a casa de uma mulher viúva. Quando chegou e pediu comida, a mulher ficou preocupada, pois possuía somente um punhado de farinha e um pouco de azeite para ela e seu filho.

"Não se preocupe!", disse Elias, tranquilizando a viúva, "Vá e asse um bolo com aquela quantidade que você tem; em seguida traga-o para mim. O Senhor Deus ordenou que a farinha da panela não se acabe e nem falte azeite até o dia em que o Senhor mandar chover outra vez."

E a mulher fez conforme Elias pedira. Quem sabe repartir nunca terá necessidade alguma!

O Filho da Viúva Morre

I Reis 17-18

JUNHO - DIA 20

Elias ficou ali hospedado, na casa da viúva, por um bom tempo. Um dia, o filho daquela mulher adoeceu. A doença ficou cada vez mais grave até que Deus o levou para o céu.

Inconformada, a mulher indagou ao profeta por que havia acontecido tal desgraça. Ela ficou totalmente desnorteada e ferida, acreditando que, em parte, o profeta havia trazido aquela desgraça até a sua casa.

"Dê-me cá o seu filho. Vou levá-lo até o quarto e o colocarei em sua cama", disse Elias à mulher.

Assim que levou o menino ao seu quarto e o deitou, Elias orou com fé em Deus. Perguntou ao Senhor por que tinha levado o filho daquela viúva tão generosa e hospitaleira. Três vezes Elias orou e pediu, com fervor ao Senhor, que a alma do menino voltasse para o seu corpinho.

Deus ouviu a oração de Elias e a criança reviveu. Elias levou o menino até sua mãe e disse a ela: "Aí está o seu filho. Está novamente vivo!"

E a mulher, alegre por ver seu filho, respondeu: "Agora eu tenho certeza de que você é um homem de Deus e de que tudo o que você diz é verdade." A felicidade da mãe era tanta que ela nem se aborreceu com a seca que se abateu sobre aquela região, durante os três anos seguintes.

A oração e a fé, nos bondosos corações, são armas muito fortes!

Elias Fala com Acabe

I Reis 17-18

JUNHO - DIA 21

A fome era grande devido à seca em Samaria. Todas as plantações, o pasto, as árvores, tudo estava morrendo por causa dela. Não havia mais o que comer.

Vendo o problema se agravar a cada dia, o rei Acabe mandou que o seu servo Obadias fosse procurar ervas perto de todas as fontes de água e nos vales. Acabe, com isso, queria preservar seus animais.

Obadias era um homem bom, sempre ajudava as pessoas. Naquele dia, enquanto procurava ervas, encontrou Elias. Obadias se curvou diante dele e perguntou: "Você é Elias, o profeta?"

Elias prontamente respondeu: "Sim! Avise a Acabe que eu estou aqui!"

"Por que você me manda de volta ao rei Acabe? Você quer que ele me castigue? Ele está a sua procura há muito tempo! E se você não estiver aqui quando ele vier para cá? É bem possível que o espírito de Deus leve você para outro lugar, enquanto eu estiver avisando o rei!", disse Obadias, preocupado.

Mas Elias garantiu que ficaria ali, esperando que Obadias trouxesse o rei Acabe. Assim que Acabe soube de Elias, foi ao seu encontro. O rei ainda estava furioso com o profeta e foi logo acusando: "É você aquele que perturba Israel?", provocou.

Elias respondeu: "Eu não trouxe problema algum para Israel. Você e os seus seguidores é que não obedeceram aos Mandamentos do Senhor e seguiram os falsos deuses."

Ninguém é culpado pelos erros dos outros. Cada um deve assumir os seus erros e prometer a si mesmo não mais errar.

Deus Prova Ser o Verdadeiro Deus

I Reis 18

JUNHO - DIA 22

Elias desafiou Acabe e mandou que todos fossem ao Monte Carmelo, inclusive todos os profetas de Baal e os outros que serviam a Jezabel. E Acabe fez assim como Elias dissera. Reuniu todos os filhos de Israel e os profetas no Monte Carmelo.

O profeta Elias disse ao povo que deveriam escolher entre o Senhor Deus ou Baal. Deus iria mostrar a todos quem era o verdadeiro Deus de todas as coisas. "Eu e somente eu sou o profeta do Senhor", declarou Elias.

E, em nome de Deus, desafiou os profetas de Baal diante de todo o povo. "Que nos sejam dados dois novilhos; um para mim e um para os profetas de Baal. Cada um irá preparar o seu novilho e o colocará sobre o seu altar que estará coberto de lenha, mas não ateiem fogo", determinou Elias.

Elias declarou que os profetas de Baal deveriam invocar o seu deus. E o próprio Elias invocaria o nome do Senhor. E o deus que enviasse fogo ao altar seria o Deus verdadeiro. O povo concordou com a ideia de Elias.

Só há um Deus verdadeiro. Sempre que pode, Ele nos dá provas de ser o único.

Baal Está Meditando ou Dormindo?

I Reis 18

JUNHO - DIA 23

Os profetas de Baal prepararam tudo para o sacrifício do novilho. Invocaram o nome de Baal de manhã até o meio-dia para que ele enviasse fogo ao altar. Clamaram,

concentraram-se, mas não havia uma voz sequer que respondesse enquanto rodeavam o altar.

Elias observou e, ao meio-dia, não aguentou mais ver tanta inverdade. O profeta chegou a rir diante daquela situação.

"Ei, vocês aí! Que tal se vocês chamarem o seu deus com mais força na voz? Talvez ele esteja meditando, quem sabe, até dormindo. Vamos, chamem bem alto, talvez ele acorde!", disse Elias.

Eles, então, clamaram e clamaram em voz alta, e nada de resposta de Baal. Acabaram desistindo.

Elias reuniu o povo ao seu redor e arrumou novamente o altar do Senhor. Preparou a carne de um novilho e colocou-a sobre a lenha no altar. Pediu também que trouxessem bastante água e que a derramassem sobre o novilho e a lenha. Mandou que repetissem isso três vezes. O altar ficou tão encharcado que a água até escorria ao redor. O povo olhava atento para ver o que aconteceria.

Quem adora outros deuses acaba perdendo a fé!

Fogo do Senhor

I Reis 18

JUNHO - DIA 24

Elias se pôs a orar diante do altar, pedindo: "Ó Senhor, Deus de Abraão, de Isaque e de Israel! Que hoje todos saibam quem é o verdadeiro Deus e que vejam que um servo do Senhor está fazendo estas coisas conforme Deus quer. Que o povo saiba que o Senhor é o único Deus!"

E logo em seguida, o fogo surgiu e consumiu tudo: o novilho, a lenha, as pedras, a terra e até mesmo a água que estava ali no altar. Assim que todos viram o que havia acontecido, ajoelharam-se com o rosto na terra em sinal de adoração e clamaram: "O Senhor é Deus! O Senhor é Deus!"

Elias ficou alegre por ter provado ao povo que Deus é soberano no Universo. O profeta mandou que Acabe fosse comer e beber, porque logo choveria sobre a terra novamente.

Realmente, lá, bem longe, surgiu uma pequena nuvem e, depois de pouco tempo, muitas nuvens chegaram. Uma grande chuva caiu sobre a terra.

Tudo é possível para Deus!

A Fúria da Rainha Jezabel

I Reis 19

JUNHO - DIA 25

Quando Jezabel ficou sabendo, por intermédio de Acabe, o que Elias tinha feito, ficou furiosa. O rei Acabe contou a ela com detalhes como Elias havia desafiado os profetas de Baal e como o Deus verdadeiro mandara fogo ao altar, mesmo estando ele encharcado de água.

Nada disso fez diferença alguma para a rainha. Ela estava furiosa, porque Elias tinha destruído a ideia dos profetas de Baal. Destruiu, é claro, porque era uma ideia falsa.

A rainha só pensava em vingança! Por isso mandou um mensageiro até Elias. "Juro pelos deuses que amanhã, nesta mesma hora, vou acabar com você!", dizia a mensagem.

Temendo que algo de mal lhe acontecesse, Elias foi para bem longe dali. E continuou sua jornada através do deserto. Andou um dia inteiro e, quando não suportou mais o cansaço e o calor, sem água e comida, sentou-se sob uma árvore e pediu a morte a Deus. Adormeceu ali mesmo e um anjo o tocou: "Levante-se, Elias, e coma!"

E, quando acordou, viu um pão cozido sobre pedras em brasa e água para matar sua sede. Elias comeu e bebeu até ficar satisfeito e depois voltou a dormir.

O anjo do Senhor, entretanto, tornou a voltar e tocou Elias outra vez: "Levante-se agora e coma um pouco mais. O caminho que você tem pela frente é bastante longo e cansativo."

Deus também precisa da ajuda de algumas pessoas. Ele necessita de que suas mensagens sejam levadas a todos!

Deus Fala com Elias

I Reis 19

JUNHO - DIA 26

Elias levantou-se e comeu como o anjo pedira. E, com a energia que agora possuía, caminhou por quarenta dias e quarenta noites até chegar ao Monte Horebe. Ali ele encontrou uma caverna onde passou a noite. E Deus disse a Elias que esperasse, que ficasse no monte até que o Senhor tivesse passado.

Repentinamente, um forte vento soprou entre os montes. Deus, porém, não estava no vento. Elias esperou, e veio um terremoto, mas o Senhor não estava no terremoto. Depois disso surgiu fogo ao seu redor, mas Deus também não estava no fogo, e só então veio tranquilidade. Elias escutou, de repente, a voz de Deus. O profeta envolveu o seu rosto em seu manto e saiu da caverna.

Deus, então, perguntou: "Elias, o que você está fazendo aqui?"

Elias contou a Deus tudo o que estava em sua mente, o comportamento do povo e sua fuga por causa da rainha Jezabel que só pensava em vingança contra ele.

"Vá pelo deserto até Damasco. Lá, você deverá ungir Hazael como rei da Síria. Também ungirá Jeú como rei sobre Israel e ungirá Eliseu para ser o profeta que vai substituir você!", ordenou Deus.

Todos no mundo têm uma missão. É preciso descobri-la, compreendê-la e aceitá-la com amor, porque é Deus quem a determina!

Um Rei Cruel

I Reis 20

JUNHO - DIA 27

Enquanto Acabe era o rei de Israel, reinava na Síria o rei Ben-Hadade. O exército de Ben-Hadade era muito poderoso. Ele tinha cavalos, carruagens e excelentes homens de guerra. Com tal poder, era fácil ameaçar outras nações e ordenar que fizessem tudo como ele bem mandasse.

O rei Ben-Hadade resolveu lutar contra Israel e mandou cercar Samaria. Em seguida, mandou mensageiros à cidade para que entregassem a seguinte mensagem ao rei Acabe: "Quero a prata, o ouro, as mulheres e os filhos de vocês."

Acabe sabia que ele não tinha chances contra o rei da Síria. Só lhe restava cumprir à risca os pedidos de seu inimigo.

"Tudo que eu tenho é de vocês!", disse o rei Acabe ao rei Ben-Hadade.

Logo os mensageiros estavam de volta. Anunciaram a Acabe que, no dia seguinte, o rei Ben-Hadade enviaria servos para tomar tudo aquilo que ele bem desejasse.

Acabe conversou com os mais velhos de Israel e contou a eles a crueldade daquele rei inimigo. Contou que ele exigia as mulheres, os filhos, prata e ouro. E contou também que ele próprio, Acabe, tinha concordado com tudo. Mas agora Ben-Hadade queria mais, queria tudo o que viesse a desejar, a qualquer momento.

O povo e os anciãos escutaram o que o rei Acabe dizia e responderam: "Não dê ouvidos a ele. Não permita que ele faça isso!"

Acabe mandou, então, uma resposta negativa, através dos mensageiros, ao rei da Síria. Furioso, Ben-Hadade prometeu, em nome de seus deuses, transformar Samaria em um monte de pó.

Maldade sempre atrai maldade! É preciso muito cuidado com ela.

Os Sírios Atacam os Israelitas

I Reis 20

JUNHO - DIA 28

Um profeta foi até o rei Acabe para dar a seguinte mensagem de Deus: "Você está vendo todo esse enorme exército? Hoje o Senhor o entregará em suas mãos para que todos saibam da vontade e do poder de Deus."

O rei Ben-Hadade e seus reis sírios estavam bebendo e embriagando-se em suas tendas, quando logo foram avisados de que homens israelitas de Samaria vinham em sua direção.

"Tanto faz se eles estão vindo para lutar ou para fazer as pazes; quero-os vivos", disse, confiante, Ben-Hadade.

No entanto, Deus estava conduzindo a batalha e os homens de Samaria atacaram os sírios. Muitos deles fugiram dos israelitas, inclusive Ben-Hadade, que escapou a cavalo com alguns outros cavaleiros.

O plano de Acabe tinha dado certo. Foi assim que ele organizou o ataque: primeiro saíram os moços, chefes das províncias, que eram poucos. Então, quando os sírios viram aquela pequena quantidade de homens, avisaram o rei Ben-Hadade. Ele não tomou muitas precauções. Chegou até a desprezar o exército de Israel. Assim que puderam, muitos e muitos israelitas saíram para a batalha, surpreendendo e vencendo totalmente os sírios.

Passou-se um ano, mas o rei Ben-Hadade não tinha esquecido a sua derrota. Resolveu enfrentar os israelitas novamente. Mas Acabe resolveu poupar a vida de Ben-Hadade em troca de terras. E, tendo aceitado a oferta, desobedeceu a Deus.

Através do profeta, Acabe ficou sabendo que seria punido por ter libertado o rei da Síria, um rei tão maldoso que Deus havia condenado.

A desobediência sempre traz consequências ruins!

Nabote Recusa-se a Vender sua Vinha

I Reis 21

JUNHO - DIA 29

Havia um homem chamado Nabote. Morava ao lado do palácio de Acabe. Nabote possuía uma vinha e lá ele cultivava as uvas para saborear e para fazer vinho.

Certo dia, Acabe propôs o seguinte a Nabote: "Que tal se me desse esta terra onde você tem plantado a sua vinha? Em troca, eu darei uma outra terra ou, se você quiser, pagarei pelo que ela vale. Quero plantar verduras e legumes nesta terra. Ela é a ideal para mim, pois fica do lado da minha casa."

"Não posso vender esta propriedade. Os meus pais me deram como herança", respondeu Nabote.

Acabe foi embora para sua casa desgostoso e indignado por causa da resposta de Nabote. Acabe deitou-se em sua cama e não quis saber de comer.

Logo sua esposa Jezabel ficou sabendo que o rei não estava bem e, preocupada, perguntou-lhe: "O que você tem? Por que você está tão abatido que até rejeita se alimentar?" Acabe contou-lhe tudo o que havia acontecido, e ela, de imediato, deu a solução: "Você não é o rei de Israel, o que governa tudo? Não se preocupe, alegre-se e coma. Eu vou conseguir as terras de Nabote."

É perigoso querer para si o que é dos outros. O egoísmo faz muito mal!

Jezabel Manda Matar Nabote

I Reis 21

JUNHO - DIA 30

Jezabel era uma mulher extremamente esperta e má e, por isso, foi logo colocando o seu plano em prática. Ela escreveu cartas em nome do rei Acabe e selou-as com o emblema real. Enviou-as a todos os anciãos e nobres que havia em sua cidade e que habitavam com Nabote.

Nas cartas ela pedia que trouxessem Nabote ao tribunal diante do povo. Duas testemunhas falsas seriam colocadas diante dele e diriam que ofendera a Deus e ao rei Acabe. Depois eles levariam Nabote para fora da cidade e atirariam pedras nele.

E o plano de Jezabel se realizou exatamente como ela planejara. Depois, ela foi até Acabe e disse: "Tome posse da vinha e das terras de Nabote. Já que ele não quis vendê-las por um bom preço, agora ele está fora do negócio."

E Acabe se levantou para tomar posse das terras vizinhas que pertenciam a Nabote. Mas Deus mandou que o profeta Elias fosse se encontrar com Acabe no caminho. Lá, o profeta disse, a pedido de Deus, que o Senhor o puniria por ter apedrejado Nabote e ainda por estar tirando a terra dele. Elias disse que, assim como aconteceu com Nabote, aconteceria com ele. Deus, enfim, puniria os maldosos e egoístas, inclusive Jezabel!

Ao ouvir tudo aquilo, o rei ficou muito arrependido, rasgou suas vestes reais e se vestiu com panos miseráveis. Acabe jejuou, dormiu em sacos e andava cabisbaixo.

Deus falou com Elias: "Acabe está realmente arrependido do que fez! A punição que Eu prometera para a sua época de reinado não acontecerá. Esta punição virá mais tarde, se seus filhos também cometerem os mesmos erros. Acabe deverá educar muito bem seus descendentes para que nada de ruim venha a acontecer."

Os ensinamentos de Deus devem ser passados de pai para filho!

Josafá Faz Pacto com Acabe

I Reis 22

JULHO - DIA 1º

Passaram-se três anos sem haver guerra entre a Síria e Israel. Um dia, Josafá, rei de Judá, foi falar com o rei Acabe. Ele queria que Acabe fizesse um pacto. Assim os dois lutariam juntos contra os seus inimigos. Josafá queria tomar a cidade de Ramote-Gileade, que antes era dos israelitas, e por isso precisava da ajuda de Acabe. Este logo concordou.

Josafá quis, então, primeiro consultar a Palavra do Senhor. Mandou reunir os profetas, e eram muitos! Perguntaria a eles se deveriam ou não lutar para reconquistar aquela cidade.

Eles responderam: "Podem ir à batalha, pois o Senhor será vitorioso através de vocês."

"Por acaso não há mais algum profeta aqui para que possamos consultar?", perguntou Josafá.

E Acabe falou a respeito do profeta Micaías que sempre previa o que de ruim iria acontecer a ele. Assim, Josafá achou importante saber o que Micaías diria sobre aquilo tudo. Chamaram o profeta, que foi imediatamente ver os dois reis.

Antes de qualquer decisão é preciso pensar muito bem!

Um Triste Fim para Acabe

JULHO - DIA 2

I Reis 22

Por causa da insistência de Josafá é que Micaías foi trazido à presença dos dois reis. Assim que o profeta adentrou o recinto real, Acabe começou a perguntar se deveria ou não lutar contra a cidade de Ramote-Gileade.

"Vá, certamente você será vencedor, porque o Senhor dará aquela cidade a você!", propôs o profeta.

Mas Acabe sabia que Micaías não estava sendo verdadeiro em suas palavras. O rei pediu, quase sem paciência, que ele dissesse a verdade: "Quantas vezes já disse a você, Micaías, que quero saber a verdade em nome do Senhor?"

E o profeta disse: "Bem, por meio de uma visão, vi Israel disperso pelos montes, como se fossem ovelhas sem pastor. O Senhor também tinha dito a cada um para voltar a sua casa em paz, pois as ovelhas não tinham mais um dono."

"Viu só? Em outras palavras, ele acabou de dizer que não retornarei vivo da guerra! Eu não disse a você, Josafá? Este profeta sempre diz que coisas ruins vão acontecer comigo!", declarou Acabe.

Revoltado, Acabe mandou prender Micaías para que ficasse na prisão a pão e água até que tivessem retornado da batalha. Logo que entrou no campo de batalha, porém, Acabe foi atingido por uma flecha que lhe tirou a vida. No findar daquele dia, assim que as tropas souberam do fim de Acabe, rei de Israel, foram, cada uma, para a sua cidade. Eles não mais tinham um rei.

Muitas vezes a vontade de Deus causa tristezas, aborrecimentos, mas aceitá-la é necessário!

Acazias: Filho de Acabe

JULHO - DIA 3

I Reis 22 - II Reis I

Algum tempo depois da morte de Acabe, seu filho Acazias começou a reinar sobre Israel, na cidade de Samaria. No entanto, Acazias fez muitas coisas erradas perante Deus. Ele também se curvou diante de Baal e o adorou, assim como os seus pais o fizeram. Novamente tal atitude não agradou a Deus.

Certo dia, Acazias andava pelo palácio e, descuidadamente, caiu da janela de um quarto, lá no alto, e se machucou bastante. Ele, crendo em deuses pagãos, mandou que um servo seu fosse consultar a Baal, seu deus. Acazias queria saber de Baal se ficaria bom outra vez.

Deus interveio, mandando que Elias fosse falar com os mensageiros do rei. Quando Elias os encontrou, pediu que levassem a seguinte mensagem do Senhor a Acazias: "Você não é um homem bom. Deus está aborrecido com você!"

Ao saber o que Elias dissera a seu respeito, Acazias ficou muito bravo e mandou um capitão com alguns soldados para chamá-lo. Elias não foi com eles, mesmo sendo ameaçado. Mas disse ao capitão e a seus homens: "Se eu sou homem de Deus, então que desça fogo do céu sobre esta terra!". E assim que acabou de dizer aquilo, do céu desceu fogo como prova de que ele dizia a verdade.

Acazias não se dava por vencido. Tornou a enviar outro capitão com seus homens, e novamente o mesmo

fato ocorreu. Mas quando Acazias mandou o terceiro grupo de homens, Deus disse a Elias para ir com eles.

Elias foi e, diante do rei, indagou: "Por acaso você não poderia ter consultado a Deus? Por que você foi consultar Baal? Esse foi o seu erro. Você terá de assumir as consequências dessa atitude tão contrária ao nosso Deus!"

É tão boa a vida para os que amam e respeitam ao Senhor Deus!

Elias Numa Carruagem de Fogo

II Reis 2

JULHO - DIA 4

Estava chegando a hora em que Elias deveria deixar seu lugar de profeta para Eliseu. Assim, Elias partiu de Guilgal na companhia dele. Disse a Eliseu: "Fique aqui, porque o Senhor me mandou a Betel". Eliseu, porém, não deixou Elias partir sozinho. Acompanhou-o e os dois foram para Betel.

Alguns profetas de Betel saíram ao encontro de Eliseu e disseram: "Você sabia que Deus hoje levará Elias para o céu?"

"É, estou sabendo sim! Mas não vamos falar sobre isso", ponderou Eliseu, mudando de assunto.

Elias disse que iria para Jericó e que Eliseu deveria ficar. Eliseu, não querendo perder seu mestre, mais uma vez argumentou e foi junto com ele para Jericó. Lá aconteceu a mesma coisa que em Betel.

Dali os dois partiram para o rio Jordão, ainda que Elias pedisse para Eliseu ficar. Ao chegarem à beirada do rio, Elias tirou o seu manto, enrolou-o e com ele mexeu as águas que se afastaram, abrindo um caminho para que eles pudessem passar.

Depois de passarem pelo rio Jordão, Elias perguntou a Eliseu o que gostaria que fosse feito antes que partisse para junto de Deus. E Eliseu disse: "Trate-me como se eu fosse seu filho. Quero ter como herança pelo menos um pouco do seu espírito tão abençoado por Deus."

"Você pediu algo muito importante! Se você me vir quando eu for levado para o céu, isso acontecerá; caso contrário, não!", respondeu sabiamente o profeta.

De repente, enquanto andavam e conversavam, surgiu uma carruagem de fogo com cavalos de fogo, que os separou um do outro. E naquela carruagem Elias subiu ao céu. Eliseu viu tudo e gritou: "Meu Pai, meu Pai! Para Israel o Senhor vale um exército de força!" Eliseu sabia que não veria mais seu grande amigo e sábio profeta.

A maior das heranças que alguém pode receber é a riqueza de espírito! Nesta riqueza está a sabedoria e a sensibilidade!

Eliseu Torna as Águas Purificadas

II Reis 2

JULHO - DIA 5

Quando Eliseu viu Elias sendo levado ao céu pela carruagem de fogo, apanhou o manto que este deixara cair. Mergulhou o manto nas águas do rio Jordão. Logo elas se dividiram e Eliseu, novamente, conseguiu passar são e salvo. Enquanto passava, os discípulos dos profetas viram que ele tinha os mesmos poderes de Elias. Mas ninguém sabia o que de fato tinha acontecido com o sábio profeta.

Então, como acreditavam que Elias tinha sido levado pelo Senhor para algum vale ou montanha, pediram a Eliseu que os deixasse procurar. Saíram alguns homens à procura de Elias. Procuraram por três dias, mas nada encontraram. Quando retornaram, acharam Eliseu em Jericó. O novo profeta sabia que eles nada haviam encontrado.

Os homens de Jericó perceberam que Eliseu era o novo profeta de Deus e explicaram a ele a situação: "Veja bem, profeta, Jericó é uma ótima cidade, bem situada, com terras férteis, porém as águas aqui são ruins. Não se pode usar desta água!"

"Tragam-me um prato novo com bastante sal", pediu Eliseu.

Os homens obedeceram e logo trouxeram o prato com sal. Eliseu foi até a fonte das águas e jogou o sal ali.

"Em nome do Senhor, estas águas serão saudáveis!", declarou o profeta. E imediatamente as águas se tornaram purificadas e boas para o consumo de todos.

Deus nos dá toda a natureza. Com boas mãos e coração generoso, nela podemos viver com alegria e desfrutá-la para sempre!

Água para Todos

II Reis 3

JULHO - DIA 6

Jorão, um outro filho de Acabe, começou a reinar sobre Israel. Ele também pecou, mas não tanto quanto os seus pais e o restante da família. Inclusive, mandou retirar

a coluna de Baal, construída por seu pai, mas repetiu os erros que Jeroboão levou Israel a cometer.

O rei dos moabitas, chamado Mesa, criava gado e pagava seus impostos ao rei de Israel com cem mil cordeiros e a lã de cem mil carneiros. Mas, após a morte de Acabe, esse rei se revoltou contra o rei de Israel. Por isso, o próprio Jorão foi inspecionar o seu exército e pediu ajuda a Josafá, rei de Judá, a fim de lutar contra o rei Mesa.

Juntos partiram em marcha contra os soldados inimigos. Levaram sete dias para chegar até o local da batalha. Porém não havia mais água para os soldados.

"Ai, Senhor! Seremos entregues aos nossos inimigos depois de tantos dias de marcha e de sofrimento?", perguntou o rei Jorão.

Mas o rei Josafá, muito cauteloso, logo lembrou que somente um profeta de Deus poderia ajudá-los.

As pessoas que se esforçam e batalham têm segurança para pedir auxílio a Deus!

Fazendo Covas

II Reis 3

JULHO - DIA 7

Os dois reis foram falar com Eliseu para saber o que fazer. A princípio, Eliseu pensou em não ajudá-los: "O que você quer de mim, Jorão? Por que não procura os profetas falsos do seu pai e da sua mãe?"

Porém, como Josafá estava ali também, o bondoso Eliseu resolveu dar atenção a eles e os ajudou. Eliseu mandou que os soldados fizessem uma cova em um vale.

"Vocês não sentirão o vento, nem verão a chuva, porém esse vale se encherá de tanta água que vocês e o gado e todos os animais beberão à vontade", disse Eliseu, "E, se vocês ainda creem que isso seja pouco, verão como Deus fará de vocês vencedores diante do exército dos inimigos."

Na manhã seguinte, as covas que eles tinham feito estavam cheias de água. E o Sol as tingia de vermelho com seus luminosos raios.

Bem de longe, quando se levantaram de manhãzinha, os moabitas viram aquelas águas avermelhadas pelo Sol, mas pensaram tratar-se de sangue. Logo imaginaram que os israelitas tinham lutado entre si e derramado todo aquele sangue. Resolveram atacá-los sem medo, julgando que estivessem feridos e enfraquecidos.

Quando chegaram ao arraial dos israelitas com a finalidade de tomar o que havia restado, foram surpreendidos num ataque. Muitos moabitas perderam a vida, outros fugiram. E assim Israel os derrotou.

Cautela e coragem nunca podem se separar. Com as duas e com a proteção de Deus, não há inimigo que vença.

O Milagre do Azeite

II Reis 4

JULHO - DIA 8

Certa mulher, casada com um discípulo dos profetas, procurou Eliseu para pedir ajuda. "Meu marido morreu. Você, Eliseu, sabe que ele amava ao Senhor. Meu marido tinha dívidas quando morreu, e agora o credor quer levar meus dois filhos para servirem como escravos, pois não tenho como pagar a dívida."

Eliseu não sabia ao certo como poderia ajudá-la. "O que você tem em casa?", perguntou Eliseu.

"Não tenho nada, apenas um pote de azeite.", respondeu ela.

"Vá e peça emprestado vasilhas e potes a todos os seus vizinhos. Peça muitas vasilhas. Pegue seus filhos, vá para dentro de casa e feche a porta. Derrame um pouco de azeite em cada uma das vasilhas e separe aquela que você já tinha em casa antes."

Então, a maravilha aconteceu. Ela fez como Eliseu aconselhara: com seu pote de azeite, foi enchendo todas as outras vasilhas, uma a uma. E quando as vasilhas estavam cheias, foi pedindo a um de seus filhos mais e mais vasilhas, até que não havia mais nenhuma vazia, e o poder de Deus cessou de produzir azeite.

A viúva foi logo contar ao homem de Deus a maravilha que havia acontecido. E ele disse a ela: "Agora você deve vender o azeite e pagar as suas dívidas. Ainda sobrará um tanto para que você viva bem com seus filhos."

Não são os homens que fazem milagres. Os homens apenas dão condições para que Deus opere os Seus milagres na Terra. Mas é preciso muita fé para que eles aconteçam.

O Quarto de Eliseu

II Reis 4

JULHO - DIA 9

Como era um homem de Deus, Eliseu viajava por Israel fazendo aquilo que Ele lhe determinava. Certo dia, passou pela cidade de Suném e uma mulher rica insistiu que ele fosse se hospedar e comer em sua casa.

Empolgada, a mulher disse ao seu marido: "Este homem é realmente um santo homem de Deus. Que tal fazermos um pequeno quarto para ele? Podemos colocar uma cama, uma mesa com uma cadeira e uma lamparina. Assim, quando estiver passando por esta região à noite, ele poderá sempre ficar ali sem incomodar ninguém." E assim fizeram.

Um dia, quando passou por aquela cidade de novo, Eliseu se hospedou na casa. Como estava cansado, comeu algo, foi para o seu quarto e se deitou. Mais tarde, Eliseu perguntou àquela mulher: "Você tem me tratado com muita bondade. O que posso fazer por você?"

Mas a mulher não tinha o que pedir. Eliseu não se conformou com aquilo e indagou a seu servo o que eles poderiam fazer por ela e seu marido.

"Pelo que sei, o marido dela já é bastante idoso, e ela não teve filhos. Talvez o Senhor Deus possa ajudá-la", respondeu o servo de Eliseu.

Eliseu prontamente chamou a mulher e lhe disse que dali a um ano, naquela mesma época, ela já teria um filho em seus braços. Sem acreditar naquelas palavras, ela respondeu asperamente: "Não, meu senhor, homem de Deus, não minta para mim!"

Mas Eliseu não havia mentido. No tempo determinado, ela deu à luz um filho; e havia se passado exatamente um ano.

A bondade sempre é recompensada por Deus!

Tragédia Com o Filho da Mulher Sunamita

II Reis 4

JULHO - DIA 10

O menino que nasceu da bondosa mulher vivia feliz com seus pais. Cresceu e, certo dia, quando já era maior, saiu para encontrar o seu pai que estava trabalhando nos campos com os agricultores.

De repente, ele sentiu algo e gritou em desespero ao seu pai: "Ai, a minha cabeça!" Muito preocupado, seu pai mandou que um empregado o levasse correndo à sua mãe.

Assim que a mãe viu o filho, tomou-o em seus carinhosos braços. Deitou com cuidado a criança sobre a cama de Eliseu, o homem de Deus. Fechou a porta e saiu do quarto para que ele descansasse em silêncio. A mulher mandou chamar seu marido. Sabia que a situação do menino era grave.

Quando ele chegou, a esposa foi logo dizendo: "Por favor, mande depressa um de nossos empregados pegar uma jumenta para que me leve rapidamente até o homem de Deus."

"Mas hoje não é sábado e nem é dia de Festa da Lua Nova!", estranhou o marido.

Mas ela insistiu: "Não faz mal; vou assim mesmo."

E não disse nada ao seu marido a respeito do estado da criança. Partiu com seu empregado em direção ao Monte Carmelo para falar com Eliseu. Ela também deu ordens expressas ao empregado para que não parasse durante o caminho, a não ser que ela pedisse.

Carregar fé no coração é armar-se contra as tristezas da vida.

Geazi e o Cajado de Eliseu

II Reis 4

JULHO - DIA 11

Quando Eliseu avistou de longe a mulher sunamita, pediu que seu servo Geazi saísse ao encontro dela para perguntar-lhe como estavam seu marido e seu filho.

"Tudo bem", disse ela disfarçadamente, sem querer contar a verdade. Mas abraçou, emocionada, os pés do homem de Deus.

Geazi tentou tirá-la dos pés do seu senhor, mas Eliseu disse: "Deixe-a em paz! Você não está vendo que esta mulher está aflita?"

"Pedi a você algum filho?", soluçou ela, "Eu pedi ao senhor que não me enganasse, lembra?", e desatou a chorar.

Eliseu desconfiou de que algo trágico havia acontecido com o filho dela. Depois de ouvir da mulher o que ocorrera com seu filho, o profeta mandou Geazi ir até a casa dela para que colocasse o cajado de Eliseu sobre o rosto do menino. A mãe quis ir junto com Geazi.

Ao chegar lá, Geazi colocou o cajado sobre o menino que estava deitado na cama de Eliseu. Fez exatamente como Eliseu recomendara, mas o menino não se mexeu. O servo voltou e contou a Eliseu que o menino nunca mais despertaria.

O maior sofrimento para uma mãe é ver seu filho doente. Somente a fé em Deus pode aliviar essa dor!

O Milagre de Deus Através de Eliseu

II Reis 4

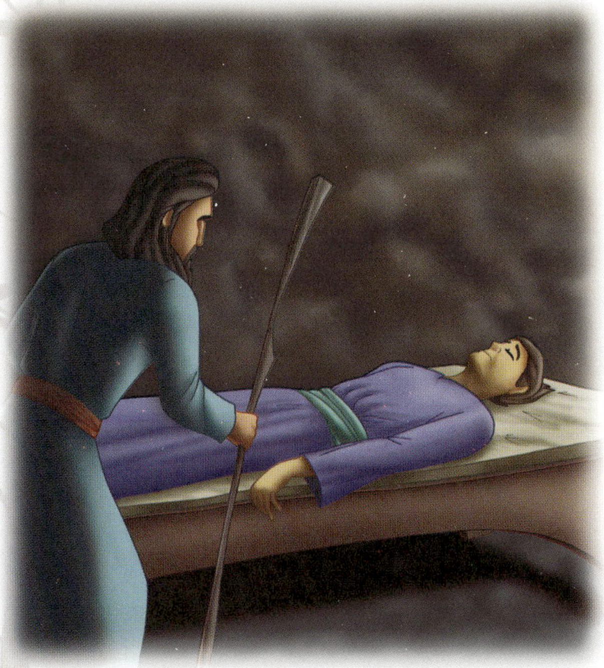

JULHO - DIA 12

O profeta foi até a casa da mulher e viu o menino deitado sobre a cama. Eliseu colocou a sua boca sobre a boca do garoto, os olhos sobre os olhos dele e as suas mãos sobre as mãos do pequenino. Repetiu esses gestos até que o corpo da criança se aquecesse novamente.

Eliseu insistiu, fazendo esforço para que o menino voltasse à vida. O profeta andou de lá para cá no quarto e, novamente, se pôs bem juntinho da criança. E esperou... Até que finalmente viu algum sinal de vida! A criança espirrou sete vezes e abriu os olhos!

"Geazi, chame a mãe do menino!", disse Eliseu, feliz.

A mulher atendeu prontamente ao chamado.

"Pegue o seu filho.", disse o profeta àquela senhora. Muito agradecida e feliz ao ver seu filho vivo, a mulher jogou-se aos pés do homem de Deus. Depois saiu com seu filho. Tinha alegria nos olhos e paz no coração.

Somente a fé conquista milagres! Deus nunca abandona os que têm fé!

Comida Envenenada

II Reis 4

JULHO - DIA 13

Algum tempo depois, Eliseu voltou para Gilgal. Havia fome naquele lugar e, conversando com os discípulos dos profetas, disse ao seu servo: "Coloque a panela grande no fogo e faça uma deliciosa refeição para todos nós!"

E o servo foi ao campo a fim de apanhar ervas. Encontrou uma trepadeira silvestre. Julgou que seria boa para ser cozida e a colheu. Voltou, cortou-a em pedaços e colocou tudo na panela.

Quando a refeição foi servida, ninguém ao certo sabia o que era aquilo, mas, devido à fome, não pensaram muito e começaram a comer. Porém, enquanto comiam a refeição, notaram algo estranho e pararam de se alimentar imediatamente, mesmo estando muito famintos.

"Esta comida está envenenada, homem de Deus! Vamos morrer!", disseram eles, apavorados.

Eliseu sabiamente mandou que trouxessem farinha. Ele despejou uma boa quantidade de farinha na panela, misturou e mandou que todos voltassem a se alimentar daquela comida. Todos comeram e nem sequer um ficou doente. O veneno havia sido eliminado da panela.

Deus dá ao homem o poder da cura! Mas é preciso muito cuidado com o que se põe na boca: cuidado com os alimentos, cuidado com as palavras, cuidado com as drogas todas!

Ajudado por uma Menina

II Reis 5

JULHO - DIA 14

Havia um certo homem que se chamava Naamã. Era o comandante do exército do rei da Síria. Ele era herói de guerra muito bem conceituado aos olhos do rei, porque Deus tinha dado vitória à Síria através dele.

No entanto, Naamã tinha um problema de saúde. Ele tinha lepra, doença grave. Certo dia, saíram as tropas da Síria para lutar com Israel e levaram, cativa, uma menina. Esta menina servia como empregada à mulher de Naamã.

Muito esperta, a menina logo percebeu que Naamã tinha aquela terrível doença e julgou conveniente falar com a mulher dele a respeito da lepra. "Minha senhora, se o seu marido estivesse diante do profeta de Samaria, tenho certeza de que poderia ser curado dessa doença!", disse a garota.

A mulher, mais tarde, comentou com o marido Naamã a observação feita pela menina. Bastante entusiasmado, Naamã relatou ao rei o que a jovenzinha havia dito.

"Naamã, vá até Samaria. Eu mandarei por você uma carta ao rei de Israel explicando o seu problema e o motivo de sua presença", aconselhou o rei da Síria.

E Naamã partiu, levando muito ouro e ricas vestimentas, além de muita esperança no coração. Quando o rei de Israel leu a carta trazida por Naamã, ficou ofendido

e disse: "Sou por acaso um Deus com poderes suficientes para curar um homem? Isso é só um pretexto para os sírios se zangarem e romperem conosco."

Tendo tomado conhecimento da carta, Eliseu mandou dizer ao rei que enviasse Naamã até ele. Eliseu pretendia, assim, mostrar a todos os sírios e ao povo de Israel o poder de Deus ao fazer coisas que parecem impossíveis.

Sem demora, Naamã pegou seus cavalos e suas carruagens e foi encontrar o profeta. Parou, com o coração aos pulos, diante da casa de Eliseu.

A esperança é companheira da alegria de viver. Quem tem esperança sonha feliz e alegra a Deus!

Naamã é Curado da Lepra

II Reis 5

JULHO - DIA 15

Eliseu não saiu para falar com Naamã, mas mandou um mensageiro dizer o seguinte: "Naamã, vá até o rio Jordão e se lave sete vezes. Só assim o seu corpo estará livre da lepra, e você ficará totalmente curado dessa doença."

Naamã ficou muito indignado, porque Eliseu não saiu para falar com ele, apenas mandou um simples mensageiro fazê-lo. Ele considerou isso uma atitude grosseira por parte daquele que se dizia homem de Deus.

"Eu pensei que o profeta falaria comigo e invocaria o nome de Deus para que eu fosse curado da lepra. Mas

ele mandou que eu me lavasse sete vezes no rio Jordão. Todos nós sabemos que outros rios são até melhores que estes rios aqui de Israel. Não entendo por que eu deveria me lavar no rio Jordão", resmungou para a sua comitiva.

E assim, Naamã pegou seus homens e voltou. Estava indignado com a instrução enviada pelo profeta. No caminho, entretanto, seus homens fizeram de tudo para convencê-lo a obedecer às instruções do homem de Deus.

"Você não quer se ver livre dessa doença, meu senhor?", perguntaram eles, "Se o profeta tivesse pedido algo muito mais difícil, você não o faria para se livrar de uma vez desse mal? Que mal pode haver em fazer algo tão simples quanto banhar-se no Jordão? É apenas lavar-se sete vezes para estar limpo!", argumentaram com simplicidade seus homens.

Naamã pensou... Pensou... E sentiu que eles tinham razão. Foi até o rio Jordão, tirou suas roupas, mergulhou e se lavou por sete vezes. Ao sair da água após a sétima vez, seu corpo estava limpo, sem lepra. Sua pele era macia como a de uma criança!

Nunca se deve duvidar das palavras de Deus, mesmo que sejam ditas através dos seus mensageiros na Terra.

A Ganância de Geazi

II Reis 5

JULHO - DIA 16

Quando viu que estava curado, Naamã mal pôde acreditar. Era muita felicidade para aquele comandante de guerra! Sua primeira atitude foi voltar até Eliseu e agradecer-lhe. Ele e sua comitiva voltaram e, diante de Eliseu, reconheceram que Deus é o Deus verdadeiro.

Naamã queria recompensar o profeta de alguma forma. Ele queria que Eliseu aceitasse um presente. Amavelmente, Eliseu nada aceitou, embora Naamã tivesse insistido muito.

Em agradecimento, então, o comandante sírio prometeu que nunca mais adoraria deuses falsos e que Deus seria o único a receber os seus sacrifícios. Vendo a sinceridade de suas palavras, Eliseu disse a ele que fosse em paz de volta à sua terra.

Ele tinha motivos para não aceitar o presente. Sabia que Deus havia feito o milagre de curar aquele homem da lepra. Não tinha sido Eliseu, mas sim o Senhor de Israel, quem havia curado Naamã.

Geazi, servo de Eliseu, viu quando Naamã foi se afastando e pensou consigo: "Eliseu não quis aceitar nenhum presente desse sírio, mas eu penso diferente. Vou correndo alcançá-lo e certamente ele me dará alguma coisa."

A cobiça e o egoísmo são inimigos que só trazem confusão às pessoas e nada mais!

Geazi Fica Leproso

II Reis 5

JULHO - DIA 17

Geazi correu e alcançou Naamã. O comandante curado viu logo alguém correndo atrás deles. Saltou de sua carruagem e perguntou a Geazi se tudo estava bem.

"Tudo está bem, sim! Meu senhor mandou dizer que acabaram de chegar dois jovens discípulos dos profetas. Vieram das regiões montanhosas. Meu senhor perguntou se você poderia dar um talento de prata e duas belas vestes para eu levar a eles."

Com todo prazer, Naamã foi logo dando até dois talentos de prata amarrados em dois sacos e também duas vestes muito bonitas. Assim que chegou de volta, Geazi escondeu tudo em sua casa para que ninguém soubesse.

Mas Eliseu perguntou: "Por onde você esteve, Geazi?"

"Por lugar nenhum, meu senhor!", respondeu o servo.

"Eu sei o que se passa no seu coração. Sei que você foi se encontrar com Naamã e pedir a ele prata, vestes e outras coisas!"

Eliseu repreendeu o comportamento de seu servo, pois não era certo aceitar presentes em troca de algo que ele não tinha feito. Deus é que tinha curado o comandante sírio. Eliseu disse que o Senhor Deus estava muito triste por causa da ganância de Geazi. E logo Geazi estava sofrendo as consequências de seu erro. E se arrependeu bastante de sua desonestidade.

Gastar tempo com atitudes de ganância é perder o tempo dedicado a Deus!

A Cegueira dos Soldados

II Reis 6

JULHO - DIA 18

A paz entre Israel e Síria, porém, não durou muito tempo. Logo o rei da Síria declarou guerra a Israel e armou seu acampamento. Ele reuniu os seus oficiais de batalha para planejar um ataque.

Deus, por meio de seu profeta, mandou avisar ao rei de Israel que seus homens não deveriam passar por aquele lugar. Dessa maneira os exércitos do rei da Síria não conseguiriam completar com êxito o seu plano de capturar o exército israelita. E assim fizeram os israelitas.

Espantado com o fato de que o inimigo não estava sendo vencido, como haviam planejado, o rei da Síria chamou seus servos e questionou: "Eu quero saber quem dentre nós está nos traindo! Não é possível! Como é que eles sempre sabem a respeito dos nossos planos?"

Um dos sírios respondeu: "Ninguém aqui é traidor, meu rei. Eliseu, o profeta que está em Israel, é quem conta tudo antecipadamente ao rei de Israel."

Furioso, o rei da Síria pensou em prender Eliseu e, sabendo exatamente onde ele estava, mandou cavalos, carruagens e fortes tropas cercarem aquela cidade à noite. Na manhã seguinte, quando o servo de Eliseu se levantou, viu que a cidade estava cercada. Correu para avisar o profeta de Deus: "Estamos cercados pelos inimigos. Ai! Meu senhor! O que faremos?"

"Não tenha medo! Garanto a você que, com a ajuda de Deus, somos mais numerosos do que eles com

todas as suas tropas!", disse, confiante, Eliseu.

Em seguida orou pedindo a Deus que aqueles inimigos ficassem sem enxergar e, portanto, desnorteados. E ficaram! Eliseu, então, conseguiu conduzi-los até Samaria e, ao chegarem lá, pediu ao Senhor que lhes abrisse os olhos. Quando caíram em si, viram que estavam no meio da Samaria.

Vendo os seus inimigos ali, o rei de Israel perguntou a Eliseu: "O que faremos com eles?"

"Você deve alimentá-los e depois mandá-los de volta para a Síria", aconselhou Eliseu, sabendo que esse era o desejo de Deus.

É preciso ser bom e justo também com os inimigos! Essa é a vontade de Deus!

Grande Fome em Samaria

II Reis 6-7

JULHO - DIA 19

Por um período, não houve mais investidas por parte da Síria para atacar terras de Israel. No entanto, Ben-Hadade, rei da Síria, queria a todo custo conquistar a cidade da Samaria. Reuniu todo o seu poderoso exército e foi para lá, cercar aquela cidade.

Os sírios eram espertos, sabiam muito bem que, se cercassem a cidade e não permitissem que ninguém

entrasse, o povo logo estaria sem alimentos. Com o povo faminto, o domínio seria mais fácil, é claro!

Por causa disso, houve grande fome na Samaria. Não havia comida, e qualquer alimento era comprado em desespero por um preço altíssimo. O rei se entristecia diante do sofrimento do povo.

Quando as esperanças pareciam estar indo embora, o rei enviou uma mensagem a Eliseu: "O Senhor nos trouxe esta desgraça. Penso até em cometer uma loucura, pois não tenho mais nada a perder!"

A mensagem chegou a Eliseu, e logo ele mandou resposta ao rei: "Diga ao seu povo que amanhã, a estas horas mais ou menos, a farinha de trigo e a cevada estarão sendo vendidas a um preço bem baixo, na entrada da cidade de Samaria."

O capitão do rei de Israel, muito incrédulo, sabia que a situação deles era ruim, pois estavam totalmente cercados pelos sírios. E, diante da resposta de Eliseu, zombou: "Nem que Deus fizesse janelas no céu para fazer chover alimento sobre este lugar, isso não aconteceria!"

Jamais se deve duvidar do poder de Deus!

Os Quatro Leprosos

II Reis 7

JULHO - DIA 20

Quatro homens com lepra estavam na entrada da Samaria. Naqueles tempos, os leprosos eram obrigados a viver fora das cidades. É que as pessoas tinham muito medo dessa doença e queriam sempre muita distância dos leprosos.

Aqueles quatro homens também estavam com muita, muita fome, como os outros lá da cidade. "Que vamos fazer? Não podemos entrar e, mesmo que pudéssemos, lá não há comida. Se ficarmos aqui sentados, cedo ou tarde, morreremos também", comentavam os pobres coitados.

Como não tinham nada a perder, decidiram ir até o campo dos sírios e suplicar por comida. Se os deixassem viver era lucro, caso contrário, pelo menos acabaria o sofrimento de morrer aos poucos por causa da fome.

Ao anoitecer, os quatro leprosos foram em direção ao campo dos sírios. Através de seu poder, Deus fez com que os sírios ouvissem o barulho de carruagens, cavalos e grande exército chegando. E, assim, saíram fugidos, deixando tudo para trás. Quando os leprosos viram que era seguro e que não havia ninguém, entraram em uma das tendas, comeram e beberam até quase não poder mais.

Deus sempre conhece as reais necessidades dos homens. Ele bem sabe a hora certa de satisfazê-las!

Comida Para Todos

II Reis 7

JULHO - DIA 21

Aqueles leprosos sabiam que não estavam agindo corretamente. É claro que a consciência deles pesou! "Nós estamos sabendo que há muita comida aqui. Essa comida pode satisfazer a fome de todos na Samaria. Não devemos guardar segredo e querer tudo só para nós! Eles estão famintos como nós estávamos! Não podemos esperar até amanhã para lhes contar."

Foram para os portões de entrada da Samaria e anunciaram em alta voz que eles tinham ido ao campo dos sírios e que não havia ninguém lá. Anunciaram também que os exércitos haviam fugido e deixado tudo intacto ali.

O rei não conseguia acreditar naquelas notícias: "Penso que isso seja um truque dos sírios. Eles devem estar escondidos e nos atacarão assim que sairmos da cidade em que estamos."

Por isso, muito cuidadoso, o rei de Israel mandou alguns soldados e cinco cavalos, que ainda restavam, saírem para verificar se aquilo era verdade. Assim que os homens do rei voltaram e confirmaram as boas notícias, o povo saiu em disparada. A correria foi tanta que o capitão do rei acabou sendo atropelado e muito ferido por alguns famintos; nem pôde desfrutar alimento algum.

Talvez tenha sido uma lição pela sua falta de fé!

A Profecia

II Reis 8

JULHO - DIA 22

Certo tempo depois, Eliseu foi a Damasco. O rei da Síria, Ben-Hadade, estava muito doente, e avisaram que Eliseu, por acaso, estava na cidade. O rei imediatamente pensou em enviar o seu fiel servo Hazael para falar com o profeta.

Ben-Hadade disse ao servo: "Pegue estes presentes; encontre-se com Eliseu, dê a ele isto que lhe mando e pergunte se Deus vai me curar desta enfermidade."

Hazael foi encontrar-se com Eliseu levando um grande presente: quarenta camelos carregados com o que havia de melhor na cidade. Ao encontrá-lo, expôs: "O rei da Síria quer saber se Deus vai curá-lo daquela doença!"

E o Senhor disse, através de Eliseu: "O rei vai ser curado da doença, mesmo assim não viverá por muito tempo."

Jeú é Ungido Rei de Israel

II Reis 9

JULHO - DIA 23

Eliseu chamou um dos seus discípulos e disse: "Leve este pote de azeite até Ramote-Gileade. Quando você chegar lá, encontre Jeú, filho de Josafá. Pegue este azeite e derrame-o sobre a cabeça de Jeú. Diga a ele que o Senhor está ungindo-o como rei em Israel. E, assim que você tiver feito isso, volte para cá e não pare no caminho."

O discípulo fez exatamente como Eliseu dissera. Chegando à cidade, eis que os capitães do exército estavam assentados, e Jeú era um deles.

"Tenho uma mensagem só para você, capitão Jeú!", disse o homem.

Os dois se afastaram dos demais e o jovem derramou o azeite sobre a cabeça de Jeú, dizendo: "Assim diz o Senhor Deus: 'Estou ungindo você como rei sobre o povo de Israel'. Você não vai mais permitir que os descendentes de Acabe ocupem o trono, porque Jezabel foi muito perversa com os profetas de Deus. Todos da casa de Acabe serão vencidos."

Mal acabou de dizer tais palavras, o jovem saiu rapidamente dali. Sem entender muito bem o motivo de tanta pressa, Jeú voltou a conversar com seus amigos capitães.

"Tudo bem com você, Jeú? O que queria com você aquele jovem louco?", perguntaram eles.

"Não se façam de desentendidos! Vocês bem sabem quem ele é. Ele veio aqui para, em nome do Senhor Deus, ungir-me como rei de Israel", disse Jeú em tom sério.

Então, eles prontamente tomaram cada um o seu manto e os estenderam debaixo dos degraus onde Jeú pisaria. Tocaram trombeta e proclamaram em voz alta: "Jeú é Rei!" E todos se alegraram com o novo rei.

O povo sempre pensa ter escolhido acertadamente o seu governante. Só o tempo e Deus dirão se o povo acertou ou não.

Cavaleiro Selvagem

II Reis 9

JULHO - DIA 24

Jeú conspirou contra Jorão que estava reinando sobre Israel naquele período. O rei Jorão tinha sido ferido pelos sírios em batalha e, por isso, foi para uma cidade curar as suas feridas.

Os guardas do palácio viram, da torre, que a tropa de Jeú estava se aproximando. Informaram logo ao rei Jorão. Preocupado, o rei mandou um mensageiro saber se a tropa vinha em paz.

Muito esperto, Jeú convenceu o mensageiro a se juntar às suas tropas, e esse não regressou mais ao palácio. O rei Jorão mandou outro mensageiro e, uma vez mais, Jeú conseguiu convencê-lo a ficar do seu lado.

Quando Jorão percebeu que novamente o mensageiro não voltaria, resolveu usar sua carruagem e ir ao encontro de Jeú.

"Você vem em paz, Jeú?", perguntou o rei Jorão.

"Que paz pode existir enquanto a sua mãe Jezabel permite tantas coisas ruins para seu povo?", respondeu Jeú.

Então, Jorão voltou às rédeas e fugiu, dizendo a Acazias (rei de Judá) que estava com ele: "Traição!"

Mas, na verdade, os dois não conseguiram fugir. Jeú, com seu arco e sua flecha, conseguiu deter e vencer Jorão, rei de Israel, e o seu amigo Acazias, rei de Judá. Acazias e Jorão foram mortos.

Os homens maus sempre acabam nas mãos da justiça de Deus!

A Morte de Jezabel

II Reis 9

JULHO - DIA 25

A corajosa e má Jezabel logo ficou sabendo quando Jeú entrou pelos portões da sua cidade. Ela se vestiu como uma verdadeira dama, arrumou bem o cabelo, fez uma bela maquiagem no rosto e ficou à janela, esperando a chegada de Jeú.

Assim que ele entrou naquela cidade, Jezabel, com ar de zombaria, perguntou: "Você pensa que terá paz só porque venceu o seu rei?"

Jeú levantou seu rosto para a janela e perguntou: "Quem é essa mulher?"

E logo três homens, que estavam perto de Jezabel, cumprimentaram-no e responderam à sua pergunta. Com toda a certeza, também aqueles homens não se sentiam felizes sob o reinado de Jezabel. Conheciam suas maldades e sofriam com elas, assim como todo o povo daquele lugar.

Jezabel jamais fizera algo em benefício dos outros. Pensava unicamente em si. Esse foi seu grande erro! Foi por tudo isso que, com a ajuda dos três homens, Jeú tirou Jezabel da história daquela cidade. A partir de então, o povo se viu livre da maldade daquela mulher.

Uma nação só é feliz quando está livre de líderes de mau-caráter! Deus também se entristece com eles!

Um Rei Secreto

II Reis 11

JULHO - DIA 26

Atalia, mãe de Acazias e rainha de Judá, também era uma mulher extremamente vingativa, má e violenta em seus atos, como Jezabel.

Quando Atalia ficou sabendo que Jeú havia derrotado seu filho Acazias, ela aproveitou e ordenou que todos os seus descendentes reais fossem eliminados.

Desse modo, ela estaria com seu lugar garantido no trono, isto é, seria a única da família a ter direito ao trono, mais ninguém!

Porém, uma irmã de Acazias pegou Joás, um dos filhos de Acazias, e o deu para sua ama. Sua boa intenção era proteger o menino das garras de Atalia. O menino ficou escondido na Casa do Senhor por seis anos, sob a responsabilidade de um sacerdote, enquanto reinava a má Atalia.

Joás tinha somente sete anos quando o sacerdote mandou chamar os capitães da guarda e outros para que fossem até a Casa do Senhor. O sacerdote fez um pacto com eles para que não contassem a ninguém o que lhes mostraria. Então, o pequeno príncipe Joás, filho do rei Acazias, foi apresentado naquele momento.

O bom sacerdote também organizou uma proteção ao jovem príncipe. Os capitães da guarda concordaram em guardá-lo e protegê-lo. Estavam sempre a postos para o fiel cumprimento de tal tarefa.

Um dia, o sacerdote fez com que todos os capitães protegessem Joás com lanças e escudos até que chegassem ao altar. Ele, então, coroou o pequeno menino. A partir daquele dia, Joás era o rei.

Joás e o Sacerdote

II Crônicas 23-24

JULHO - DIA 27

Assim que Joás foi coroado, o povo correu pelas ruas dando vivas ao novo rei. A malvada rainha Atalia, enfurecida, ouviu os brados do povo que corria e louvava o rei. Decidiu ver de perto tudo o que estava acontecendo. Preparou-se e foi à Casa do Senhor, de onde vinha toda a euforia.

Lá ela viu o pequeno rei junto à coluna, na entrada do templo. Viu também os capitães e os que tocavam trombetas ao redor dele. O povo todo estava alegre. Havia um belo coral que cantava louvores. Muito indignada, Atalia rasgou os seus vestidos e berrou: "Traição! Traição!"

O sacerdote mandou que os capitães que comandavam as tropas ficassem fora do templo para capturar a rainha. Ele não queria violência dentro da Casa do Senhor. Ele fez um pacto com o novo rei e com todo o seu povo para que se tornassem o Povo do Senhor. Todos juntos se dirigiram à casa de Baal, o falso deus, e desmancharam os seus altares, suas imagens, tudo!

A Casa do Senhor foi entregue ao povo novamente. Muitos dentre eles tinham a responsabilidade sobre todas as coisas, dentro da Casa do Senhor. O sacerdote fez com que tudo funcionasse de acordo com as leis de Deus.

O pequeno rei Joás ainda não podia decidir tudo sozinho. Ele era uma criança de sete anos quando se tornou rei. Por isso, o sacerdote foi seu tutor e conselheiro.

Quando as pessoas permitem a presença de Deus, sendo honestas e boas, a tranquilidade passa a morar em seus corações!

Restauração da Casa do Senhor

II Crônicas 24

JULHO - DIA 28

Joás era um rei bom. Só fazia coisas boas perante Deus. Logo se tornou um homem adulto. Certo dia, Joás resolveu restaurar a Casa do Senhor; ela já estava precisando de uma reforma. Mandou reunir os sacerdotes e os responsáveis pelo templo. Eles deveriam arrecadar dinheiro junto ao povo de Israel para ser usado na restauração do templo de Deus.

Isso tudo poderia levar anos, mas Joás tinha pressa e pediu que eles se envolvessem ativamente nessa tarefa. A Casa do Senhor havia sido deixada de lado, pois reis e rainhas anteriores tinham-na abandonado por completo. Eles haviam adorado outros ídolos, usado outros templos... Por isso a Casa de Deus precisava ser consertada. Mas era preciso muito dinheiro.

Então, o rei ordenou que se fizesse um cofre e o pusessem do lado de fora, na porta da Casa do Senhor, a fim de coletar o dízimo como Moisés havia dito. Todos os príncipes e o povo de Israel estavam alegres por poder contribuir para aquela obra. Traziam o dízimo e o colocavam no cofre. Como arrecadavam bastante, uma comissão real especial cuidava do dinheiro que era usado na restauração. Tudo era enviado ao rei e ao sacerdote, que pagavam direitinho aos que executavam a obra.

Muitos trabalhavam naquela restauração. Contrataram pedreiros, carpinteiros, ferreiros e outros. Reconstruíram o templo, mantendo as características originais para que a Casa do Senhor ficasse bem semelhante ao que fora antigamente.

Quando a restauração terminou, todos ficaram satisfeitos. O restante do dinheiro arrecadado foi usado para comprar utensílios para a Casa do Senhor. Adquiriram taças e outros objetos de ouro e de prata. O povo agora tinha um templo onde poderia oferecer sacrifícios a Deus.

Deus também se alegra com sua casa bem cuidada! Ele percebe que as pessoas dedicam, assim, muito carinho a Ele!

Joás Reina

II Crônicas 24

JULHO - DIA 29

O rei Joás e o sacerdote se completavam. Um apoiava o outro naquilo que era necessário para uma administração adequada. O sacerdote, porém, já estava bastante idoso. Por isso foi em paz para junto do Senhor. Ele tinha feito muitas coisas boas ao povo e a Deus. Agora Joás teria de reinar completamente sozinho, sem os sábios conselhos de seu amigo sacerdote.

Um dia, vieram os príncipes de Judá e se prostraram diante do rei, que os ouviu. Eles tinham decidido voltar a adorar outros ídolos. Pressionaram Joás e o povo para que fizessem o mesmo, para que abandonassem a Casa

do Senhor Deus de seus pais. Joás não se mostrou muito forte. Logo esqueceu os tempos em que o sacerdote vivia, e se deixou influenciar pelos príncipes de Judá.

Naquele dia, porém, o espírito de Deus iluminou Zacarias, filho do sacerdote. Por isso, entre a agitação formada no local, Zacarias, de pé diante do povo, disse: "Vocês estão desobedecendo às leis do Senhor! Se colocarem Deus de lado e servirem aos ídolos, Ele ficará muito triste com vocês!"

O povo, mandado pelo rei Joás, apedrejou Zacarias, no pátio da Casa do Senhor, por ter ido contra eles. Muito ferido, Zacarias disse ao rei Joás o seguinte: "Deus está vendo tudo! Você não está agindo bem e terá de assumir seu erro!"

No final daquele mesmo ano, o exército da Síria marchou contra Judá e Jerusalém. O exército inimigo, mesmo estando em menor número, venceu os israelitas com facilidade, porque Deus não mais estava com Joás.

Naquela batalha, Joás ficou muito ferido. Até os seus servos conspiraram contra ele, numa atitude desleal e violenta. Joás não era mais o rei.

Quem abandona Deus perde a paz!

Amazias Contrata Soldados

II Crônicas 25

JULHO - DIA 30

Amazias, com vinte e cinco anos, começou a reinar em Jerusalém no lugar de seu pai, Joás. Ele era um rei correto perante o Senhor. Obedecia às leis de Deus.

O rei Amazias constituiu um exército poderoso com homens que tinham mais de vinte anos. Reuniu cerca de trezentos soldados e os treinou para que, quando saíssem para a guerra, soubessem usar bem as lanças e os escudos. Ele estava disposto a lutar contra os inimigos e, como sabia que seu exército não era suficiente, procurou conseguir a ajuda de mais cem mil homens valentes de uma outra tribo.

Deus julgou aquilo desnecessário e mandou que o profeta de Deus dissesse ao rei que os mandasse de volta para casa.

"Mas eu já dei muito dinheiro para conseguir essa tropa!", disse o rei.

"Deus pode dar a você muito mais do que isso!", respondeu o mensageiro de Deus.

Decidido, Amazias mandou que os cem mil soldados voltassem para sua terra. Eles ficaram muito furiosos. Voltaram para casa com raiva no coração.

O rei Amazias estava animado e decidiu conduzir o ataque com o seu povo. Liderou e atacou os inimigos em um vale. E Deus os ajudou de tal maneira que foram vitoriosos na batalha.

Nenhum exército é mais poderoso que a Vontade de Deus!

A Grande Derrota

II Crônicas 25

JULHO - DIA 31

Vencida aquela batalha, Amazias trouxe com ele vários deuses e os adorou. Em vez de ser grato a Deus por ter vencido os inimigos, foi logo se apegando aos falsos ídolos.

Deus se entristeceu com o rei Amazias por causa dessa atitude. O Senhor mandou um profeta falar com o rei: "Por que você está adorando esses deuses que não existem e não podem ajudar nem seu próprio povo?"

Mas Amazias não deu ouvidos ao que o profeta dizia, interrompeu-o e disse: "Por acaso você é um dos meus conselheiros? Pare com isso, caso contrário..."

O profeta cedeu, mas deu um último aviso: "Por causa da sua atitude desobediente e porque você não escutou o meu conselho, você sofrerá as consequências de seus erros!"

Mais tarde, Amazias, rei de Judá, reuniu seu conselho e enviou um mensageiro até o rei de Israel, desafiando-o para que eles medissem forças entre si. Por isso, o rei de Israel lutou contra Amazias e o derrotou. Amazias foi levado preso a Jerusalém. Lá chegando, o exército vencedor da batalha destruiu os muros da cidade e levou objetos de ouro e prata que havia na Casa de Deus. Levou também os tesouros do palácio do rei Amazias e alguns reféns.

O povo não gostou de o rei Amazias ter sido derrotado. Conspiraram contra ele em Jerusalém, e ele tentou fugir dali. Não deu certo... Amazias nunca mais reinou, e foi morto.

A humildade e a obediência andam juntas com o amor a Deus!

O Aviso dos Sacerdotes

II Crônicas 26

AGOSTO - DIA 1º

Todo o povo de Judá julgou por bem colocar Uzias no lugar de seu pai Amazias. Assim, aos dezesseis anos, Uzias começou a reinar sobre Judá.

Ele edificou e reconstruiu muita coisa que havia sido destruída em Jerusalém. Fez torres e muros altos em volta da cidade para deixá-la bem segura. Era um homem que queria servir e fazer tudo de modo certo perante Deus. Também queria que o povo servisse ao Senhor.

Uzias procurava saber de Deus e da sua vontade através dos profetas. Ele ouvia bons conselhos e fazia conforme o Senhor queria. Deus o abençoava. Ele era vencedor nas batalhas contra os filisteus, árabes e outros. Uzias já tinha se tornado conhecido, e todos temiam o seu forte exército. Era um homem confiante, porque Deus estava com ele.

Ele possuía riquezas e poder. Suas tropas eram bem armadas e sua cidade estava bem protegida pelas torres e muralhas. E assim o rei Uzias se tornou forte. Mas seu coração já não era mais o mesmo. Ele começou a acreditar que poderia fazer tudo o que quisesse.

Certo dia, entrou no templo do Senhor para queimar incenso no altar onde somente os sacerdotes poderiam entrar. Os sacerdotes que para ali foram disseram ao rei: "Você não pode entrar aqui e queimar incenso perante o Senhor. Você está desobedecendo às leis!"

Uzias se indignou e não deu ouvidos ao conselho

dos sacerdotes para que saísse dali. Permaneceu com o incenso nas mãos, indiferente aos apelos dos presentes. De repente, apavorado, percebeu sinais de lepra em seu corpo.

Os sacerdotes viram que o rei estava com a temerosa doença e o colocaram para fora do templo. Naquele tempo, a lepra não tinha cura, por isso era uma doença muito temida e da qual todos desejavam distância.

Uzias, por causa da doença, teve de morar fora do palácio, numa casa isolada. E teve muito tempo para refletir a respeito da vaidade e da humildade.

Nada nem ninguém é maior ou melhor que Deus!

Eliseu Morre

II Reis 13

AGOSTO - DIA 2

Muitos anos se passaram. O povo de Judá e o povo de Israel foram governados por muitos reis diferentes.

Depois que Salomão morreu, as tribos permaneceram divididas. Deus havia prometido ao rei Jeú que os descendentes dele até a quarta geração seriam reis de Israel. O neto de Jeú, Joás, começou o seu reinado sobre Israel na mesma época em que o profeta Eliseu ficou doente. Joás não era um bom rei. Caminhou pelos mesmos erros de seus antepassados.

Um dia, Eliseu, por causa de sua doença, recebeu a visita do rei Joás. O profeta aproveitou a oportunidade e disse ao rei: "Pegue um arco e flechas e prepare-se para usá-los!"

E o rei assim o fez.

Eliseu colocou suas mãos sobre as mãos do rei e disse: "Abra a janela para o oriente e atire."

Joás mirou, e os dois atiraram juntos. O profeta declarou ao rei que aquela flecha representava a flecha da vitória contra os sírios.

"Pegue as flechas e atire contra a terra!", acrescentou Eliseu.

O rei deu três flechadas em direção ao chão e, cansado e sem ânimo, não mais atirou.

"Você deveria ter atirado cinco ou seis vezes", declarou Eliseu, "por causa disso você não vencerá a Síria completamente. Você somente vencerá três vezes os sírios."

Eliseu morreu e o sepultaram.

O desânimo e a preguiça atrapalham nossas conquistas!

Frutas de Verão

II Reis 14-15, Amós

AGOSTO - DIA 3

O profeta Eliseu adormeceu para sempre. Com a sua ausência, o rei Jeroboão II fazia o que bem entendia. Não havia um profeta de Deus para aconselhar e guiar o rei. Jeroboão II era mau e fazia coisas muito erradas que desagradavam a Deus.

Naquela época, havia um pastor de ovelhas chamado Amós. Certa vez, Amós foi à terra de Judá e ali começou a profetizar, isto é, falar por inspiração divina.

Certo dia, viu que mercadores ricos vendiam cereais e usavam truques para que a balança pesasse mais do que devia. Amós, então, criticou-os duramente. Disse-lhes que receberiam punição por aquela atitude tão injusta e feia. Além disso, disse que Deus tinha falado com ele em uma visão: "Deus me mostrou uma cesta de frutas de verão. O Senhor disse que chegou a estação final para o povo de Israel."

Mas o povo não gostou das palavras e profecias de Amós; mandaram-no de volta para sua casa em Judá.

Deus é bom demais! Mas há pessoas que nem se importam com Deus e escolhem o caminho errado na vida. São pessoas infelizes!

A Infidelidade do Povo

Oseias

AGOSTO - DIA 4

Deus tinha seus planos traçados, e eles aconteceriam através de Oseias. Assim sendo, o Senhor Deus pediu que Oseias se casasse. Sem hesitar, Oseias fez como Deus ordenara. Casou-se com Gômer, uma mulher comum, e eles tiveram três filhos.

Um dia, sem explicações, Gômer foi embora de casa. Abandonou Oseias e os filhos. Parecia tudo muito estranho! Mas é que Deus queria mostrar algo a ele: "O meu relacionamento com o povo de Israel é mais ou menos o mesmo que o seu com a sua esposa", disse o Senhor, "Você deu a ela um lar e filhos, e agora ela o abandona. Veja, também dou ao povo o que há de melhor, e ele, muitas vezes, se afasta de mim."

E, assim como Oseias ainda amava Gômer, Deus também ainda amava o povo. Por isso, Deus pediu a ele que trouxesse sua esposa de volta para o lar. "O povo de Israel tem sido infiel a mim de várias maneiras, mas sempre os resgato", disse Deus. Então, Oseias encontrou sua amada esposa e a trouxe para casa.

Oseias disse ao povo de Israel que todos precisavam voltar para o Deus verdadeiro, assim como Gômer precisou voltar para o seu esposo. Disse que Deus perdoaria a todos por terem se afastado de Seus Mandamentos!

O Profeta Jonas

Jonas 1

AGOSTO - DIA 5

Deus escolheu um homem entre o povo que não estava tão disposto a servi-lo como os profetas anteriores. Este homem se chamava Jonas.

Certo dia, Deus o chamou: "Jonas, quero que você vá à grande cidade de Nínive. Lá avise às pessoas que, se elas continuarem com suas más atitudes, Eu serei obrigado a puni-las!"

Jonas não quis ir a Nínive. Resolveu fugir da presença do Senhor. Em vez de ir a Nínive, iria a outra cidade, longe dali. Não estava disposto a obedecer ao Senhor.

Jonas soube de um barco que partiria dentro de pouco tempo. Com ares de esperto, pagou a passagem e embarcou. Tudo para fugir de Deus. Mas Deus via cada passo de Jonas. Sabia que ele estava escapando de sua presença. Deus se entristeceu!

Durante a viagem, em alto-mar, uma enorme tempestade se formou nos céus e logo tomou conta do mar. Ventos fortes, relâmpagos, ondas violentas surgiram. O barco, jogado de um lado para outro, corria perigo de ser destruído.

Com medo, os marinheiros pediam ajuda aos seus deuses e lançavam ao mar as cargas do navio para aliviar o peso e, assim, evitar o naufrágio da embarcação. Jonas estava no porão e dormia profundamente.

O capitão do navio viu-o dormindo e o acordou dizendo: "O que você tem? Será que não percebeu que estamos quase naufragando? E você fica aí dormindo? Como pode fazer isso? Vamos, invoque a Deus, talvez ele nos ouça e não nos deixe morrer todos aqui!"

"Por que esta desgraça está acontecendo conosco?", perguntavam-se os tripulantes do barco.

Atrás de todas as situações difíceis está uma grande lição bem escondidinha!

Homem ao Mar

Jonas 1

AGOSTO - DIA 6

A tripulação do barco lançou sortes para ver de quem era a culpa. Escreveram seus nomes em um papel e tiraram um. O nome que foi tirado era o de Jonas. Todos no barco ficaram aborrecidos e queriam saber tudo sobre Jonas.

"Por que esta desgraça veio sobre nós? Qual é a sua profissão? De onde você veio? De que povo você é?", indagaram em busca de uma explicação lógica.

Jonas foi obrigado a contar a verdade: "Sou hebreu e temo ao Senhor, o Deus do céu, que fez o mar e a

Terra. Deus me mandou a Nínive, mas eu desobedeci, embarquei neste navio para fugir do Senhor!"

Toda a tripulação ficou muito perturbada e preocupada. Todos sabiam que Jonas estava fugindo de Deus.

"O que faremos com você, Jonas? Foi você quem nos colocou nesta situação!", cobraram eles.

E o profeta Jonas sabia que, enquanto estivesse a bordo, a tempestade não iria melhorar.

"Joguem-me ao mar e a tempestade cessará. Deus mandou esta tempestade por minha causa", disse Jonas, assumindo as consequências daquela desesperadora situação.

Mas os marinheiros não queriam fazer isso, sabiam que Jonas fatalmente morreria. A cada minuto que passava, a tempestade ficava pior. Eles remavam e remavam para chegar à terra firme, mas todos os seus esforços eram inúteis.

Desesperados, os tripulantes do navio clamaram a Deus: "Por favor, Senhor, não nos deixe morrer por causa dos atos deste homem."

Inspirados por Deus e decididos, levantaram Jonas e o lançaram ao mar. E imediatamente a fúria das águas cessou. Cheios de temor, todos os tripulantes do navio ofereceram sacrifícios ao Senhor e fizeram votos de obedecer a Deus todos os dias de suas vidas.

Um Enorme Peixe

Jonas 1-4

AGOSTO - DIA 7

Todas as pessoas daquele navio foram salvas. Deus tinha planos para a vida de Jonas também.

Assim que o lançaram ao mar, Deus mandou que um grande peixe o engolisse. O peixe não o comeu: Jonas foi engolido vivo e inteiro numa só bocada. Ficou na barriga do peixe por três dias e três noites.

Nesse período, Jonas teve tempo suficiente para refletir sobre o que tinha feito de errado. Ali, na barriga do peixe, sem ver saída e reconhecendo que Deus tinha poder para tudo, orou, humilde e arrependido, ao Senhor e se dispondo a fazer a vontade Dele. O Senhor ouviu a sua oração.

Deus fez com que o peixe fosse até a encosta, bem perto de um lugar seguro. O peixe, com a enorme boca bem aberta, deixou que Jonas se libertasse na praia. Agora que estava são e salvo, Deus lhe pediu que retomasse a sua missão: ir a Nínive.

Dessa vez, Jonas obedeceu e foi para Nínive como prometera a Deus. Jonas pregou aos cidadãos daquela cidade. Disse a todos que deveriam assumir atitudes boas diante de Deus. Deveriam também se propor a nunca mais se envolver em maldades.

Arrependido, o povo creu, de coração, em Deus. Fizeram jejum e se vestiram com pobres panos, num ato de obediência e humildade perante Deus. O rei de Nínive também creu em Deus e, junto com o povo, jejuou e passou a seguir ao Senhor.

Deus viu o que os habitantes estavam fazendo, percebeu a forma como haviam se arrependido e sentiu que seus corações eram sinceros e estavam repletos de amor. Deus se alegrou!

A única coisa que Deus nos pede é amor!

Os Assírios Assumem o Poder

II Reis 17

AGOSTO - DIA 8

Apesar de Deus ter se alegrado com os assírios – que eram os habitantes de Nínive – e dado a eles a oportunidade de seguir os seus Mandamentos, logo voltaram a fazer coisas ruins. Com o povo de Israel não era diferente; eles também estavam longe dos caminhos retos de Deus, apesar de terem sido avisados pelos profetas.

Certa ocasião, os assírios resolveram atacar Israel, que tinha, então, Oseias como rei. Nessa batalha, Israel foi derrotada. Os israelitas tiveram de pagar impostos ao rei da Assíria para que tudo não ficasse ainda pior.

Oseias não gostava desse tipo de chantagem e resolveu contrariar o rei da Assíria. Naquele ano, ele não pagou os impostos ao rei assírio.

O rei assírio, muito zangado, não gostou daquela atitude. Em represália, tomou posse de Samaria, região dos israelitas. Como os israelitas não tinham força para lutar contra o exército assírio, foram forçados a sair dali.

Tudo isso aconteceu como consequência por não terem dado ouvido aos avisos dos profetas do Senhor!

Estrangeiros em Samaria

II Reis 16-17

AGOSTO - DIA 9

Quando os israelitas saíram de Samaria, não saíram com liberdade. Os assírios, um povo muito poderoso e cruel, levaram os israelitas cativos para morar na Assíria.

Samaria se tornou uma cidade de estrangeiros. O rei da Assíria trouxe povos de vários lugares para morar lá. Os estrangeiros logo foram tomando posse de tudo o que havia em Samaria. O pior é que trouxeram com eles os seus ídolos. Cada grupo de estrangeiros tinha o seu próprio deus. Nenhum deles seguia os ensinamentos do Senhor Deus.

Acaz era rei de Judá e sabia o que havia acontecido com os israelitas nas mãos dos assírios. Ele era extremamente idólatra, isto é, adorava ídolos. Era tão fanático que chegou até a sacrificar seu próprio filho como oferenda aos deuses. Ele andava longe, muito longe de Deus.

Acaz se viu ameaçado pelos estrangeiros que estavam em Samaria. Acaz, rei de Judá, perdeu a paz quando percebeu que poderia ser atacado pelos exércitos da Síria e de Israel.

Quem se afasta de Deus, cedo ou tarde, perde a paz e conhece a infelicidade!

Acaz Paga o Preço

II Reis 16, Isaias 7

AGOSTO - DIA 10

Apesar de tudo, o amor de Deus sempre está por perto! Por isso disse o Senhor ao profeta Isaías: "Vá, pegue o seu filho e encontre-se com Acaz. Tenho uma mensagem ao rei."

Isaías obedeceu. Assim que encontrou o rei Acaz, disse: "Você não precisa ficar com medo desses inimigos. Não quero que seu coração desanime por causa deles. Eles estão tramando atacar Judá, querem amedrontar você. Mas Deus não permitirá que isso aconteça. Eles não serão bem-sucedidos!", Isaías prosseguiu, dizendo: "Se você acreditar no que o Senhor tem dito, nada de mal acontecerá a você; mas se você não crer, perderá o trono."

Acaz não acreditou que Deus o ajudaria. Pensou que, agindo por conta própria, conseguiria vencer o exército da Síria e de Israel. Chegou a mandar um mensageiro pedindo auxílio ao rei da Assíria.

Mas tudo tinha o seu preço. O rei da Assíria concordou em ajudar Acaz. Quis, porém, que este pagasse pela ajuda recebida. Acaz teve de levar ouro e prata do templo e também de seu palácio para pagar os assírios.

Finalmente, o rei da Assíria lutou e foi vitorioso contra os inimigos de Acaz. Pensar que alguém pode mais que Deus é um grande engano! Confiar mesmo, só em Deus!

O Quarto de Eliseu

II Reis 18-19

AGOSTO - DIA 11

Algum tempo depois, Acaz repousou eternamente junto aos seus antepassados. Ele deixou para o seu filho Ezequias o lugar de rei. Ele começou a reinar em Judá.

Os assírios logo souberam que Ezequias era um rei bondoso, justo e adorava um único deus, o Senhor Deus. Por ordens suas, foram quebradas as colunas, os altares e os ídolos que se encontravam ali.

Ezequias guardou os Mandamentos do Senhor e, por causa disso, Deus depositou confiança nele. Ele não se dobrou diante das ameaças do rei da Assíria e não serviu a ele. Mesmo assim, o rei da Assíria enviou tropas ao redor dos muros de Jerusalém, forçando o povo a se render sem lutar.

"Vocês pensam que o seu Deus pode livrá-los?", zombavam os assírios, "Vocês não têm saída, entreguem-se!"

Logo o rei Ezequias recebeu uma carta das mãos dos mensageiros inimigos. Leu-a e foi sem demora à Casa do Senhor para encontrar uma solução.

O rei da Assíria dizia na carta que seria melhor se todos se rendessem. Ezequias entrou no templo e orou pedindo orientação a Deus, pois o rei assírio estava afrontando o Deus vivo. Ezequias pedia que Deus lhe orientasse através das palavras do profeta Isaías.

"Deus vai proteger a cidade de Jerusalém. Os assírios não mais zombarão do Senhor!", disse o profeta ao rei Ezequias.

Naquela noite mesmo, um anjo do Senhor passou pelo acampamento dos assírios e providenciou para que se sentissem amedrontados e vencidos. Na manhã seguinte, não tendo mais como enfrentar Jerusalém, o rei da Assíria retirou suas tropas dos portões de Jerusalém e voltou para a sua nação.

As palavras que Isaías tinha dito ao rei Ezequias haviam literalmente se tornado realidade. Deus nunca falha!

A Doença de Ezequias e sua Cura

II Reis 20

AGOSTO - DIA 12

Passaram-se alguns anos, e o rei Ezequias ficou doente. A sua enfermidade, infelizmente, não tinha cura. Sabendo que o rei não viveria por muito tempo, o profeta Isaías foi falar com ele.

"Organize tudo o que for possível, porque você vai morrer!", disse o profeta.

Muito triste por não mais poder estar com o seu povo, Ezequias virou seu rosto e chorou baixinho, por uns instantes, e pensou: "Senhor Deus, lembre-se de como fui fiel, íntegro de coração e fiz tudo o que era correto aos seus olhos!" E voltou a chorar.

Isaías já havia saído do palácio e caminhava na parte central da cidade, quando Deus pediu que ele voltasse até o rei.

"Ezequias, Deus me enviou aqui para dizer que Ele ouviu as suas preces e viu as suas lágrimas. Deus vai curar você, e dentro de três dias você irá à Casa do Senhor em agradecimento", disse o profeta.

"Qual será o sinal do Senhor para que eu saiba que Ele me curará?", perguntou o rei, desejoso de uma confirmação.

E Isaías disse: "A sombra naquele relógio solar costuma retroceder?"

Ezequias respondeu que jamais isso havia acontecido. O profeta orou, e Deus fez retroceder, no relógio, a sombra lançada pelo Sol declinante. Era o aviso esperado. O rei sorriu!

Contar sempre com a bondade de Deus é o melhor remédio!

Rei Josias e a Lei de Deus

II Reis 21-22

AGOSTO - DIA 13

O rei Ezequias viveu mais quinze anos. Depois disso, outros dois descendentes reinaram sucessivamente. Os dois foram reis muito maus. Além de pecar, faziam com que o povo pecasse também. Esses dois reis construíram altares, adoraram deuses e sacrificaram até seus próprios filhos. Consultavam médiuns e feiticeiros. Colocavam imagens de escultura na Casa de Deus e faziam de tudo para provocar a sua tristeza. Tanto um quanto outro faziam só o mal diante do Senhor.

Porém, depois desses reinados desastrosos, coube ao novo descendente, chamado Josias, o trono de Judá. Assim que assumiu o trono aos oito anos de idade, fez o que era bom diante de Deus. O pequeno rei Josias amava e obedecia às leis de Deus, mesmo que o exemplo deixado por seu pai e seu avô tivesse sido péssimo.

Em seu coração, Josias sabia que deveria seguir a Deus para ser um rei bem-sucedido e, mesmo sendo tão jovem, soube agir com maturidade e sabedoria. O rei Josias tinha em mente restaurar a Casa do Senhor, que até então estava abandonada e precisando de consertos.

Josias estava com dezesseis anos quando mandou que o sumo sacerdote Hilquias verificasse quanto dinheiro havia na Casa do Senhor: "Hilquias, quero que você conte o dinheiro coletado e dê aos administradores que estão restaurando a Casa do Senhor. Eles devem pagar os carpinteiros, os pedreiros, devem pagar a madeira, as pedras lavradas e tudo o que estiver danificado!". Não foi preciso explicar qual seria o destino do dinheiro, pois Hilquias agia com fidelidade perante todos e perante Deus.

Certo dia, o sumo sacerdote Hilquias encontrou, na Casa do Senhor, o Livro da Lei (das leis de Deus). Ele fez com que o livro chegasse às mãos do rei Josias. Após lê-lo, o rei pensou, com mágoa nos olhos: "Nós temos feito muitas coisas erradas, e por muitos anos ninguém seguiu estas leis!"

As Leis de Deus nunca devem ser esquecidas. Elas é que mostram o bom caminho a seguir!

Um Período de Paz

II Reis 22-23

AGOSTO - DIA 14

O bondoso rei Josias tinha consciência a respeito das Leis de Deus. E sabia, em seu íntimo, que deveria fazer algo para que o seu povo se voltasse a Deus.

Josias, então, ordenou que seus sacerdotes fossem procurar conselho com a profetisa Hulda e lhes recomendou: "Consultem o Senhor por mim, pelo povo e por todo o Judá sobre as palavras escritas neste Livro da Lei. Sabemos muito bem que nossos pais não obedeceram aos Mandamentos aqui escritos. Talvez, por isso, às vezes Deus se mostre triste com este povo!"

Eles foram imediatamente falar com a profetisa Hulda, que disse: "O Senhor está muito triste com este povo que não obedeceu às palavras do livro. Abandonou o Deus verdadeiro e queimou incenso a outros deuses. No entanto, o rei Josias tem um coração consciente e é humilde perante Deus. Ele não verá a destruição desta nação. Josias terá paz durante a sua vida."

Assim que eles retornaram e contaram a Josias o que a profetisa tinha dito, o rei reuniu todo o povo e leu as palavras do livro. Falou sobre a importância de obedecer e seguir a Deus. Todos os ali presentes fizeram um novo pacto diante de Deus. Pelo pacto todos se comprometiam a seguir o Senhor fielmente; obedeceriam de todo o coração aos seus Mandamentos.

Josias ordenou a Hilquias e aos outros sacerdotes que jogassem fora todos os utensílios feitos para o deus Baal, e também todos os ídolos. Não mais aceitou ali os sacerdotes que serviam aos falsos deuses, os feiticeiros e enganadores e aqueles que adoravam o Sol, a Lua e os planetas. Josias fez uma verdadeira purificação do templo, exterminando tudo o que fosse falsidade para Deus. Depois festejaram a Páscoa como há muitos anos não se tinha mais feito. O povo viveu feliz e em paz durante todo o reinado de Josias. E assim foi até o dia em que Josias morreu.

Quem vive nos caminhos de Deus colhe muita paz!

A Vocação do Jovem Jeremias

Jeremias 1

AGOSTO - DIA 15

Deus sempre mantém o seu amor pelas pessoas. Mesmo que muitas vezes aquele povo tivesse sido infiel, o Senhor não falhava quando prometia algo. Deus sempre estava disposto a perdoar a todos se eles se mostrassem arrependidos dos seus erros e O seguissem de todo o coração, guardando os Mandamentos.

Certo dia, Deus tocou o coração de um jovem chamado Jeremias. O Senhor falou com ele: "Conheço você muito bem. Até mesmo antes de você nascer eu já o conhecia e o consagrei para ser um profeta. Você pregará as minhas palavras às nações."

"Ah! Senhor Deus! Eu não sei falar muito bem. Ainda sou uma criança e me falta a experiência", declarou Jeremias a Deus.

"Jeremias, não me venha dizer que você ainda é uma criança. Você levará a todos a minha Palavra! Não fique com medo diante deles, porque Eu sempre estarei com você."

E Deus estendeu a sua mão e tocou a boca de Jeremias, dizendo: "Vou colocar as minhas palavras na sua boca!"

O Senhor quis mostrar a Jeremias que entre ambos já havia algo muito especial: a comunicação divina. Para testar, perguntou o que Jeremias estava vendo naquele momento.

"Estou vendo um galho de amendoeira", respondeu o jovem.

E Deus acrescentou: "Certo! Eu sou cuidadoso, todas as palavras que digo são captadas e compreendidas por você. O que você está vendo agora, Jeremias?"

"Senhor, estou vendo uma panela no fogo, e a boca se inclina para o norte!", disse o jovem.

E Deus esclareceu: "Do Norte virá um inimigo que cercará todas as cidades de Judá. As pessoas de toda a Terra não serão felizes se elas se esquecerem de mim e adorarem os deuses feitos pelas suas próprias mãos."

Jeremias ouviu tudo com muita atenção e humildade. Em silêncio, pensou carinhosamente nas palavras de Deus.

Deus é mesmo cuidadoso! Ele sempre dá um jeitinho de alertar as pessoas para seguirem seus Mandamentos.

Uma Canga para os Bois

Jeremias 27

AGOSTO - DIA 16

Durante o período em que Judá e Israel eram governados por vários reis, às vezes um pior que o outro, a Babilônia, que era um país vizinho, era governada por um rei chamado Nabucodonosor.

Naquela época, todos os povos de Israel estavam afastados de Deus. Juntamente com seus reis adoravam outros deuses. Indiferente a todos e a tudo, o rei Nabucodonosor continuava poderoso em seu reinado.

O rei Zedequias, que reinava em Judá naquela época, acreditava que poderia se ver livre de Nabucodonosor se conseguisse se aliar a outros reis. Ele e os demais reis já começavam a se preparar para a união de seus exércitos contra Nabucodonosor.

Certo dia, contudo, Deus mandou que Jeremias colocasse em seu pescoço uma canga para bois. Aquilo o ajudaria a explicar o que Deus queria do povo de Israel. Jeremias deveria mandar outras cangas de bois aos reis das outras nações, por meio de mensageiros.

Os mensageiros de Judá e Israel estavam reunidos justamente para combinar o ataque a Nabucodonosor. Aproveitando a oportunidade, o profeta chamou os mensageiros e lhes disse: "Senhores, Deus mandou a vocês o seguinte recado: 'Eu criei a Terra e tudo que há nela. Darei a terra a quem for justo e fizer de seu coração a minha morada. Assim sendo, vou entregar tudo ao rei Nabucodonosor, rei da Babilônia. Todas as nações vão servir a ele. Se alguma nação não servir a Nabucodonosor e não puser a sua cabeça a serviço desse rei, essa nação será punida. Cada um dos reis deve colocar o pescoço em uma dessas cangas como símbolo por estarem servindo ao rei da Babilônia. Se o servirem, viverão.'"

Deus já estava triste demais com o povo de Israel! Tantas vezes o Senhor dera oportunidade para que o seguissem, tantas vezes mostrou seu amor e seu poder, e tantas vezes o povo Lhe deu as costas... Cansado, Deus resolveu que o rei Nabucodonosor seria soberano sobre Israel.

A ingratidão machuca! Ela nunca deveria servir como resposta aos atos bondosos dos que só querem ajudar!

Jeremias é Jogado em um Poço

Jeremias 37-38

AGOSTO - DIA 17

Ninguém dava ouvidos às palavras que Deus dizia através do profeta Jeremias. Muitos estavam cansados de ouvir as profecias do Senhor por intermédio de Jeremias. Todos julgavam tratar-se de um mentiroso. É claro, ninguém tinha fé em Deus!

O rei Zedequias queria que outros profetas conversassem e pedissem ajuda a Deus. Não confiava nas palavras do profeta Jeremias.

Pelas ruas da cidade Jeremias andava livremente, até que certo dia foi preso. Muita gente havia pedido que o rei tomasse alguma atitude para que aquele profeta parasse de incomodar.

Os príncipes é que queriam Jeremias preso. Tinham raiva dele por causa de suas tristes profecias. Por isso mandaram surrá-lo e prendê-lo. O pobre profeta ficou nas celas do calabouço por muitos e muitos dias.

Então, o rei de Judá, Zedequias, por causa de sua curiosidade, mandou trazer Jeremias para saber se Deus havia dito alguma coisa. Ele respondeu: "Deus disse que você será entregue ao rei da Babilônia!", e logo acrescentou: "O que fiz contra você, meu rei, para que eu fosse lançado na prisão? Onde estão os outros profetas que disseram que o rei da Babilônia não vai lutar contra a nossa nação?"

Meio preocupado, Zedequias ordenou, então, que por uns tempos Jeremias ficasse hospedado nos aposentos da guarda do rei. Mas logo o profeta começou a anunciar a todo o povo que quem ficasse na cidade seria derrotado pelo rei da Babilônia.

Os príncipes, indignados, pediram ao rei que tirasse a vida do profeta. Mas o rei deixou que eles mesmos decidissem o que fazer com Jeremias. Novamente prenderam Jeremias e o lançaram dentro de um poço já seco.

Contudo, um etíope chamado Edebe-Meleque, que servia ao rei, soube o que os líderes e príncipes tinham feito com o profeta. O bom homem suplicou ao rei pela vida do bom moço e pediu permissão para que ele tirasse Jeremias do profundo e escuro poço. O rei atendeu ao pedido do servo e com ele enviou mais trinta homens para que Jeremias fosse tirado são e salvo do poço. E logo Jeremias estava novamente diante do rei.

Quem realmente crê em Deus nunca desiste diante de qualquer problema!

A Queda de Jerusalém

II Reis 25

AGOSTO - DIA 18

Zedequias não quis ouvir a Deus. Rebelou-se contra o rei da Babilônia. E sucedeu que Nabucodonosor, rei da Babilônia, veio contra Jerusalém. Ele e todo o seu exército acamparam perto das principais entradas de Jerusalém para que não fosse possível a entrada de alimentos de fora para a população.

Passados alguns dias, todos os moradores da cidade já estavam passando fome. Nada entrava nem saía de Jerusalém. Nem sequer pão havia para o povo. Não demorou muito, e a cidade foi invadida. Todos os homens de guerra fugiram de noite, inclusive o rei Zedequias. Mas ao tentar fugir, o rei foi logo pego.

Todo o exército de Zedequias se espalhou e o abandonou. Zedequias foi levado preso. O palácio real foi queimado, como também muitas casas de Jerusalém e edifícios importantes. Os moradores que não tinham conseguido fugir a tempo foram levados cativos. Somente os mais pobres é que foram deixados em Jerusalém para que trabalhassem como vinheiros e lavradores. Todos os que ficaram na terra de Judá tiveram de servir a Nabucodonosor, conforme o profeta Jeremias tinha anunciado.

É prudente acreditar sempre nas palavras do Senhor Deus!

Um Profeta na Babilônia

Ezequiel 1-5

AGOSTO - DIA 19

O profeta Jeremias ficou em Jerusalém, mas Deus preparou um outro profeta na Babilônia para avisar ao povo onde ele estava preso. O nome desse profeta de Deus era Ezequiel, homem sábio e que também era sacerdote.

Um dia, Deus falou com Ezequiel através de uma visão. "Você vai falar o que Eu determinar para este povo rebelde. Você é o meu enviado, e quer ouçam ou não, você falará as minhas palavras. Ouça bem o que Eu vou dizer, e não seja rebelde como o povo. Faça o que estou pedindo."

Deus tinha um plano para Ezequiel. Em vez de pregar ao povo, Deus queria que Ezequiel fizesse uma maquete e ali representasse tudo o que o Senhor queria dizer; assim eles veriam a verdade. Mandou que Ezequiel fizesse a cidade de Jerusalém sobre um tabuleiro de argila. O profeta deveria ser bem fiel, colocando ali todos os detalhes da cidade, suas casas, seus muros etc.

Depois Deus pediu a ele que pegasse pedaços de ferro que representariam os portões de entrada de Jerusalém. E, diante do povo, o profeta deveria colocar o seu rosto contra esses portões. Com isso todos deduziriam que um inimigo estaria acampado perto dos portões de entrada. Em seguida, Deus ordenou que o profeta colocasse um pouco de comida no chão, assim o povo veria que logo ficariam sem comida.

Atuando como um verdadeiro ator, Ezequiel ia mostrando ao povo as mensagens de Deus. Ele mostrava ao povo como todos tinham desobedecido ao Senhor e quais os resultados que surgiriam por causa disso.

A Visão de um Vale de Ossos Secos

Ezequiel 37

AGOSTO - DIA 20

Deus falava com o povo por meio de Ezequiel. Muitas mensagens eram para avisar as pessoas. Deus queria que o povo fosse feliz, mas eles tinham de aprender certas lições primeiro.

Certo dia, Deus conduziu Ezequiel para um vale que estava cheio de ossos secos. Havia milhares de ossos ali. O Senhor perguntou: "Ezequiel, por acaso esses ossos podem reviver?"

"Senhor Deus, o Senhor pode responder melhor do que ninguém!", respondeu Ezequiel, crendo no poder de Deus.

Deus explicou ao profeta que o povo de Israel estava como aqueles ossos. Sem vida, sem alegria, sem o espírito de Deus... E pediu que Ezequiel refletisse muito bem diante daquela cena e a respeito daquelas palavras.

Ezequiel compreendeu, então, que era enorme o poder de Deus! Compreendeu que, pela vontade do Senhor, o povo de Israel poderia ter vida nova, poderia receber de volta a alegria de viver, poderia ter o espírito voltado a Deus, a fartura, a paz...

"Ezequiel, estes ossos representam o povo de Israel. Eu darei nova vida ao povo de Israel. Abrirei caminhos de oportunidades e farei com que ele saia desta vida tão fria e triste. Um dia estas pessoas todas vão morar em suas terras outra vez. E saberão que Eu, o Senhor, disse isso e o fiz."

Como Deus é bondoso! Ele sempre dá oportunidade de as pessoas serem felizes!

A Educação de Daniel

Daniel 1

AGOSTO - DIA 21

Quando o rei Nabucodonosor conquistou Jerusalém, um de seus primeiros atos foi trazer alguns dos israelitas de sangue real ou aristocrático para que aprendessem a cultura e o idioma dos caldeus (povo da Babilônia). Ele escolheu jovens sem nenhum defeito, de boa aparência, instruídos, peritos em ciência, de amplos conhecimentos gerais e que fossem competentes e capazes de assimilar tudo o que lhes fosse ensinado.

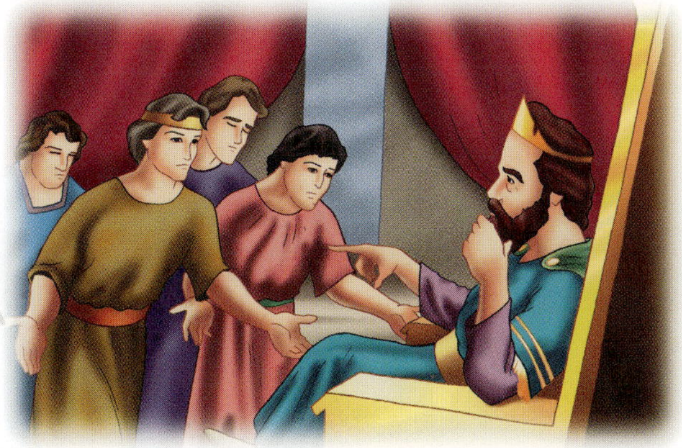

O camareiro-mor do rei, que tinha escolhido os jovens, selecionou, entre tantos outros, o jovem Daniel. O camareiro era o responsável por esses moços. Eles tinham um tratamento especial para estudar e receber educação conforme a vontade do rei Nabucodonosor.

Os jovens tinham uma refeição especial com alimentos selecionados. "Vocês comerão a mesma comida que é servida ao rei e também beberão do vinho real", disse-lhes o camareiro responsável por eles.

Mas Daniel resolveu firmemente não comer as mesmas coisas que o rei e nem beber o vinho que ele bebia. Como Daniel não aceitava algumas ideias do rei, achava injusto aceitar os seus alimentos. Então pediu ao camareiro que os deixasse livres de comer e beber das finas e selecionadas comidas do rei.

Daniel, sempre fiel a Deus, preferia viver sob a proteção do Senhor a viver com as regalias do rei. Mesmo estando em um país estrangeiro, os jovens se lembraram das leis de Deus, e por isso o Senhor os abençoava com muita inteligência e alegria!

O Sonho do Rei Nabucodonosor

Daniel 2

AGOSTO - DIA 22

No segundo ano de seu reinado, certa noite o rei Nabucodonosor teve um sonho muito estranho. O sonho foi tão esquisito que ele não conseguiu mais dormir naquela madrugada. O rei mandou imediatamente chamar magos, encantadores, feiticeiros para esclarecer o que significava aquele sonho.

"Tive um sonho e, desde então, estou bastante perturbado!", declarou o rei Nabucodonosor. E os caldeus e os outros magos disseram: "Ó rei, conte-nos o seu sonho que nós daremos a interpretação dele."

Mas o rei não conseguia lembrar do seu sonho. "Vocês é que vão me dizer qual foi o meu sonho, e o que ele significa, caso contrário, não quero mais vocês por perto!", ameaçou o rei.

Eles insistiram para que o rei contasse o sonho, mas Nabucodonosor, vendo que eles só tentavam ganhar tempo, disse decidido: "Vocês não sabem nada mesmo! Estão só tentando me enganar."

"Não há um mortal sequer, meu rei, que possa adivinhar o que você sonhou. O que o rei pede é extremamente difícil", responderam eles.

Nabucodonosor ficou furioso e ordenou que expulsassem todos os sábios da Babilônia, através de um decreto real. Por isso resolveram buscar Daniel e seus

amigos.

Daniel pediu sabiamente que Deus revelasse a ele o que o rei tinha sonhado, e o que o sonho significava. Sugeriu que seus companheiros também orassem, pedindo que o Senhor revelasse o misterioso sonho. Somente assim eles escapariam de um castigo iminente.

De noite, Daniel teve uma visão. Feliz, agradeceu e louvou ao Senhor. O sonho e sua interpretação foram minuciosamente detalhados a Daniel. O jovem sabia que Deus é poderoso e sábio, capaz de fazer tudo.

Daniel Interpreta o Sonho

Daniel 2

AGOSTO - DIA 23

Conhecendo tudo a respeito do sonho de Nabucodonosor, Daniel, muito ansioso e feliz, pediu que o levassem até o rei para revelar-lhe o seu significado.

"Você pode me dizer o que vi no sonho, e o que tudo isso significa?", perguntou Nabucodonosor, incrédulo.

"Bem, isso que o rei pede, nem encantadores, nem magos, nem astrólogos podem revelar, mas há um Deus no céu que vai decifrar esse sonho ao rei", respondeu Daniel. Em seguida, começou a reproduzir o sonho do rei:

"Você, Nabucodonosor, estava vendo uma grande estátua. A estátua imensa estava em pé diante de você. O aspecto dela era terrível. A cabeça era de ouro; os peitos e os braços, de prata; o ventre e os quadris, de bronze; as pernas, de ferro; os pés, uma parte de ferro e uma parte de barro. Enquanto você olhava, repentinamente uma pedra foi cortada sem auxílio de mãos e ela quebrou os pés de ferro e barro. Em seguida todo o restante da estátua também se quebrou, e o vento levou-a embora. A pedra que causou tudo isso se transformou em uma grande montanha."

Daniel começou a dar a explicação sobre o sonho do rei. Revelou a Nabucodonosor que aquela imagem representava o seu reinado. O reino de Nabucodonosor era a cabeça de ouro que significava o poder, a força e a glória da Babilônia. Cada uma das outras partes era um reino. Por fim, Daniel declarou ao rei que um dia Deus enviaria o seu próprio reino e este jamais seria destruído. Esse reino seria como a pedra que saiu da montanha e, sem auxílio das mãos, derrotaria os outros reinos.

Com muita sensibilidade, as pessoas podem compreender as mensagens de Deus!

A Estátua de Ouro

Daniel 3

AGOSTO - DIA 24

O rei Nabucodonosor resolveu fazer uma estátua de ouro bem grande para mostrar seu grande poder. Mandou também que todos os prefeitos, governadores, juízes, tesoureiros, magistrados, conselheiros e oficiais das províncias viessem para a inauguração e consagração da imagem de ouro. E todos foram, fielmente.

Nabucodonosor ordenou que, ao soarem os instrumentos, todos se prostrassem e adorassem a imagem de ouro que ele tinha feito. Qualquer um que não fizesse isso, naquele mesmo instante seria castigado a pedido do rei. E ouviu-se o som dos instrumentos. Houve silêncio por toda parte.

Mas logo alguns homens caldeus acusaram os judeus de não estarem cumprindo as ordens do rei. Delataram três jovens, companheiros de Daniel. Foram delatados, porque não se curvaram diante da estátua.

Furioso, Nabucodonosor mandou chamar aqueles judeus. Diante do rei, os três disseram que não se curvariam nem adorariam outro ídolo. Declararam, confiantes, que seu único deus era o Senhor Deus. Eles sabiam que a punição seria severa, mesmo assim permaneceram firmes em sua decisão diante do rei.

Quem realmente ama a Deus nada teme, diante de nada se abala!

A Fornalha

Daniel 3

AGOSTO - DIA 25

Naducodonosor ainda quis convencer os jovens a prestarem culto ao ídolo de ouro: "Se vocês estiverem dispostos a adorar a estátua, façam reverência a ela, assim que ouvirem o som dos instrumentos musicais. Caso

contrário, serão jogados na fornalha. E qual deus poderia ajudar vocês agora?", perguntou o rei, cheio de si.

Naqueles tempos, os castigos eram terríveis! A justiça era feita segundo a vontade dos soberanos. Diante da ameaça do rei Nabucodonosor, os moços disseram com fé: "Se Deus quiser, Ele nos livrará de sermos queimados na fornalha, ó rei!"

Transtornado com a atitude firme dos três jovens, o rei mandou jogá-los na fornalha e pediu que ateassem sete vezes mais fogo do que se costumava fazer.

"Quero que a fornalha fique muito, muito quente! Mais fogo! Mais fogo!", exigiu.

Antes de jogá-los, no entanto, mandou que seus poderosos homens do exército amarrassem bem os três desobedientes. Os três foram atados com suas roupas, mantos e chapéus e jogados para dentro da fornalha superaquecida.

Há muitas pessoas no mundo que, por falta de compreensão e fé em Deus, cometem atos terríveis contra tudo e todos!

Quatro Homens Dentro da Fornalha

Daniel 3

AGOSTO - DIA 26

De repente, o rei Nabucodonosor se espantou e levantou-se depressa de seu trono real.

"Nós não jogamos três homens amarrados dentro da fornalha?", perguntou o rei, terrivelmente assustado, aos seus conselheiros.

"É verdade, meu rei", responderam eles, igualmente espantados.

"Devo estar maluco! Estou vendo quatro homens desatados a andar entre o fogo. Além disso, eles não estão queimados, e o quarto homem parece um filho dos deuses!", admirou-se o rei diante do que via.

O rei não hesitou, foi chegando mais perto da porta da fornalha e berrou: "Oh, homens, servos do Deus Altíssimo, saiam daí e venham até aqui."

E logo os três estavam diante do rei Nabucodonosor. Todos os que assistiam àquela cena estavam deveras assustados. Não conseguiam entender como aqueles moços estavam vivos e nem um pouco queimados.

Todos os conselheiros do rei se reuniram ao redor dos rapazes para vê-los de perto. Não encontraram sequer um cabelo chamuscado pelo fogo. Suas roupas não tinham vestígio algum de queimado nem tinham cheiro de fogo.

"Bendito seja o Deus de vocês que enviou o Seu anjo e os livrou da morte nas chamas. Vocês confiaram em seu Deus e não cumpriram a ordem dada por mim", declarou, emocionado, o rei e continuou: "Estes jovens chegaram ao extremo para servir a Deus e entregaram os seus corpos à morte, numa prova de fé. Por isso, de hoje em diante, eu decreto que todo povo ou nação que disser alguma coisa contra o Deus desses homens merecerá punição. Isso porque não existe outro deus que possa salvar como este Deus verdadeiro", assim concluiu o soberano, impressionado com o poder divino.

Feliz da vida, o rei fez com que os três jovens prosperassem na Babilônia. Deus é capaz de tudo!

O Rei Sonha com uma Árvore Alta

Daniel 4

AGOSTO - DIA 27

O rei Nabucodonosor estava tranquilo e feliz, vivendo em seu palácio. Ele queria que todos os países soubessem como Deus era bom. Nabucodonosor mandou anunciar aos povos como Deus fazia maravilhas e também ajudava para que ele próprio fosse bem-sucedido. Ele, porém, esquecia-se do principal: agradecer a Deus. Por causa disso, Deus lhe mandou outra mensagem.

Certo dia, Nabucodonosor teve um sonho. E ficou muito espantado com aquele sonho. Ficou tão perturbado que só pensava naquilo que tinha visto nele. Mandou chamar todos os homens sábios para que lhe contassem qual o significado do sonho. Os magos, encantadores e feiticeiros, porém, não conseguiam interpretar nada.

Sem ter mais opções, Nabucodonosor mandou chamar Daniel e lhe contou o sonho em detalhes. "Eu vi uma árvore bastante alta. Ela crescia e ficava cada vez mais forte até alcançar o céu. Era realmente alta. Todos podiam ver aquela árvore a qualquer distância. Sua folhagem era bonita e seus frutos muito abundantes, de tal

maneira que todas as pessoas podiam se alimentar dela. Os animais encontravam abrigo e sombra debaixo dela, e os passarinhos podiam fazer os ninhos em seus galhos", contou Nabucodonosor, "Depois disso, ouvi a voz de um anjo do céu que ordenava bem claro e forte que a árvore fosse cortada. Só restariam as raízes com o toco, que seria molhado pelo orvalho. Meu coração seria transformado de coração humano para um coração de animal... Agora, Daniel, você que é cheio de espírito, diga-me o que significa tudo isso?", perguntou o rei, muito curioso.

A Loucura do Rei

Daniel 4

AGOSTO - DIA 28

Daniel ficou espantado por algum tempo. Ficou refletindo e seus pensamentos o perturbavam, pois sabia que a interpretação revelava algo de ruim. Muito esperto, percebeu o espanto de Daniel e suplicou que ele contasse a verdade, mesmo que a narrativa lhe trouxesse dor.

"A árvore que você viu no sonho é você, pois, como os galhos que se tornaram fortes e belos, assim é o seu reinado que se tornou forte e poderoso. A Babilônia fornece abrigo e alimentação a muitas pessoas. Mas você se tornou orgulhoso e não reconheceu que foi Deus quem deu tudo isto a você. O toco com raízes é você, pois você será derrubado e morará no campo com os humildes animais e se alimentará de ervas. E, com o orvalho, você limpará seu coração até que reconheça que o Altíssimo tem domínio sobre o reino dos homens e o dá a quem Ele quer", interpretou Daniel.

Daniel aconselhou o rei, pedindo que se arrependesse de seus atos arrogantes. Pediu que fosse justo e bondoso com os pobres. Pediu também que nunca deixasse de ser grato ao Senhor. Se assim fizesse, todo aquele mal não aconteceria em sua vida. Mas o rei não lhe deu ouvidos. E, ainda por doze meses, reinou como bem queria.

Certo dia, quando Nabucodonosor passeava envaidecido pelo palácio, gabando-se dos seus grandes feitos, dos seus palácios majestosos e de tantas outras coisas, sem agradecer nada, desceu uma voz do céu: "Acabaram os seus dias de glória! Você não vai mais reinar!"

No mesmo instante, tudo o que Daniel havia profetizado se tornou realidade. Somente depois de sete anos de sofrimento é que o rei reconheceu sua humildade diante dos homens. Com certeza, tinha aprendido muito com a humildade dos animais do campo; tinha aprendido muito com a simplicidade da natureza. Lembrou-se também da bondade e do poder de Deus sobre a Terra. Meditou muito a respeito de seus erros e envergonhou-se.

Às vezes, um grande sofrimento serve para reformular o pensamento e o modo de vida de uma pessoa. Por isso, na vida tudo tem uma razão para acontecer!

A Escritura na Parede

Daniel 5

AGOSTO - DIA 29

Depois de Nabucodonosor, surgiu um outro rei na Babilônia. Seu nome era Belsazar.

Certa noite, o rei Belsazar ofereceu um grande banquete e convidou mil pessoas. Estavam, naquela festa, oficiais importantes, capitães e outros homens de grande valor acompanhados de suas mulheres. No banquete, utilizaram as peças de ouro que foram tiradas do templo de Deus em Jerusalém, durante o reinado de Nabucodonosor, pai de Belsazar. Nas taças de ouro beberam vinho e deram vivas aos falsos deuses construídos com material precioso.

De repente, apareceu uma mão humana. E seus dedos se puseram a escrever uma mensagem na parede do palácio real. O rei Belsazar, assustado demais, acompanhava os movimentos da mão que estava escrevendo. E, ainda tremendo de espanto, ordenou em voz alta que alguém interpretasse o que estava sendo escrito na parede. Prometeu grande posição social e recompensas àquele que conseguisse desvendar a mensagem. Mas ninguém foi capaz.

Então, a rainha-mãe lembrou ao rei Belsazar que, no tempo de seu pai, Nabucodonosor, havia um homem inteligente e sábio, com o espírito de Deus, que sabia como ninguém interpretar sonhos.

Daniel, então, foi trazido à presença do rei.

"Você é aquele Daniel que o meu pai trouxe cativo de Judá? Ouvi dizer que você é extremamente sábio e inteligente. Nenhum dos meus sábios e encantadores conseguiu decifrar estas palavras", disse Belsazar.

"Você sabe tudo o que aconteceu na vida de seu pai, mesmo assim você foi contra Deus. Você mandou trazer os utensílios da Casa de Deus, e toda a corte, junto com você, bebeu e comeu neles. Você desobedeceu a Deus e essa atitude Lhe desagradou profundamente. Por tudo isso, em breve o seu reinado acabará", contou Daniel. E, naquela mesma noite, Belsazar foi morto.

As boas lições que os pais deixam aos filhos devem ser lembradas sempre. Deus também fala através dos pais que são justos e bondosos.

Uma Armadilha para Daniel

AGOSTO - DIA 30

Daniel 6

Daniel não quis aceitar os presentes e um cargo no reino. Disse que não seria necessário recompensá-lo. Mesmo assim, antes de morrer, o rei Belsazar insistiu e deu a Daniel tudo o que havia prometido a quem interpretasse o que estava escrito na parede do palácio.

Como Belsazar já não existia, Dario tomou o lugar no trono e começou a reinar sobre a Babilônia. Ele possuía três assessores importantes e um deles era Daniel. O rei Dario logo percebeu que Daniel era um homem extraordinário, e que tudo em que ele exercia liderança dava certo. Dario nomeou Daniel como o responsável sobre todo o reino.

Os outros homens ficaram com ciúmes de Daniel. Muitos deles planejaram esperar a ocasião certa para derrubá-lo do poder. Eles sabiam que Daniel era judeu, por isso queriam que ele quebrasse alguma lei para poder acusá-lo oficialmente.

Planejaram uma lei na qual, por trinta dias, ninguém poderia clamar a qualquer deus, a não ser ao rei. Se alguém desobedecesse a essa ordem, seria jogado na cova dos leões. Com muita maldade no coração, os invejosos homens foram ao rei e o convenceram a assinar a lei.

Mesmo sabendo a respeito daquela lei injusta,

Daniel dedicava tempo para orar a Deus. Não tinha medo da lei nem do castigo que ela lhe traria. Sempre confiante em Deus, entrava em seu quarto com as janelas abertas, e três vezes ao dia orava e agradecia a Deus, ajoelhado como costumava fazer.

Os homens só esperaram um pouco para pegar Daniel no ato, em sua própria casa.

Mas quem confia em Deus sente-se forte!

Daniel na Cova dos Leões

AGOSTO - DIA 31

Daniel 6

Muito espertos e maldosos, os homens ficaram esperando para ver o que acontecia na casa de Daniel. E, como era seu costume orar três vezes ao dia, chegou perto de sua janela, dobrou os joelhos e orou a Deus.

Imediatamente os homens foram correndo à

presença do rei. Contaram que tinham encontrado alguém que não a cumpria. Assim que o rei Dario soube que Daniel era a tal pessoa, ficou com muita pena! Quis salvá-lo a todo custo de sua própria ordem.

"Daniel, que o Deus a quem você sempre tem servido salve você!", disse Dario, sem nada poder fazer, ainda que quisesse.

Mais que depressa, puseram Daniel dentro da cova com os leões e fecharam a entrada com uma grande pedra. O restante daquele dia foi triste para o rei Dario. Ele não quis ouvir música no palácio e também nada comeu. Passou a noite em claro, pensando em Daniel e em tudo o que tinha acontecido. Era uma tristeza!

Ao raiar do sol, o rei foi, apressado, em direção à cova dos leões. Dario, ainda muito deprimido, ordenou que os soldados retirassem a pedra da entrada. E, com tristeza nos olhos, gritou para dentro da cova:

"Daniel, servo do Deus vivo, por acaso o Deus a quem você sempre tem servido conseguiu salvar você desta tragédia?"

Mas não havia em seu coração esperança de ouvir resposta. E a voz de Daniel foi ouvida: "Oh, Rei Dario! Viva para sempre! O meu Deus enviou um anjo que fechou a boca destes leões. Estou são e salvo, não tenho um arranhão sequer. Deus sabe que sou inocente e que nada fiz de errado diante do rei."

O rei ficou muito feliz e mandou tirar Daniel da cova. Os leões não o haviam machucado, porque Daniel tinha confiado em Deus. O rei mandou que trouxessem os homens acusadores de Daniel. Eles receberam um castigo por terem sido tão injustos e maus.

A fé em Deus não deixa espaço para o medo e a insegurança! Como é bom ter fé em Deus!

Visões Sobre o Futuro

Daniel 9, 12

SETEMBRO - DIA 1º

Mesmo morando na Babilônia, Daniel nunca perdeu as esperanças de que o seu povo voltasse a morar em Jerusalém. Certa vez, estava lendo livros e entendeu que o número de anos que Deus revelara a Jeremias, a respeito da destruição de Jerusalém, seria de, no mínimo, setenta, isto é, durante esses anos Jerusalém estaria em ruínas, e o povo, durante esse período, não voltaria para a sua cidade natal, Jerusalém.

Daniel buscou a Deus em oração. Fez súplicas e jejum para que aquele tempo passasse logo. Enquanto orava e pedia sem cessar a Deus, surgiu voando dos céus um anjo, o anjo Gabriel, e o tocou. Ele queria conversar e dar instrução a Daniel.

O anjo lhe disse que Deus tinha ouvido as suas orações e que o povo voltaria em breve para suas casas em Jerusalém.

"Você e o povo precisam voltar para Jerusalém para reconstruir a cidade. E no futuro Deus enviará um salvador para limpar os erros cometidos pelos homens", disse o anjo.

O anjo contou a Daniel muitas coisas que iriam acontecer. Daniel conheceu, através de visões, o futuro do povo e tudo o que Deus estava planejando. O Senhor também revelou a ele como seria a vida na época em que o Salvador viria. Ele pôde entender muitas daquelas visões sobre o futuro; outras, no entanto, não. Mas Daniel era um servo fiel ao Senhor; ele confiava em um Deus bom e justo, capaz de fazer maravilhas, mesmo quando havia dificuldades.

O Decreto de Ciro

Esdras 1-3

SETEMBRO - DIA 2

Muitos anos antes de tudo isso ter acontecido, e para que a Palavra do Senhor fosse cumprida, Deus tocou no espírito de Ciro, rei da Pérsia, para que ele fizesse um decreto por escrito. O povo de Israel ficou realmente em cativeiro por setenta anos, como o profeta Jeremias tinha dito.

O decreto de Ciro dizia que todos os que fossem filhos de Jerusalém deveriam voltar para lá e reconstruir a Casa do Senhor. Ciro sabia o quanto Deus havia sido bom com ele e por isso, de coração, libertou o povo para que voltassem para Jerusalém. Lá eles teriam de reconstruir o templo. Todos ficaram muito felizes por poder voltar para Jerusalém. Eles tinham o grande desafio de reconstruir o templo do Senhor.

O povo todo queria ajudar. Até mesmo os que haviam ficado nos arredores da cidade ajudaram, trazendo voluntariamente objetos de prata, ouro, bens, gado e outras coisas preciosas para contribuir.

A destruição tinha sido grande e o templo precisava de reformas urgentes. Fizeram uma lista em que cada um ajudava onde e como fosse necessário. Cada qual tinha uma função e tarefas a serem realizadas.

Os sacerdotes construíram o altar para oferecer holocaustos (sacrifícios) ao Senhor. Eles também organizavam e administravam o dinheiro, pagando aos pedreiros e aos carpinteiros. Pagavam a comida, a bebida e o azeite a outros povos para que trouxessem madeira de cedro do Líbano. Tudo para ser utilizado na restauração do templo.

Após quase dois anos, reunindo material e planejando a reconstrução, é que finalmente começou a obra. Quando fizeram os alicerces do templo, todos juntos comemoraram e louvaram a Deus por terem chegado até aquele ponto. O povo chorou de tanta alegria. De longe se podiam ouvir os alegres clamores.

Servir a Deus sempre traz muita felicidade!

Os Problemas e a Construção

Esdras 4-6

SETEMBRO - DIA 3

Muitos povos que viviam perto de Jerusalém não gostaram de saber que o povo de Israel estava de volta. Eles se puseram a incomodar os israelitas e a provocar-lhes desânimo em relação à reconstrução do templo.

Chegaram ao ponto de subornar conselheiros para que os planos da reconstrução não saíssem exatamente como deveriam. Escreveram cartas a vários reinados. Nas cartas, reclamavam dos habitantes de Judá e Jerusalém e acusavam-nos de tudo. Eles ameaçaram até não mais pagar os impostos devidos, caso Jerusalém continuasse a ser reedificada. Aqueles e vários outros problemas continuaram a acontecer durante muitos e muitos anos ainda.

Um dia, porém, dois oficiais do governo israelita mandaram uma carta ao rei Dario, contando tudo sobre a antiga decisão do rei Ciro, que reinara antes de Dario. Ciro, há muito tempo já tinha decidido mandar os israelitas de volta a Jerusalém para reconstruir o templo do Senhor.

A carta contava sobre o decreto feito pelo rei Ciro e pedia que Dario verificasse os arquivos reais da Babilônia, onde se guardavam os documentos. Dario, assim, teria certeza de estar tomando a atitude correta! Prontamente, procuraram e encontraram um rolo onde estava escrito um memorial sobre aqueles acontecimentos.

O então rei da Babilônia, Dario, fez um decreto para garantir que reedificassem a Casa de Deus. Ordenou que todos deixassem os israelitas reconstruir o seu templo e também que ajudassem a fornecer novilhos, carneiros e cordeiros para holocausto ao Deus dos céus.

Ninguém consegue ir contra a Vontade de Deus!

A Reconstrução dos Muros

Neemias 1-4

SETEMBRO - DIA 4

E o Templo foi reconstruído. Contudo, a cidade e os muros de Jerusalém, durante muitos anos, continuaram em ruínas.

Neemias, um judeu que tinha ficado na Babilônia quando o povo retornou a Jerusalém, soube a respeito das ruínas em Jerusalém e se entristeceu. Preocupou-se também com o fato de aquele povo estar sem proteção por causa dos muros destruídos.

Aquela notícia foi realmente muito triste para Neemias. Chorou e lamentou por alguns dias. Jejuou, orou a Deus e pediu o auxílio do Senhor. Naquele tempo, era o copeiro do rei Artaxerxes. Um dia, o rei Artaxerxes percebeu o quanto Neemias estava triste.

"Nunca vi você triste antes!", comentou o rei, querendo descobrir a causa da tristeza estampada no rosto de seu copeiro.

"Estou triste porque a cidade onde estão os sepulcros dos meus pais está sem proteção. Seus muros estão destruídos. Eu gostaria de poder ir para Jerusalém ajudar a reconstruir os muros!", respondeu Neemias, esperançoso.

O rei queria saber quanto tempo o outro ficaria fora, caso permitisse que se fosse. Neemias estabeleceu um prazo, e o rei concordou.

Logo que chegou a Jerusalém, muito entusiasmado, foi logo arranjando homens e colocou mãos à obra para reconstruir os muros. Muitos inimigos zombaram quando viram que eles estavam reconstruindo os muros; outros chegavam até a ameaçá-los.

Neemias pediu que seus homens se cuidassem bastante durante a reconstrução. Eles trabalhariam pesado, mas estariam sempre alerta a qualquer sinal de perigo. Como precaução, puseram ainda sentinelas de dia e de noite para evitar qualquer ataque inimigo.

Assim puderam continuar na obra até que o muro estivesse levantado novamente para proteger a cidade de Jerusalém. Neemias estava muito satisfeito!

Como é bom servir à cidade, às outras pessoas! Deus também se sente satisfeito com isso!

O Banquete de Assuero

Ester 1

SETEMBRO - DIA 5

Concluído o muro ao redor da cidade de Jerusalém, os seus habitantes podiam ficar mais aliviados. Sabiam que não seriam mais atacados a todo instante e que as invasões eram agora bem mais difíceis.

Aqueles israelitas, entretanto, que tiveram de ficar para trás, na Babilônia, estavam sob domínio da Pérsia. Quem reinava na Pérsia, naquela época, era o rei Assuero. Muitas festas eram promovidas pelo rei. Príncipes e oficiais estavam sempre entre seus inúmeros convidados. O rei era muito exibido e se gabava demais de suas riquezas. Vaidade e orgulho eram o que não lhe faltava!

Certo dia, o rei ofereceu um banquete a todos os habitantes da cidade. Havia desde convidados nobres até simples cidadãos. Muito eufórico, bebeu demais e, já bem embriagado, mandou um servo chamar a rainha Vasti, sua esposa.

Só porque era muito bonita, o vaidoso rei queria mostrá-la a todos. Mandou que ela aparecesse com sua coroa real e seu belo vestido de rainha. O rei Assuero queria que todos vissem a beleza de sua esposa. Mas ela não concordou, recusou-se a atender ao pedido do rei. Desobedeceu a ele e não apareceu diante dos convidados.

Furioso, Assuero procurou conselho com os seus sábios. Desejava saber qual a melhor atitude a ser tomada com relação à desobediência da esposa. E, depois de ouvi-los, aceitou o conselho de seus sábios para que Vasti nunca mais pudesse chegar perto do rei e nem olhasse para ele. Nem Assuero queria mais vê-la no seu reinado. O lugar de Vasti seria dado a outra mulher. Aquilo serviria de castigo e lição a ela e a todas as mulheres que ousassem desobedecer aos seus maridos.

Então, foram enviadas cartas a todas as províncias com este mandado do rei: "Todas as mulheres devem obedecer aos seus maridos, caso contrário, podem perder tudo, como aconteceu com a rainha Vasti." Logo em seguida, Assuero mandou trazer outras jovens bonitas para que ele escolhesse uma nova rainha.

O orgulho e a vaidade só trazem problemas à vida das pessoas. Quase sempre elas acabam sozinhas!

Ester se Torna Rainha

SETEMBRO - DIA 6

Ester 2-3

O rei Assuero queria uma nova rainha em seu palácio. Sem tristeza ou saudade em seu coração, mandou que reunissem as mais belas jovens de todas as províncias do seu reino. Elas deveriam ter saudável aparência e muita beleza.

Assuero designou um responsável para cuidar daquelas jovens. Elas ficariam por algum tempo no palácio e, aquela de quem o rei mais gostasse, seria a nova rainha no lugar de Vasti.

Contudo, havia na cidade um homem judeu chamado Mordecai. Ele cuidava de uma jovem órfã. A moça tinha traços suaves e formosos. Era realmente bela! Mordecai tinha criado Ester desde que ela havia perdido seus pais. A jovem era como se fosse sua filha.

Quando Mordecai ouviu dizer que o rei estava procurando uma jovem para ser a nova rainha, logo pensou em Ester. Mandou que ela se apresentasse, mas que escondesse o fato de ser judia.

Pouco tempo depois, ela já estava com as outras moças dentro do palácio, sob os cuidados do servo do rei. Chegou, então, o grande dia. Após meses de preparação, Ester deveria se apresentar ao rei.

Assim que Assuero pôs os olhos em Ester, ele se apaixonou mais do que por todas as outras mulheres. Mandou que colocassem a coroa real na moça e a transformou na nova rainha. Muito feliz, mandou preparar um grande banquete a todos os príncipes e servos por causa de Ester. Também mandou presentes e foi generoso com as suas províncias.

Enquanto isso, o leal Mordecai ficou sabendo de uma conspiração contra o rei. Dois homens queriam derrotar Assuero. Mordecai foi até o palácio e contou a Ester, que se apressou em alertar o rei. O caso foi investigado e, como a conspiração era fato real, os dois homens foram presos.

Depois disso, Assuero designou Hamã como comandante sobre todos os príncipes. Hamã passou a ser o principal líder do governo de Assuero. Orgulhoso, Hamã queria que todos se curvassem diante dele.

Mordecai, porém, recusou-se a fazer-lhe tal reverência. Mordecai só se curvava diante de Deus.

Ninguém deve julgar-se superior aos outros. Todos são iguais. Respeito é o que deve haver entre as pessoas!

Hamã Planeja Matar Todos os Judeus

SETEMBRO - DIA 7

Ester 3

Aquela atitude de Mordecai deixou Hamã furioso. Mordecai somente adorava ao Senhor Deus, a ninguém mais. Por isso, Hamã resolveu se vingar dele e, ao mesmo tempo, de todo o seu povo.

O perverso Hamã queria se livrar de todos os judeus que viviam na Pérsia. Assim, depois de muito refletir, traçou um plano para concretizar a sua vingança.

"Existe um povo entre as nossas províncias que possui leis diferentes das leis que o rei ordenou", disse Hamã a Assuero, "Caso o rei concorde, julgo prudente fazermos um decreto para que eles sejam eliminados. Para tanto, darei dez mil talentos de prata aos tesouros do rei."

"Faça o que você julgar melhor com esse povo", disse o rei, concordando sem muito pensar.

Então, Assuero escreveu um decreto para que todos os judeus fossem eliminados da Terra em um só dia, e que os seus bens fossem confiscados. O decreto foi mandado a todas as províncias, no idioma de cada lugar. Todos ficaram apavorados com o decreto do rei Assuero.

Muitas pessoas se esquecem de que quem decide sobre a vida é somente Deus!

Ester Roga Pelo Seu Povo

Ester 4-5

SETEMBRO - DIA 8

Assim que Mordecai ficou sabendo sobre aquilo, chorou e lamentou muito, andando pela cidade. Ele rasgou suas roupas (naquela época, essa atitude significava profunda tristeza) e se vestiu com panos pobres, em sinal de protesto. Depois foi até o palácio. Mas ele não pôde entrar com aquele traje.

Ester ficou sabendo de tudo através de suas servas. Ela mandou um servo falar com Mordecai e perguntar-lhe qual o motivo de tanta tristeza e dor. Ele contou tudo e pediu que Ester ajudasse o seu povo. Ele sugeriu que a rainha fosse falar com o rei para anular o terrível decreto.

Ester mandou recado a Mordecai dizendo que não se podia falar com o rei a menos que a pessoa fosse chamada por ele. Era ordem a ser rigorosamente cumprida!

"Por acaso você crê, Ester, que só por estar na casa do rei escapará do castigo quando todos os judeus forem castigados?", perguntou Mordecai.

Ester mandou responder a ele que reunisse todos os judeus em Susã e orasse e jejuasse por ela durante três dias, pois ela falaria com o rei. Vestiu seus trajes reais e se colocou no pátio interior da casa do rei.

Quando Assuero viu Ester, ficou comovido com a sua presença e estendeu o cetro de ouro para ela. Isso significava que ela era bem-vinda ao rei. Naqueles tempos, as esposas não tinham muito diálogo com seus maridos.

"O que você quer, Ester?", perguntou Assuero, curioso.

"Vim convidar o rei e também Hamã para um

banquete especial que preparei", disse ela.

O rei aceitou o convite e mandou avisar a Hamã que se apressasse, pois eles deveriam atender ao pedido de Ester.

Às vezes parece que Deus está bem longe das pessoas, mas não é verdade. Ele sempre está pertinho de todos!

A Forca

Ester 5

SETEMBRO - DIA 9

Naquela noite, o rei Assuero e Hamã foram ao banquete que Ester havia preparado. Mais uma vez, querendo agradá-la, o rei perguntou o que ela queria que fizesse. "Se eu realmente agradei ao meu rei, peço que vocês dois venham novamente amanhã à noite, pois vou fazer um outro banquete", respondeu a rainha Ester.

Hamã saiu alegre e satisfeito do palácio, naquele dia. Mas seu humor mudou assim que viu Mordecai perto dos portões de entrada. Ficou ainda mais mal-humorado, porque Mordecai não se levantou e nem se curvou diante dele. Hamã conteve sua raiva e foi para casa.

Quando chegou, mandou chamar seus amigos e sua esposa Zeres. Contou a eles quantas coisas boas tinham acontecido no decorrer de sua vida e que até a rainha Ester o havia convidado para jantar junto com o rei.

"Uma coisa apenas me incomoda: é aquele judeu Mordecai. Hoje o vi à porta de entrada do palácio, mas ele, como sempre, não se curvou diante de mim, nem sequer se mexeu", disse, indignado.

Então, Zeres, muito malvada, sugeriu que fosse construída uma forca bem alta e que Hamã pedisse ao rei o enforcamento de Mordecai, logo no dia seguinte. Assim ficariam livres daquele judeu. A sugestão de sua esposa foi bem aceita. Não demorou muito, e a forca foi levantada.

Como existem pessoas injustas! Mas Deus sempre espera o exato momento para mostrar-lhes como devem agir para se tornarem justas!

Hamã é Forçado a Honrar Mordecai

Ester 6

SETEMBRO - DIA 10

Tendo sido construída a forca, um sentimento estranho invadiu o coração do rei Assuero. O soberano perdeu o sono e a paz. Intranquilo, ordenou que trouxessem os livros onde estavam relatados os feitos memoráveis. Mandou que os lessem para ele. Entre os tantos fatos importantes, leram que Mordecai havia ajudado na captura dos dois homens que conspiraram contra ele.

"O que Mordecai ganhou como recompensa por salvar o meu reino?", perguntou o rei.

"Ele nada recebeu como recompensa!", responderam os seus servos.

E o rei continuou pensativo. Mas, logo em seguida, mandou chamar Hamã em sua presença.

"O que você faria para recompensar um homem justo?", perguntou o rei.

Hamã, muito presunçoso e acreditando que seria ele o homem honrado pelo rei, disse, cheio de si: "Coloque vestes reais nele. Dê a ele o cavalo em que o rei costuma andar montado. E, por meio dos nobres príncipes do rei, coloque uma coroa real em sua cabeça."

"Gostei da sua ideia, Hamã!", disse o rei, "Leve depressa as roupas reais para Mordecai, o judeu. Faça tudo exatamente como você acabou de me dizer."

Angustiado, Hamã não conseguia acreditar no que o rei tinha dito. Foi para sua casa e contou a Zeres e a seus amigos o que tinha acontecido. E perguntava a todo instante como poderia enforcar alguém que o rei estava honrando. E, enquanto conversavam, chegaram os servos do rei e conduziram Hamã ao banquete que Ester tinha preparado.

Hamã deveria saber que as grandes lições na vida acontecem quando as pessoas menos esperam!

Ester Denuncia Hamã

Ester 7-8

SETEMBRO - DIA 11

Naquele segundo banquete que Ester tinha preparado, Assuero voltou a perguntar: "O que você quer que eu lhe faça? Peça o que você quiser, até metade do reino darei a você!"

"Bem, meu rei, se você tem toda essa consideração e carinho por mim, gostaria de trocar a minha vida pela vida do meu povo. Porque há alguém na corte que quer acabar de vez com o povo judeu. Por favor, meu rei, ajude o meu povo", disse a rainha, arriscando tudo, arriscando a própria vida.

"Quem é esse homem?", indagou o rei Assuero.

A rainha apontou para Hamã e disse: "Ele é o nosso inimigo. Hamã é mau!" Hamã não estava numa situação boa perante o rei.

Assuero foi tomar um ar, passeando pelo jardim para que a sua raiva passasse. Quando voltou, viu Hamã muito perto da rainha Ester. Diante daquela cena, o rei imaginou o pior; julgou que Hamã quisesse maltratar a rainha. E isso foi a gota d'água para Assuero.

O rei se lembrou da forca que Hamã havia construído para tirar a vida de Mordecai. Ficou mais indignado ainda! E não pensou duas vezes, aplicou severo castigo a ele.

Mais tarde, Ester implorou ao rei que anulasse aquela lei que eliminaria o seu povo. Infelizmente naquela época, uma vez tendo o rei assinado uma lei, era impossível o seu cancelamento. Muito esperta, a rainha pediu que o rei fizesse outra lei que permitisse ao povo judeu defender-se daqueles que quisessem tirar as suas vidas.

E uma nova lei foi escrita em nome do rei Assuero e selada com o seu anel de rei (isso valia como assinatura). Por essa lei, o rei permitia que cada judeu defendesse a sua vida e a de seus filhos e mulheres para que nada de ruim lhes acontecesse.

Lutar com justiça por causa própria e pela causa de outros é atitude generosa. Deus fica feliz!

Jó: O Servo Fiel

SETEMBRO - DIA 12

Jó 1

Na Bíblia encontramos várias histórias de homens e mulheres que serviram a Deus. Essas pessoas obedeciam aos Mandamentos do Senhor, às vezes em situações extremamente difíceis. Acima de tudo, tinham fé em Deus e essa era inabalável. Jó é um exemplo bem claro. Apesar de acontecerem fatos tristes e terríveis em sua vida, ele permaneceu fiel, servindo ao Senhor.

Jó era um homem digno e honesto que acreditava em Deus e evitava atitudes más. Ele tinha uma bela família: sete filhos e três filhas. Era grato a Deus por tudo de bom que possuía. Regularmente, levantava-se de madrugada e oferecia holocaustos a Deus. Ele fazia isso por todos os seus familiares que porventura pudessem ter cometido erros diante de Deus.

Certo dia, um anjo mau veio perante o Senhor. Deus perguntou de onde ele estava vindo. Ele respondeu que estava rodeando e passeando pela Terra para testar a fé e a bondade de alguém. Disse também que não acreditava haver fé verdadeira e que, diante da tentação, qualquer um deixa Deus de lado. Era uma ideia diabólica mesmo!

"Você já viu o meu servo Jó? Não há ninguém na Terra como ele. Jó é bom e generoso. Ele ama ao Senhor e procura não fazer o mal", disse Deus, satisfeito.

"Isso não é novidade, já que ele tem tudo o que o Senhor Deus lhe concedeu. Mas, se tirarem as riquezas dele, Jó não Lhe será tão fiel!", disse o perverso anjo, já maquinando o mal.

A tentação para o mal sempre ronda as pessoas. Mas não há perigo algum quando elas têm Deus no coração!

As Aflições de Jó

SETEMBRO - DIA 13

Jó 1-2

Deus permitiu que Satanás tentasse Jó, contanto que não o machucasse. Ele poderia testar Jó e a sua fidelidade a Deus. O anjo mau poderia afligi-lo de diversas maneiras, inclusive mexendo com seus bens materiais. Entretanto, não poderia tocar na vida de Jó. Assim sendo, mais que depressa, o anjo mau começou a fazer o que queria.

Enquanto isso, Jó estava tranquilo em sua casa quando, de repente, veio um mensageiro correndo para dar-lhe más notícias: "Acabaram com todos os seus bois e jumentas; os seus servos também desapareceram. Somente eu escapei para trazer esta mensagem a você!", disse o homem quase sem fôlego.

Outro servo chegou contando que as ovelhas já não estavam vivas. Depois veio um terceiro servo e relatou que os camelos haviam sido levados pelos caldeus. E logo chegou um quarto servo dizendo, desesperado: "Tenho uma notícia muito triste! Os seus filhos e suas filhas morreram. É que veio um vento muito forte e derrubou a sua casa. Somente eu escapei!"

Jó estava sem palavras. Tudo o que havia conseguido ao longo de sua vida, em instantes, perdeu-se. Ele se levantou, raspou seu cabelo, rasgou sua roupa e se lançou sobre a terra, adorando a Deus: "Vim a este mundo sem nada, totalmente nu e assim partirei deste mundo. O Senhor Deus me deu tudo o que eu tinha e agora me tirou. Mesmo assim eu sou grato a Deus por toda a felicidade que já vivi", disse ele, de coração sincero.

Satanás foi outra vez diante de Deus e teve de concordar com Ele: Jó era realmente um homem de dignidade. Mesmo diante das maiores tragédias, ele era fiel a Deus.

"Mas ele tem saúde! Dê pelo menos uma doença a ele. Quero ver se Jó não vai amaldiçoar você", disse o provocador.

"Está tudo em suas mãos, mas você não pode tocar na vida dele!", afirmou Deus.

E o anjo perverso fez com que feridas aparecessem por todo o corpo de Jó. E isso foi uma grande provação para o pobre homem.

É preciso confiar em Deus. Mesmo nas horas mais tristes, a fé é a melhor companhia!

Um Homem Inocente

SETEMBRO - DIA 14

Jó 2-3

Jó tinha muitos amigos. Três deles foram visitá-lo quando souberam das desgraças pelas quais estava passando. Os três visitantes queriam consolar o pobre amigo. Mas, quando chegaram à casa de Jó e o viram sentado, cheio de feridas e com dores terríveis, não conseguiram dizer uma só palavra. Os amigos se sentaram ali e choraram com ele. Ficaram em sua companhia por sete dias e sete noites, sem dizer absolutamente nada. Era só silêncio. Naqueles dias junto aos companheiros, Jó começou a dizer que desejaria nunca ter nascido, assim não teria de passar por tanta aflição. E um deles resolveu dizer alguma coisa: "Será mesmo que você não fez nada de errado? Por que um homem inocente seria tão castigado assim?"

Jó escutou o que ele dizia, mas tinha certeza de que não tinha feito nada para desagradar ao seu Deus.

"Por acaso vocês acreditam que eu esteja mentindo? Vocês deveriam mostrar compaixão por mim, um homem aflito. Pode parecer que eu abandonei meu amor ao Senhor Todo-Poderoso, mas esse não é o caso! Em vez de me consolar, estão aí para me acusar! Isso não me ajuda em nada!", Jó desabafou.

Às vezes é difícil compreender o porquê das tristezas da vida. Todas as respostas somente Deus tem. Mas para tudo há uma razão!

As Perguntas de Jó e a Bondade de Deus

Jó 38-42

SETEMBRO - DIA 15

Os amigos de Jó tinham razão até certo ponto. Como Jó era um homem fiel a Deus e não tinha feito nada para desagradar-Lhe, como ele mesmo dizia, como é que Deus permitia que tanta coisa ruim acontecesse em sua vida?

Jó começou a se perguntar o porquê de tudo aquilo e não conseguia compreender por que Deus estava permitindo que tanta injustiça acontecesse em sua vida. Acreditava que não merecia nada daquilo. Mas a realidade era bastante dura.

E o Senhor, do meio de um redemoinho, respondeu: "Jó, não se aflija! Fui Eu que criei todas as coisas. Sei o que faço", e acrescentou uma pergunta: "Jó, diga-me quem é que criou e tem sustentado tudo, mesmo antes de você ter nascido?"

Jó reconheceu e humildemente estava arrependido por fazer tantas perguntas, duvidando de Deus. Ele pediu perdão e orou a Deus: "Sei muito bem que o Senhor pode fazer tudo. Falei de coisas que não entendia. Eu estou muito arrependido."

Deus ouviu a oração de Jó e deu a ele o dobro de tudo o que possuía antes. O Senhor o abençoou dessa maneira. Jó teve uma bela família outra vez, e Deus lhe deu muitos anos de vida, com muita felicidade, fartura e saúde.

Deus sempre sabe o que faz! Todos devem acreditar nisso!

Uma Promessa

Malaquias

SETEMBRO - DIA 16

O Senhor mandou um profeta para que o povo de Israel ficasse sabendo que Ele enviaria um Salvador. O nome do profeta era Malaquias. Esse profeta advertiu o povo sobre muitas coisas. Disse também que eles deveriam se preparar para a chegada do Salvador.

"Vocês estão deixando triste o Senhor com estas dúvidas e perguntas sem fim!", disse o profeta, "Vocês creem que podem enganar a Deus? Vocês se fazem de bonzinhos, mas por trás estão fazendo o mal e ainda têm coragem de dizer: 'Onde está o Deus do juízo?' Pensem bem!", continuava Malaquias, "Desde o princípio dos tempos e na época em que os seus pais viviam, vocês resolveram não obedecer aos Mandamentos de Deus. Para vocês não há motivo para servir a Deus, mas um dia Deus julgará a todos. E aqueles que foram realmente bons e não se afastaram das leis do Senhor serão recompensados! Lembrem-se das leis de Deus escritas nas tábuas quando Moisés as recebeu no Monte Sinai!"

Era este o plano de Deus: em breve, enviaria o Salvador para que todos aqueles que Nele cressem fossem salvos.

Um Visitante Diferente

Lucas 1

SETEMBRO - DIA 17

Passaram-se muitos anos até que finalmente o povo estivesse morando novamente em Jerusalém. Mesmo assim, eles não tinham soberania.

O império romano e sua força militar dominavam muitos povos e os israelitas faziam parte desse domínio. Todos tinham de pagar impostos ao império romano, portanto, não eram totalmente livres.

Herodes foi escolhido pelo imperador romano para ser o rei das terras de Israel. Naquela mesma época, havia um sacerdote chamado Zacarias, que era casado com Isabel. Os dois eram pessoas justas e viviam conforme os Mandamentos de Deus. Eles queriam muito ter filhos, mas já estavam ficando muito idosos para ter um bebê.

Além de Zacarias, havia outros sacerdotes que, como ele, cuidavam do templo e faziam tudo o que fosse necessário para prestar culto a Deus. Os sacerdotes sempre escolhiam ao acaso um nome dentre eles para ser o responsável por entrar no santuário e cultuar a Deus.

Certo dia, Zacarias foi escolhido para fazer essa tarefa. E, enquanto o cuidadoso Zacarias preparava o altar, surgiu de repente um anjo. Zacarias ficou muito perturbado e também com medo.

"Zacarias! Não tenha medo! A sua oração foi ouvida. Deus concederá um filho a você e Isabel. Você deve chamá-lo de João!", disse o anjo.

As pessoas bondosas sempre são ouvidas por Deus!

O Mensageiro de Deus

Lucas 1

SETEMBRO - DIA 18

O bom anjo fora enviado por Deus. E em nome de Deus falava a Zacarias, que ouvia atentamente as palavras do anjo: "Este filho vai dar muita alegria a vocês. O nascimento dele será motivo de festa. Você e Isabel serão pais orgulhosos, pois João será cheio do Espírito Santo!"

O anjo continuou, explicando que João seria o mensageiro de Deus e que converteria muitos israelitas ao Senhor. As pessoas se converteriam, pois o espírito de Deus estaria com ele. Ele prepararia as pessoas para a vinda de um Messias e Salvador.

"Como posso crer nisso tudo? Isabel e eu somos idosos para ter um filho!", ponderou Zacarias.

"Eu sou Gabriel e estou sempre diante de Deus. Creiam que a Vontade Dele será feita".

Um Anjo Visita Maria

Lucas 1

SETEMBRO - DIA 19

E assim como o anjo Gabriel tinha dito, aconteceu. Isabel teve um menino. Mas alguns meses antes de João nascer, o anjo foi enviado por Deus para uma cidade da Galileia, chamada Nazaré.

Gabriel foi visitar uma jovem de nome Maria. Ela estava noiva de José, um moço carpinteiro e muito trabalhador. Em breve eles se casariam. O anjo entrou no local onde Maria estava e disse, todo contente e faceiro: "Alegre-se, Maria! Você foi abençoada por Deus, e Ele está com você!"

Maria, assustada ao ouvir as palavras do anjo, ficou pensando a respeito do que ele queria dizer com aquela saudação. E o anjo continuou: "Maria, não tenha medo! Você foi agraciada por Deus. Dentro de alguns meses você terá um filho e lhe dará o nome de Jesus. Deus dará o trono de Davi a ele, que reinará para sempre. Ele salvará o seu povo dos seus próprios pecados. O seu reinado nunca terá fim", disse Gabriel.

"Mas como é que isso vai acontecer? Eu nem estou casada com José!", Maria questionou.

E o anjo respondeu: "Maria, escute! O Espírito Santo descerá sobre você, e o poder do Altíssimo fará com que você fique grávida. O seu filho será obra do poder do Senhor. Esse santo menino será chamado Filho de Deus."

Quanto Deus pode fazer em sua infinita bondade!

Quanta Alegria!

Lucas 1

SETEMBRO - DIA 20

O anjo também contou a ela que Isabel, sua prima, teria um filho mesmo já sendo mais velha. Maria não duvidou e disse ao anjo que conhecia o poder de Deus em fazer coisas que pareciam impossíveis aos olhos humanos.

"Estou disposta a servir a Deus! Que Deus cumpra através de mim o que Ele planejou!", disse Maria, feliz e confiante.

E o anjo foi embora. Maria ficou algum tempo pensando sobre tudo o que ele tinha dito e depois resolveu visitar Isabel. Quando Maria se encontrou com Isabel e cumprimentou-a, o bebê de Isabel se mexeu na barriga.

O Nascimento de João Batista

Lucas 1

SETEMBRO - DIA 21

Maria ficou na casa de Isabel e Zacarias por três meses e só depois retornou para sua casa. Pouco tempo depois chegou a hora de Isabel ter seu filho. Ela teve um menino como o anjo havia dito a Zacarias.

Os vizinhos, amigos e parentes estavam muito felizes por causa deles. Afinal, após tantos anos, Zacarias e Isabel estavam concretizando o sonho de ter um filho. Todos se reuniram na casa do casal para festejar juntos a chegada do bebê tão desejado.

E todos aconselhavam: Isabel deveria chamar o menino de Zacarias, que era o nome de seu pai. "De jeito nenhum!", respondeu Isabel, "O nome dele será João!"

Os parentes e amigos disseram: "Mas, Isabel, não há ninguém com esse nome entre os parentes!"

Naquela época era costume dar o nome de um dos parentes ao recém-nascido. Zacarias também concordou com que o nome do menino fosse João. Todos ficaram admirados diante da decisão e mais ainda por Zacarias concordar com sua esposa.

Zacarias e Isabel louvaram a Deus. Todos os vizinhos comentavam por toda a região montanhosa da Judeia a respeito daquele nascimento. Muitos se perguntavam o que seria do menino quando crescesse. Seria ele mesmo um mensageiro de Deus?

Deus tudo faz para que as pessoas creiam Nele. Tudo faz para que todos sigam o caminho do bem!

Nasce o Salvador

Lucas 2

SETEMBRO - DIA 22

Algum tempo antes de chegar a hora de nascer o bebê de Maria, um decreto do imperador romano foi publicado. César Augusto, o imperador, estava convocando toda a população para ser recenseada. Pelo decreto, cada pessoa teria de voltar a sua terra natal para que fosse contada pelo censo. Obviamente, tudo isso era só para recolher impostos de todas elas.

José também foi de Nazaré à cidade de Davi, chamada Belém. Isso por ser ele descendente da família de Davi. Esse foi o motivo de sua ida com Maria a Belém. Maria já estava no último período de gestação e para ela seria uma caminhada muito cansativa.

A jornada até Belém levava pelo menos uma semana, mas como era obrigatório o recenseamento, o casal não teve opção. Tinham de viajar, mesmo ela já estando prestes a ter o bebê.

Muito amoroso, José fez o possível para que Maria ficasse confortável. Ele colocou Maria em um jumento, e os dois saíram rumo a Belém. Quando chegaram à cidade, ambos estavam exaustos e queriam descansar. Porém, a cidade estava lotada por causa do censo, e eles não encontraram vaga em nenhuma hospedaria.

O único lugar que José conseguiu arranjar foi um estábulo que servia de abrigo aos animais. Não era um lugar bonito, nem tão cheiroso, mas ao menos servia bem como abrigo. Oferecia, pelo menos, proteção contra as condições do tempo.

Logo depois, Maria começou a sentir as dores do parto. E naquele local deu à luz um belo menino. Ela o embrulhou bem quentinho e, já que não havia um bercinho para deitá-lo, Maria improvisou, usando uma manjedoura com bastante palha para deitar o seu filhinho recém-nascido. Por mais simples que fosse o local, havia amor e aconchego para o menino, pois José e Maria o amavam muito.

Os Pastores de Ovelhas

Lucas 2

SETEMBRO - DIA 23

Naquela região, havia muita criação de ovelhas. E aconteceu que alguns pastores estavam cuidando de seu rebanho nos campos. Era noite, período em que outros animais sempre atacavam as pobres ovelhas. Por isso estavam os pastores ali.

Então, de mansinho, um anjo do Senhor desceu onde estavam os pastores, e tudo ao redor parecia bem brilhante. De fato, a glória de Deus estava presente, naquele instante. Espantados, os pastores olhavam uns

para os outros e, com medo, aguardavam o que aconteceria.

"Não tenham medo! Estou aqui para dar a vocês uma alegre notícia! Esta novidade será ótima para todo povo também!", disse o anjo, vibrando de felicidade. "Hoje, na cidade de Belém, nasceu o Salvador, que é Cristo, o Senhor. E, como sinal, vocês encontrarão o menino embrulhado em panos e deitado numa simples manjedoura."

Em seguida, o céu se encheu de anjos que cantavam alegremente belas canções de louvor a Deus. E ouviram-se vozes dos anjos, dizendo: "Glória a Deus nas alturas e paz na Terra aos homens por Ele amados!"

Os anjos se foram e os pastores decidiram ver o menino Jesus. Largaram suas ovelhas nos campos e correram depressa até Belém. Procuraram pela cidade toda, e finalmente encontraram o bebê deitado numa manjedoura e docemente embrulhado por sua mãe, Maria.

Assim que saíram dali, começaram a contar a todos que havia nascido o Salvador e que o anjo do Senhor havia dado a eles, nos campos, essa maravilhosa notícia. Maria, muito cautelosa, refletia sobre tudo o que estava acontecendo em sua vida e em seu coração guardava todas as coisas.

Maria e José eram muito pobres, mas tinham riqueza de amor para dar a seu filhinho!

Os Magos Visitam Jesus

Mateus 2

SETEMBRO - DIA 24

Haviam chegado a Jerusalém alguns homens sábios vindos do Oriente. Naquela época, homens muito inteligentes, estudiosos e de grande sabedoria eram chamados de magos. Os magos que estavam em Jerusalém, por serem muito observadores, logo notaram uma estrela muito brilhante que apontava para a região da Judeia. Eles logo deduziram que aquilo era um sinal de que o Salvador havia nascido.

Em Jerusalém, foram logo perguntando ao rei Herodes: "Onde está o rei dos Judeus que acabou de nascer? Nós vimos a Sua estrela e estamos aqui para adorá-lo!", disseram eles, convictos.

Muito perturbado, Herodes não gostou nem um pouco de saber que havia nascido um rei judeu. Mandou convocar seus sacerdotes e assessores e perguntou qual o local determinado para o nascimento do Salvador.

"De acordo com as escrituras, ele nascerá em Belém, terra de Judá!", afirmaram eles.

Herodes perguntou aos magos quando foi que viram a estrela no céu. Depois mandou que os magos fossem até Belém para encontrar o menino.

"Quando vocês encontrarem o menino, mandem me avisar para que eu mesmo vá até Belém adorá-lo!", disse Herodes, com malícia no olhar.

Por mais que Deus faça, sempre há homens com más intenções!

Ouro, Incenso e Mirra

Mateus 2

SETEMBRO - DIA 25

Depois de ouvirem as instruções do rei, os magos partiram ao encontro do Salvador. A estrela que tinham visto no Oriente ia adiante deles até que, chegando a

Belém, ela parou sobre o lugar onde estava Jesus.

Os homens sábios ficaram muito alegres e mal podiam se conter de tanta felicidade, quando viram que a estrela havia parado sobre uma gruta. A emoção foi muita, quando viram o menino Jesus com Maria. Os magos prostraram-se e o adoraram. Também ofereceram presentes muito especiais. Deram ouro, incenso e mirra.

Mas chegou a hora de aqueles homens partirem de volta para a sua terra. Deus, muito cuidadoso, avisou aos magos que não deveriam voltar e contar a Herodes sobre o Salvador. Deus mandou que regressassem por outro caminho e eles obedeceram ao Senhor.

Deus cuida muito bem das crianças! Ele tem muito amor por elas!

A Fuga para o Egito

Mateus 2

SETEMBRO - DIA 26

Pouco tempo depois da partida dos magos, um anjo apareceu em sonho para José. "Pegue o menino e Maria e fujam para o Egito. Fiquem lá até que eu avise vocês outra vez, porque o rei Herodes vai procurar o menino para tirar-lhe a vida. Ele não quer um rei judeu", alertou o anjo.

José não desperdiçou nem um segundo sequer. Arrumou as bagagens e, mesmo sendo ainda noite, pegou Maria e Jesus e partiu rumo ao Egito.

Algum tempo depois, quando Herodes descobriu que os magos o haviam tapeado, ficou muito furioso. A sua raiva foi tamanha que mandou, por decreto, eliminar todos os meninos de Belém e das cidades vizinhas.

Todos os meninos com menos de dois anos corriam perigo por causa do rei Herodes. Esta seria a suposta idade do menino, pelos cálculos que Herodes fez a partir da informação dos magos. Estabelecendo essa idade, ele não correria o risco de deixar vivo o futuro rei dos judeus. Quanta maldade! O povo chorou muito por causa desse decreto do rei.

Enquanto Herodes viveu, José, Maria e Jesus permaneceram no Egito. Depois da morte dele, um anjo do Senhor apareceu em sonho novamente a José, que estava morando com sua família no Egito.

"José, pegue o menino e Maria e vá para a terra de Israel, porque aqueles que estavam querendo tirar a vida de Jesus já não existem mais. Agora não há mais perigo para ele", anunciou o anjo.

José, Maria e Jesus regressaram para a terra de Israel e ficaram sabendo que no lugar de Herodes agora reinava o filho dele, Arquelau. Com certa desconfiança, José temeu pela vida de sua família e, por providência divina, foi novamente alertado em sonho. Voltou, então, para as regiões da Galileia e chegou a Nazaré. Foi em Nazaré que Jesus passou a sua infância.

Deus protege as criancinhas, porque elas são frágeis e precisam de muito amor!

Jesus Cresce

Lucas 2

SETEMBRO - DIA 27

Jesus crescia a cada dia e era um menino forte e saudável; também muito inteligente. A graça de Deus estava com ele.

Todos os anos, os pais de Jesus iam a Jerusalém para festejar a Páscoa. Quando fez doze anos, decidiram que ele deveria ir junto. E foi. Assim que os dias de festa passaram, todos regressaram para suas cidades.

Maria e José fizeram o mesmo. Voltaram rumo a Nazaré, mas não perceberam que o seu menino Jesus não estava no meio da caravana. Julgaram que estivesse com seus amiguinhos de viagem e continuaram a caminhada por um dia inteiro.

Já à noitinha, José e Maria notaram, desesperados, que Jesus não estava em nenhum dos grupos de pessoas que viajavam com eles. Procuraram por toda a parte, no meio do povo, entre os parentes e conhecidos, mas nada de encontrar o filho. Muito aflitos, foram apressados de volta a Jerusalém à procura do menino. Procuraram, até se cansar, pelas ruas e praças. Depois de três longos dias de procura e ansiedade, encontraram-no no Templo, sentado entre os doutores da lei.

Jesus fazia perguntas difíceis aos sacerdotes e atento os ouvia. Também os homens faziam perguntas a Jesus e se admiravam com suas respostas. Eram respostas muito sábias para um jovem de apenas doze anos.

Logo que o viram, José e Maria ficaram aliviados e, ao mesmo tempo, maravilhados. Ela perguntou, com zelo de mãe: "Filho, por que você fez isso? O seu pai e eu estávamos tão aflitos procurando por você!"

"Desculpem-me, mas não deveriam se preocupar. Vocês não imaginaram que eu poderia estar na casa de meu Pai?", respondeu carinhosamente Jesus.

José e Maria não compreenderam as palavras de Jesus. Deus queria falar a todos diretamente, usando as palavras de Jesus!

A Pregação de João Batista

Lucas 3

SETEMBRO - DIA 28

João era o filho que Zacarias e Isabel tanto queriam. Deus tinha concedido a eles essa felicidade. Mas Deus tinha uma missão especial para João. Ele seria também um mensageiro de Deus.

Muitos acreditavam nas escrituras que profetizavam a vinda do Salvador ao mundo. Outros julgavam ser tudo bobagem. Antes de Jesus nascer, Deus designou João para ir preparando o povo, pois um Salvador estaria diante deles, brevemente.

Certo dia, Deus chamou João no deserto e disse a ele que percorresse toda a região ao redor do rio Jordão. João ensinava que as pessoas deveriam se arrepender das atitudes erradas. Ele pregava também o batismo, para que todos fizessem parte do Reino de Deus.

"Vocês devem se dedicar a praticar somente o bem, pois o reino dos céus está prestes a chegar. Procurem agir com bondade e justiça, conforme os Mandamentos de Deus, e sejam batizados!", pregava ele, confiante e cheio de fé.

Muitos criam e eram batizados ali mesmo, nas águas do rio Jordão. Além disso, João esclarecia a todos que em breve viria o Messias prometido, o Salvador.

Uma Regra a ser Obedecida

Lucas 3

SETEMBRO - DIA 29

João pregava o evangelho ao povo e o incentivava a seguir os Mandamentos de Deus. Muitos chegaram a pensar que ele era o próprio Cristo, outros acreditavam que ele tinha o espírito de Elias.

Mas João era claro em suas palavras: "Eu batizo vocês com água, mas vem um que é mais poderoso do que eu. Não sou sequer digno de desatar as sandálias que Ele calça. Esse, sim, vai batizar vocês com o Espírito Santo."

Multidões vinham até João e o interrogavam sobre o que fazer. Ele, então, respondia: "Quem tiver duas peças de roupa, deve repartir dando uma a alguém que não tenha. Quem tiver comida suficiente deve compartilhar com alguém que esteja com fome."

Alguns publicanos que foram se batizar com ele também perguntaram o que deveriam fazer para mostrar que haviam mudado de vida. E João lhes respondeu: "Não cobrem taxas além das que foram estipuladas!" (Naquela época, muitos publicanos eram responsáveis por cobrar os impostos).

Soldados também se converteram e perguntaram a João a mesma coisa. Ele sabiamente respondeu: "Não maltratem ninguém. Não deem falso testemunho sobre qualquer coisa e fiquem contentes com o salário que recebem."

Assim, dia após dia se espalhava a notícia de que

havia um homem chamado João que anunciava o evangelho e batizava as pessoas que queriam participar do Reino de Deus. Com o tempo, começaram a chamá-lo de João Batista, porque ele batizava.

Como existem pessoas boas e generosas neste mundo!

O Batismo de Jesus

Mateus 3

SETEMBRO - DIA 30

Certo dia, Jesus foi à região da Galileia onde passava o rio Jordão. Ele queria ser batizado por João. No mesmo instante em que viu Jesus, João sabia que era o

Salvador. João não se julgava digno de batizar o Filho de Deus e disse: "Eu é que preciso ser batizado por você, e não você ser batizado por mim!"

Mas Jesus tinha uma resposta sábia para tudo: "Devemos fazer conforme o desejo de Deus, portanto convém que eu seja batizado."

E, então, João admitiu que Jesus tinha razão. Deus queria que Jesus fosse batizado como todas as outras pessoas. Isso serviria de exemplo, mostrando que também era obediente a Deus em qualquer situação.

João levou Jesus ao rio e o batizou, mergulhando nas águas o seu corpo. Assim que Jesus saiu da água, os céus se abriram, e sobre Ele o Espírito de Deus desceu na forma de uma pomba. Em seguida, Jesus ouviu uma voz vinda dos céus que dizia: "Este é o meu Filho amado! Eu o amo, e Ele só tem dado alegrias!"

Satanás Tenta Jesus

Mateus 4

OUTUBRO - DIA 1º

Depois de seu batismo, Jesus foi levado pelo Espírito para o deserto. Lá, Satanás, o espírito mau, iria tentá-lo.

Por quarenta dias e quarenta noites nada comeu, por isso estava com muita fome. Então, o espírito tentador se aproximou Dele e disse: "Ora, vejam só! Se você é mesmo o Filho de Deus, use o seu poder e mande transformar estas pedras em pães."

"Está escrito que nem só de pão viverá o homem, mas viverá também de toda palavra que procede da boca de Deus!", disse Jesus, conhecendo as escrituras e a intenção do mau espírito.

Em seguida, Satanás levou Jesus a Jerusalém, colocou-o na parte mais alta do Templo e disse: "Muito bem, Jesus! Se você é mesmo o Filho de Deus, jogue-se daqui e ordene aos anjos que o salvem!"

Mas Jesus, conhecendo a intenção maligna, disse, sem duvidar: "Também está escrito que você não tentará o Senhor Deus ."

Como Satanás sabia que suas tentações não estavam funcionando, levou Jesus a um monte bem alto e mostrou a Ele todos os reinos do mundo.

"Jesus, eu vou dar a você todos estes reinos, suas riquezas e glórias, se você se curvar diante de mim em sinal de adoração!", disse o enganador.

Jesus respondeu, glorioso: "Só devemos adorar ao Senhor Deus e somente a Ele faremos culto."

E com isso, o espírito mau foi embora, pois não tinha como tentar a Jesus. Quem realmente só quer ter Deus no coração não se deixa enganar por ninguém!

Jesus e os Pescadores

Marcos 1

OUTUBRO - DIA 2

Algum tempo depois, João Batista foi preso. Ele era acusado de contrariar as ideias do governo. E, nesse tempo, Jesus foi à Galileia para pregar o evangelho do Senhor. Anunciava também que as pessoas deveriam crer no evangelho e se dedicar a praticar o bem para que fizessem parte do Reino de Deus.

O rei que havia prendido João não gostava do que ele pregava. João falava sem cessar de um novo rei que governaria sobre Israel. Isso é que desagradou muito ao rei.

Jesus, entretanto, continuava a sua missão. Caminhando junto ao mar da Galileia, viu dois irmãos pescadores: Simão, que mais tarde Jesus chamou de Pedro, e André. Jesus foi logo dizendo aos dois que lançavam suas redes ao mar:

"Venham comigo, e eu farei de vocês pescadores de homens!"

Sem demora eles aceitaram o convite e seguiram Jesus. Os dois pescadores estavam tão felizes que até esqueceram as redes jogadas ali, na beira do mar.

Um pouco mais adiante, eles viram Tiago e seu irmão João, que estavam em um barco consertando as redes para a pesca. Jesus os chamou, e eles rapidamente seguiram o Mestre (assim o chamavam por causa de seus ensinamentos). No barco ficou o pai deles (Zebedeu) para cuidar de tudo.

Jesus tinha o poder da palavra. Confiava tanto no que dizia que todos se deixavam convencer ao ouvi-lo! Que bom!

Um Casamento na Galileia

OUTUBRO - DIA 3

João 2

Jesus e seus discípulos iam a todos os lugares. Os discípulos acompanhavam Jesus. Ouvindo-o, aprendiam muito sobre Deus e se sentiam capazes de pregar as boas novas para o povo.

Certa vez, houve um casamento na Galileia. A mãe de Jesus foi convidada. Ele e seus discípulos também foram convidados para aquele acontecimento alegre. Depois da cerimônia, todos os convidados foram recepcionados em uma festa onde havia muita comida gostosa. Havia também vinho, que era a bebida de costume na época.

De repente, surgiu um imprevisto: tinha terminado o vinho. Havia muitos convidados, e não calcularam bem a quantidade de bebida a ser servida na festa. Maria viu o desespero dos servos por saberem que não havia mais vinho para servir. Era muito embaraçoso para todos.

Ela resolveu falar com Jesus: "Filho, infelizmente o vinho acabou!"

"Não se preocupe, mãe! Mas ainda não é hora de eu agir!", disse Jesus.

Maria sabia que Jesus faria alguma coisa para ajudar.

Ela mandou que os servos fizessem tudo o que Jesus pedisse.

Todas as atitudes bondosas são reflexos de Deus!

A Água é Transformada em Vinho

OUTUBRO - DIA 4

João 2

Naquele local, onde estavam conversando Maria e Jesus, havia seis enormes talhas de pedra que eram usadas pelos judeus para as purificações antes das refeições. Cada uma podia conter muitos litros de água.

Diante daquelas vasilhas, Jesus pediu aos servos: "Por favor, encham estas talhas de água!"

Depois Jesus pediu: "Coloquem um pouco num copo e o levem ao mestre-sala." Imediatamente atenderam ao pedido de Jesus.

O mestre-sala bebeu o que havia no copo e solicitou: "Chamem o noivo, por favor!"

Assim que o noivo se aproximou, o mestre-sala disse: "É costume servir primeiro o bom vinho e, somente quando todos os convidados já tenham bebido bastante, serve-se o vinho inferior. Mas você, meu jovem, me surpreendeu, guardando até agora um vinho ainda melhor do que o que já foi servido nesta festa!"

Os discípulos sabiam que Jesus havia transformado a água em vinho. Esse foi o Seu primeiro milagre. Poucas pessoas na festa sabiam realmente o que havia acontecido, e o que Jesus tinha feito para solucionar o problema. Maria era uma delas, pois acreditava no poder de Deus. Essa maravilha fez com que os discípulos cressem muito em Jesus.

Bem depressa, muitos ficaram sabendo que um homem de Nazaré, chamado Jesus, fazia milagres. E muitas pessoas vinham para vê-lo e escutá-lo.

Quando o amor, a justiça e a fé estão em uma pessoa, todos querem dela se aproximar!

As Curas

Marcos 1

OUTUBRO - DIA 5

Num certo sábado, Jesus foi com seus discípulos a um lugar de adoração dos judeus, chamado sinagoga. Lá todos ficaram maravilhados, porque Ele ensinava com sabedoria e autoridade. Cada vez mais as pessoas se mostravam admiradas diante das palavras e atitudes de Jesus.

Depois que Jesus e os discípulos saíram dali, foram à casa de Simão e André. Assim que chegaram, souberam que a sogra de Simão estava com muita febre e acamada. Com olhar bondoso, Jesus se aproximou dela e pegou a sua mão. Instantaneamente, a febre passou. A senhora ficou tão saudável que logo estava servindo comida a todos. A alegria era enorme!

Mas, ao anoitecer, muitas pessoas doentes foram trazidas a Jesus. As notícias de que Jesus fazia milagres haviam se espalhado de tal forma que, assim que descobriam onde Ele estava, saíam ao seu encontro para que curasse os enfermos. O Filho de Deus curou diversas pessoas com diferentes doenças e também deu muita paz aos nervosos e desesperados.

Algum tempo depois, um leproso aproximou-se de Jesus e implorou que o curasse daquela enfermidade tão cruel: "Se você quiser, Senhor, você pode me curar."

Jesus ficou profundamente compadecido e estendeu a sua mão. Tocou o homem com lepra e disse: "Sim! Eu quero que você fique curado!"

No mesmo instante, o homem percebeu que a doença havia ido embora de vez. Jesus pediu ao homem que não contasse a ninguém o que havia acontecido. Pediu-lhe que apenas cumprisse as leis de Deus.

O homem saiu dali com tanta alegria que não se conteve e começou a dizer a todos o que havia acontecido com ele. E, cada vez mais, as pessoas queriam ouvir as palavras de Jesus e estar pertinho Dele. Por esse motivo, não conseguia mais entrar nas cidades. Sempre ficava em algum monte pelos arredores. E o povo O encontrava para escutar sua mensagem e ser curado.

Todas as curas dependem da vontade e da fé. Com as duas no coração, todas as pessoas podem contar com a ajuda de Deus.

As Pessoas Vão Até Jesus

Marcos 2

OUTUBRO - DIA 6

Aonde quer que Jesus fosse, logo uma multidão o seguia. Certa vez, Jesus foi à cidade de Cafarnaum e hospedou-se em uma pequena casa. Pouco demorou para que a multidão ficasse sabendo de sua presença ali.

Quando notaram, a pequena casa já estava lotada de pessoas. Todos chegavam curiosos, esperançosos e cheios de vontade para ouvir as palavras de Jesus. Como não havia lugar para todas as pessoas dentro da casinha, muitos ficaram ouvindo do lado de fora, tentando encontrar um lugar onde pudessem melhor escutar e ver o Mestre.

Chegaram também quatro homens prestativos que carregavam um paralítico em uma maca. Queriam aproximar-se de onde Jesus estava. Mas, para tristeza desses homens, não havia como chegar perto. A casa estava lotada, a multidão se apertava para tentar obter o melhor lugar junto ao Mestre.

Como não encontraram solução melhor, resolveram abrir um caminho pelo telhado. Ergueram o amigo paralítico e o baixaram na maca através de um buraco no telhado. Tudo isso para que ficasse bem pertinho de Jesus.

Quando Jesus percebeu a enorme fé que aqueles quatro amigos tinham, disse ao paralítico: "Filho, os teus pecados estão perdoados! Levanta e anda!" No mesmo instante, muito emocionado e agradecido, o homem se levantou e foi embora caminhando.

Ninguém conseguia conter sua admiração e alegria ao presenciar um milagre tão maravilhoso. Os olhares de surpresa acompanhavam os passos do homem que ia para sua casa como se nunca tivesse sido paralítico.

Para Deus nada é impossível!

Ajuda para Pecadores

OUTUBRO - DIA 7

Marcos 2

Jesus viajava por todo o país, passava por várias cidades e vilarejos pregando a Palavra de Deus. Enquanto pregava, muitos iam se convertendo e acabavam se transformando em seus discípulos e seguidores.

Certo dia, pelo caminho por onde andava, Jesus viu Levi, que estava sentado à beira da estrada. Ele era coletor de impostos. E Jesus lhe pediu: "Siga-me!" Levi, que depois foi chamado de Mateus, levantou-se e seguiu Jesus.

À noite, muito contente, Mateus foi preparar um banquete especial em sua casa para Jesus, seus discípulos e para muitos outros que o seguiam. Entre eles havia muitos publicanos e pecadores. Estavam também presentes ali alguns líderes religiosos, os fariseus.

Quando esses fariseus viram que Jesus comia na companhia de pecadores de todos os tipos e de publicanos, perguntaram baixinho aos discípulos do Mestre: "Por que Ele come e bebe com esta gente má?"

Jesus ouviu o comentário deles e, antes que alguém respondesse, Ele mesmo explicou: "Aqueles que têm saúde não precisam ir ao médico, mas os que estão doentes precisam. Eu não vim só para ficar com os que são bons e justos; eu vim, principalmente, para salvar os

pecadores."

As pessoas que cometem erros não devem ser afastadas. Elas precisam de ajuda para saber como agir com bondade!

Jesus Cura no Sábado

OUTUBRO - DIA 8

Marcos 3

Jesus conhecia todos os Mandamentos de Deus e obedecia a eles também. Em um dos mandamentos, Deus expressava seu desejo de que o povo trabalhasse

seis dias, mas no sétimo deveria descansar. Esse sétimo dia seria o sábado do Senhor. Deveria ser um dia santo, com a finalidade de louvar e agradecer a Deus pelas bênçãos recebidas.

Num certo sábado, Jesus entrou na sinagoga e logo viu um homem que tinha uma das mãos terrivelmente defeituosa. Os fariseus, líderes religiosos, contrários às ideias de Jesus, queriam que Ele dissesse ou fizesse algo errado, algo contra as leis, pois assim teriam como se livrar Dele. Naquele dia, ficaram observando Jesus de longe para ver o que faria com o homem da mão anormal.

"Venha até aqui no meio da sinagoga!", pediu Jesus ao pobre homem. E Jesus dirigiu seu olhar aos fariseus e perguntou: "É proibido nos sábados fazer o bem ou o mal a alguém?

Jesus permanecia calmo, fitando aqueles líderes religiosos. Jesus sabia que eles consideravam a cura uma forma de trabalho no sábado. Jesus sabia também que com isso queriam dizer que as leis estavam sendo desobedecidas. Mas, diante das palavras sérias de Jesus, nada ousaram dizer, ficaram todos em silêncio.

E, voltando-se ao homem, Jesus disse: "Estenda a sua mão." Ele assim o fez, e a mão ficou totalmente curada.

Os líderes fariseus, porém, não se davam por vencidos. Queriam arranjar um jeito de se livrar de Jesus. Retiraram-se para conspirar contra a vida Dele.

Como seria bom se todos entendessem o que é praticar o bem! O mundo seria muito melhor!

Nicodemos Visita Jesus

João 3

OUTUBRO - DIA 9

Os líderes religiosos, naquela época chamados de fariseus, não aprovavam o fato de Jesus estar se tornando tão popular e de estar fazendo diversas curas, além de falar do evangelho. Um desses fariseus se chamava Nicodemos, que era um dos principais entre os líderes.

Certa noite, Nicodemos foi se encontrar com Jesus, pois estava muito confuso. Estando diante de Jesus, logo perguntou: "Todos nós sabemos que você é um mestre enviado por Deus. Sabemos que só quem está com Deus é que pode fazer essas curas que você tem feito."

E Jesus disse: "Nicodemos, a pura verdade é que se alguém não nascer de novo, não pode ver o Reino de Deus."

Nicodemos ficou pensativo com a resposta de Jesus. "Como é que uma pessoa já adulta pode nascer de novo? É por acaso possível voltar ao ventre da mãe e nascer uma segunda vez?", Nicodemos perguntou, tentando entender o que o Mestre tinha dito.

"A verdade é que todos nós nascemos uma só vez na carne, mas quem não nascer do Espírito não pode jamais entrar no Reino de Deus. As pessoas só enxergam um bebê quando ele nasce, pois é algo carnal. Mas Deus enxerga o que nasce do Espírito!", respondeu Jesus.

Nicodemos fez um último questionamento: "Como é que isso acontece, Mestre?"

E Jesus disse francamente: "Você, que é um professor religioso em Israel, deveria compreender essas coisas! Vocês não creem sequer nas coisas terrenas, quanto mais nas coisas celestiais!"

Deus somente quer que todos tenham muita fé. O restante Ele providencia para que haja felicidade!

Deus e o Seu Amor pelo Mundo

João 3

OUTUBRO - DIA 10

Jesus continuou explicando a Nicodemos qual era o plano de Deus para as pessoas. Mas aquilo tudo lhe era confuso.

Jesus lhe contou o motivo pelo qual Deus O havia enviado ao mundo, e o que as pessoas precisariam fazer para participarem do Seu reino.

"O Filho de Deus desceu do céu para resgatar os que querem estar no caminho do bem. Moisés, no deserto, levantou a serpente para que o povo olhasse e ficasse curado; assim também acontecerá com aqueles que crerem no Filho de Deus. Todo aquele que Nele crer terá a vida eterna!", disse Jesus, "Deus amou o mundo de tal forma que enviou o Seu único Filho para que quem Nele crer tenha a vida eterna. Deus enviou o Seu Filho não para julgar o mundo, mas para que o mundo seja salvo por Ele!"

Jesus continuou a expor a Nicodemos os propósitos de Deus ao enviar o Seu Filho a este mundo. E Jesus era a própria luz que tinha sido enviada a todos.

As pessoas, porém, sempre dão mais importância e valor às trevas, porque gostam mais de fazer coisas más do que boas. Assim, todos os que praticam o mal querem se afastar da luz, que é Jesus, para que as suas obras não sejam vistas. Mas aqueles que agem conforme a verdade se aproximam da luz para que as suas obras sejam conhecidas, pois são feitas como Deus quer.

Jesus é a Água da Vida

João 4

OUTUBRO - DIA 11

Muitos fariseus já estavam preocupados, porque multidões seguiam Jesus, e muitos eram batizados e se tornavam seus discípulos. Jesus resolveu, então, sair da Judeia e viajar para a Galileia. Para tanto, era necessário que Ele e seus discípulos atravessassem a província de Samaria.

Depois de muito caminharem, chegaram a uma cidade samaritana. Os discípulos foram até a cidade ver se arranjavam comida. Jesus ficou perto de um poço de onde as pessoas tiravam água. Logo chegou ali uma mulher samaritana, e Jesus pediu:

"Por favor, dê-me água!"

A mulher olhou-o muito espantada. Naquela época, judeus não se davam bem com os samaritanos, por isso eles nunca se falavam.

"Como é que você, sendo um judeu, me pede água para beber? A mim, que sou uma mulher samaritana?", questionou ela, estranhando aquela atitude do estranho judeu.

Mas Jesus não demorou a responder: "Se você conhecesse o dom de Deus, você é que me pediria água, e eu lhe daria a água da vida!"

Ela viu que Jesus não tinha potes nem jarras ou qualquer outra coisa para tirar água daquele poço.

"Senhor, estou vendo que nada possui para tirar água. Onde está a água da vida?", perguntou a samaritana.

"Veja bem, quem beber da água deste poço voltará a ter sede sempre. Porém, a pessoa que beber da água que eu der nunca mais terá sede. Essa pessoa terá uma fonte de água que jorra para a vida eterna", disse Jesus.

Ela estava muito interessada e não hesitou em dizer: "Eu quero dessa água, Senhor, por favor, dê-me dessa água e assim eu não terei de vir mais até este poço."

A mulher samaritana ficou espantada ao ver como aquele homem judeu sabia tanto sobre a vida eterna. Para ela, Jesus só podia ser um profeta de Deus. Bastante alegre, foi correndo à cidade. Queria contar às pessoas ter conhecido um homem que, no seu parecer, era Cristo, o Messias prometido.

Os ensinamentos de Deus, através das palavras de Jesus, satisfazem plenamente o espírito de todos na Terra.

Jesus Cura o Filho de Um Oficial do Rei

João 4

OUTUBRO - DIA 12

Jesus e seus discípulos passaram dois dias naquela cidade de Samaria. Muitos samaritanos, por causa das palavras da mulher, creram no Messias. Mas creram ainda mais ao escutarem as palavras de Jesus.

Dias depois, o Mestre e seus discípulos partiram em viagem rumo a Caná, onde Jesus havia feito o seu primeiro milagre, a transformação da água em vinho. Logo que chegaram à cidade, um oficial do rei veio falar com Jesus. Ele pediu, bastante aflito: "Por favor, Mestre, meu filho está muito doente e creio que morrerá!"

Jesus lançou um desafio: "Se por acaso você não vir sinais e milagres, ainda assim crerá em mim?"

O oficial confirmou e rogou novamente que Jesus se apressasse em socorrer o seu filho.

E o Mestre disse: "Pode ir para casa, o seu filho está vivo!"

O oficial do rei creu de todo o seu coração nas palavras de Jesus e voltou para a sua cidade. No caminho, encontrou alguns dos seus servos que estavam indo ao seu encontro. Contaram-lhe que o seu filho estava curado.

"A que horas ele ficou bom?", perguntou o oficial aos seus servos.

Com a resposta, o oficial constatou, feliz, que fora exatamente naquela hora em que Jesus esteve falando com ele. E sabia que seu filho estava curado, porque ele crera em Jesus. Toda a família do oficial creu em Jesus.

Quem opera milagres é somente Deus. Ele o faz através de pessoas muito especiais!

João Batista é Preso

Marcos 6

OUTUBRO - DIA 13

O povo judeu não era totalmente livre. Vivia sob o domínio do império romano que controlava tudo. O rei Herodes, escolhido pelo imperador romano para governar aquelas regiões, era muito rigoroso, severo. Ele havia tomado a esposa de seu irmão, chamada Herodias, para ser sua mulher. Herodias era uma mulher cruel e vingativa.

Naqueles dias, João Batista tinha sido preso por ordens do rei. Mesmo preso, ele continuava mostrando a todos que deveriam somente praticar o bem, propondo-se a não mais errar, em obediência às leis de Deus. Nem mesmo o rei escapava de seus comentários.

Certo dia, João disse a Herodes: "O que você fez não foi correto diante de Deus. Você tomou a mulher do seu irmão; isso não é justo!"

Herodes não gostou do que escutou. Sentiu ódio a João. Mas sabia que João Batista era um homem justo e santo. Por isso, mesmo mantendo-o preso, de tempos em tempos, o rei escutava o que João dizia, pois ele era um homem sábio.

No dia de seu aniversário, Herodes mandou fazer uma grande festa. Mandou convidar muita gente importante, militares, pessoas da nobreza e outros. Num dado momento da festa, a filha de Herodias fez uma apresentação. Ela era dançarina. Herodes gostou muito de vê-la dançando. Entusiasmado, decidiu presenteá-la com qualquer coisa que ela pedisse.

A moça cochichou com sua mãe Herodias para saber o que deveria pedir ao rei. Muito má e alimentando muito ódio a João, Herodias aconselhou a filha a pedir a cabeça de João Batista.

"Quero que a cabeça de João Batista seja trazida num prato imediatamente!", pediu a moça.

Herodes ficou triste. Jamais imaginara um pedido daqueles. Chegou a arrepender-se da promessa feita, mas como havia jurado dar o que ela pedisse, teve de manter a sua palavra. Então, mandou que o carrasco trouxesse, numa bandeja, o que lhe pedira a filha.

É preciso refletir muito bem antes de qualquer promessa. Elas sempre têm de ser cumpridas. É bom que não sejam promessas perigosas!

O Sermão do Monte

Mateus 5

OUTUBRO - DIA 14

Havia vários homens que seguiam Jesus. Mas o Mestre queria alguns em especial que estivessem sempre ao seu lado, ajudando, acompanhando e aprendendo. Por isso, Jesus escolheu doze homens que, apesar de terem personalidades distintas, profissões diferentes, gênios opostos, estariam sempre junto Dele para aprender e pregar o Evangelho de Deus.

Dentre os muitos discípulos Jesus escolheu: Pedro, André, Tiago, João, Filipe, Bartolomeu, Mateus, Tomé, Tiago (filho de Alfeu), Simão, Judas e Judas Iscariotes.

Certa vez, havia uma multidão que tinha vindo até o monte onde Jesus e seus discípulos estavam. Todos queriam ouvir as palavras de Jesus e ser curados de suas doenças. Também vieram muitos que eram perturbados por espíritos ruins e desejavam ser libertos daquele mal.

Todos queriam tocar Jesus, pois, assim que O tocavam, eram curados pelo poder do Mestre por sua fé. Mas como havia inúmeras pessoas, Jesus resolveu subir ao monte e de lá falar ao povo. Dessa maneira, todos poderiam ouvi-lo melhor.

Jesus ensinava com poder e com vida. Suas palavras tinham muito mais efeito do que as palavras dos sacerdotes das sinagogas.

"Feliz é aquele que tem fome e sede de justiça, porque será saciado." E continuou a pregar.

Naquele dia, Jesus lembrou a todos o mandamento de Deus sobre não matar outra pessoa e acrescentou que todo aquele que, sem motivo, ficasse furioso contra um outro, também estaria pecando.

Jesus ainda disse que não deveríamos amar somente aquele que nos faz o bem, mas também amar o nosso inimigo, o que é muito mais difícil. Pediu que as pessoas fossem bondosas umas com as outras, para que servissem de exemplo aos que ainda não acreditavam em Deus.

"Sejam verdadeiros e tenham um coração limpo e vocês verão a Deus. Felizes são aqueles que querem que a paz reine. Estes serão chamados filhos de Deus."

Uma Casa Sobre um Fundamento Sólido

Mateus 7

OUTUBRO - DIA 15

Na época de Jesus, as pessoas costumavam contar histórias. Essas histórias eram contadas com o propósito de dizer certas verdades de uma maneira mais fácil, para que todos compreendessem. As histórias eram chamadas de parábolas. Jesus gostava muito de ensinar sobre Deus, por meio de parábolas.

Certo dia contou a seguinte parábola aos seus discípulos:

"Toda pessoa que acredita nas minhas palavras é como alguém bem prudente que constrói a sua casa sobre uma grande e firme rocha. Pode vir chuva, enchente, vento forte e a casa estará firme, porque foi construída sobre um fundamento sólido. Mas toda pessoa que não crê nas minhas palavras e não as pratica é como alguém insensato que constrói a sua casa sobre a areia. Virá a chuva, os rios transbordarão provocando enchentes, ventos fortíssimos baterão contra a casa, e ela desmoronará e será levada embora."

Com isso, Jesus quis mostrar o quanto é importante que as pessoas tenham uma base bem sólida em suas vidas, isto é, elas devem seguir as leis de Deus e viver em amor uns com os outros, conforme Jesus sempre estava dizendo.

A Parábola do Semeador

Marcos 4

OUTUBRO - DIA 16

Jesus andava por todos os locais. Não importava o quão simples fosse o lugar, lá estava. Certa ocasião, Jesus voltou a ensinar à beira-mar. Em poucos minutos, a praia estava cheia de pessoas. Todas queriam escutar o que tinha a dizer. Como o número de pessoas era muito grande, Jesus resolveu entrar em um barco e se afastar um pouquinho da beira da praia. Assim todos poderiam escutá-Lo e vê-Lo. Começou, então, a contar a seguinte parábola:

"Certo semeador saiu para semear. Algumas das sementes que ele lançou sobre a terra caíram na beira do caminho e os passarinhos comeram. Outras caíram em uma área de muitas pedras, e nasceram plantinhas muito expostas ao Sol, por isso, acabaram se queimando e secando. Outras sementes caíram entre espinhos e, assim que brotaram, os espinhos as sufocaram, e elas não deram frutos também. Mas uma parte das sementes caiu em um solo bom, bem fofo e muito fértil. Elas logo brotaram, cresceram fortes e saudáveis e começaram a dar frutos."

Muitos dos que ali estavam não entenderam o significado daquela história e algumas pessoas perguntaram sobre a parábola novamente.

"O semeador é toda pessoa que semeia a Palavra de Deus. Muitos não acreditam na Palavra Divina por algum motivo. Apenas alguns escutam e aceitam a Palavra de Deus e passam a viver conforme os Seus Mandamentos", esclareceu Jesus.

Seria muito bom se todas as pessoas fossem como as sementinhas que florescem fortes e saudáveis! Seria bom se todos, como aquele solo fértil, acolhessem as palavras de Jesus!

As Parábolas do Grão de Mostarda, do Trigo e do Joio

Mateus 13

OUTUBRO - DIA 17

Jesus sempre contava parábolas, porque queria que as pessoas entendessem tudo sobre o Reino de Deus. Jesus se pôs, certa vez, a contar novas parábolas. Entre elas, uma era sobre o trigo e o joio; outra sobre o grão de mostarda; e outra sobre o fermento.

"O Reino de Deus é como uma pessoa que só planta boas sementes, mas vêm alguns inimigos seus para semear joio (é uma planta daninha) no meio das sementes boas de trigo. Tanto o trigo quanto o joio crescem. No início, enquanto brotam, não se podem perceber as ervas daninhas no meio da plantação de trigo. Mas, na hora da colheita, pode-se ver bem a diferença entre o trigo e o joio. Então, o trigo é colhido e armazenado no celeiro, e o joio é separado para ser queimado."

Momentos depois, lá estava Jesus contando outra história para que entendessem melhor o Reino de Deus.

"O Reino dos Céus é parecido com um grão de mostarda que alguém pegou e plantou em seu campo. Como vocês sabem, o grão de mostarda é a menor de todas as sementes, no entanto, depois que brota e cresce, vira uma das maiores plantas. O pequenino grão se transforma em uma árvore grande em cujos ramos até mesmo os passarinhos encontram abrigo."

Em seguida, Jesus relatou mais uma parábola:

"A Palavra de Deus sobre o Reino dos Céus é parecida com o fermento que uma mulher coloca no meio de uma boa quantidade de farinha para fazer pães. O fermento age e faz com que o pão cresça."

Há muitas coisas como o joio que tentam sufocar e tomar o lugar da fé verdadeira, mas, no fim, são destruídas. A fé pode muitas vezes parecer pequena como um grão de mostarda ou até mesmo um punhado de fermento, mas, se for bem trabalhada, poderá fazer crescer e espalhar a mensagem do amor de Deus por meio de Cristo.

Jesus Acalma Tempestade no Mar

Marcos 4

OUTUBRO - DIA 18

Já era tarde naquele dia e, depois de contar as parábolas, Jesus e seus discípulos decidiram ir pelo mar até a outra margem. Jesus pediu que as pessoas fossem para as suas casas, pois já estava anoitecendo. Então, o Mestre e seus discípulos puseram mãos à obra para a travessia das águas do mar. Muito cansado, deitou-se na popa do barco e dormiu.

Os discípulos estavam ocupados com os afazeres na embarcação. Muitos tinham experiência; eram pescadores e sabiam lidar bem com barcos. Aconteceu, porém, que, sem perceberem, de um minuto para o outro, surgiu um temporal terrível.

Ventos sopravam fortemente, formando ondas gigantescas que logo começaram a bater com força contra o barco. A água o invadia por todos os lados e já começava a enchê-lo. Os discípulos fizeram tudo o que podiam, mas a situação era muito ruim. Tranquilo, Jesus ainda dormia. Então, resolveram acordá-lo: "Mestre! Você não se importa conosco? Nós vamos morrer!"

Jesus se levantou e, com poder e autoridade, disse ao vento e ao mar: "Acalmem-se! Fiquem quietos!" E logo todo o mar estava tranquilo. Apenas uma suave brisa soprava ali.

Jesus olhou seus discípulos e disse com voz firme: "Por que vocês são assim? Por que não tiveram fé?" Mas eles não conseguiram dizer nada, ainda estavam muito apavorados com os acontecimentos. Entre eles, comentavam baixinho: "Quanto poder foi dado a Ele, a quem até o mar e o vento obedecem?"

Aquilo era muito intrigante e foi motivo de reflexão por muito tempo ainda. Nada pode assustar quando a fé em Deus é maior que tudo.

A Cura de uma Mulher

Marcos 5

OUTUBRO - DIA 19

Assim que Jesus cruzou o mar da Galileia, desembarcou em uma praia e uma grande multidão reuniu-se novamente para escutá-Lo. Um homem chamado Jairo, que era um dos principais da sinagoga, aproximou-se de Jesus. Jairo se ajoelhou e se curvou diante Dele. Com grande insistência, Jairo pediu por sua filhinha que estava à beira da morte.

"Venha e imponha as mãos sobre ela para que fique curada e viva!", implorava Jairo, em desespero.

Jesus compreendeu a aflição daquele pai e foi com ele. A multidão seguia Jesus. Entre os muitos seguidores, estava uma mulher que sofria de grave doença por doze anos. Nenhum médico conseguira solucionar o seu problema. Mas ela tinha fé, acreditava que se pudesse somente tocar nas vestes de Jesus, seria curada daquela enfermidade. E Jesus sentiu que alguém tinha tocado em seu manto.

"Quem me tocou?", perguntou Jesus.

"Deve ter sido a multidão, Senhor. Veja como todos estão apertados ao seu redor!", explicaram os discípulos.

Mas Jesus sentiu que alguém tinha tocado Nele de modo especial. E a mulher, temendo e tremendo, aproximou-se, prostrou-se diante de Jesus e contou o seu sofrimento.

"Minha filha," disse Jesus com carinho, "você teve fé e por isso está salva. Vá em paz! Você está curada deste mal."

A Cura da Filha de Jairo

Marcos 5

OUTUBRO - DIA 20

Jesus ainda estava falando com a mulher, quando surgiram alguns principais da sinagoga, avisando Jairo que sua filha já não mais respirava. Muito aflito com a notícia, Jairo se dirigiu a Jesus e lhe suplicou ajuda.

"Ela já não vive, Jairo. Não incomode o Mestre!", disseram eles.

Mas Jesus pediu que Jairo não temesse, que cresse totalmente Nele. E somente Jesus, Pedro, Tiago e João foram com Jairo ver a menina.

Quando chegaram à sinagoga onde a jovenzinha estava, ouviram o choro de muitos. Todos estavam ainda mais tristes, porque a criança tinha só doze anos.

"Por que vocês estão chorando? A menina está apenas dormindo!", disse Jesus calmamente.

Os que estavam ali não acreditaram em Jesus, e por isso mandou que se retirassem. Jesus pediu a Jairo e à sua esposa que entrassem com Ele no aposento em que se encontrava a menina.

"Menina, eu estou pedindo que você se levante!", disse Jesus com autoridade.

Os pais da menina não conseguiam acreditar. A menina estava de pé, sã e salva. Jesus pediu que eles não contassem a ninguém o que havia acontecido ali e também que dessem comida à filhinha.

Crer em Deus é renascer para uma vida melhor!

A Cura de Dois Cegos

Mateus 9

OUTUBRO - DIA 21

Felizes com a cura da menina, partiram dali, Jesus, seus discípulos e outros seguidores. Caminhavam já por longo tempo, quando Jesus percebeu que entre os muitos seguidores havia dois cegos que suplicavam: "Tenha compaixão de nós, Filho de Davi!"

Jesus observou-os carinhosamente e julgou necessário fazer uma pergunta aos dois: "Vocês creem que eu possa curá-los?"

Eles responderam firmemente: "Sim, Senhor!"

Jesus conhecia o coração das pessoas e sabia que havia sinceridade naquelas palavras. Ele chegou perto dos cegos e os tocou nos olhos, dizendo: "Que se faça conforme a sua fé!" E os dois homens podiam, então, enxergar perfeitamente. Jesus pediu a eles que não comentassem o fato com ninguém. Mas, assim que saíram, logo espalharam a notícia do poder de Jesus por todos os lugares.

Aquilo deixava os líderes judeus muito insatisfeitos. Os fariseus não gostavam de saber que Jesus podia fazer tantos milagres no meio do povo.

Certo dia, trouxeram um homem mudo, cujo espírito estava muito perturbado. Assim que Jesus o viu, expulsou o demônio, colocou paz em seu espírito e deu-lhe a bênção de Deus. E o homem se sentiu curado. As multidões ficavam admiradas! As notícias se espalhavam rapidamente.

Sempre muito descrentes, os fariseus só sabiam criticar e comentar: "Ele deve ser o próprio Satanás para poder tirar coisas ruins do espírito!"

Jesus continuava em sua missão. Percorria vilas e cidades, ensinava nas sinagogas, pregava o Evangelho do Reino e curava os enfermos.

A Pecadora que Lavou os Pés de Jesus

Lucas 7

OUTUBRO - DIA 22

Os fariseus desconfiavam de Jesus. Não conseguiam aceitá-lo como o Messias prometido. Estavam sempre prestando atenção ao que Jesus dizia ou fazia para que pudessem desmascará-lo.

Um fariseu chamado Simão convidou Jesus para jantar em sua casa. Jesus aceitou o convite e logo se assentou à mesa. Sabendo que Jesus estava ali, uma mulher pecadora, carregando um pote com óleo aromático, foi até lá. Sem causar tumulto, de mansinho e sem interromper aqueles que estavam à mesa, ela se colocou aos pés de Jesus. Sabia que era pecadora, mas estava muito arrependida e, com suas lágrimas, molhou os pés de Jesus, enxugou com seus próprios cabelos e beijou aqueles santos pés. Em seguida, passou neles o óleo aromático que havia trazido.

Simão, o fariseu, ao ver aquilo pensou consigo mesmo que, de forma alguma, Jesus poderia ser um profeta; se fosse não permitiria que a mulher pecadora o tocasse.

Jesus sabia o que se passava na mente de Simão e disse: "Simão, quero dizer-lhe uma coisa!"

"Fale, Mestre!", pediu o fariseu.

"Certo homem tinha dois devedores; um devia muito dinheiro, o outro apenas um pouco de dinheiro. Os dois devedores não tinham como saldar a dívida, então o homem perdoou aos dois sem levar em conta as quantias. Qual é o devedor que vai amar mais a esse homem por lhe ter perdoado a dívida?", perguntou Jesus.

"Bem, suponho que aquele cuja dívida fosse mais elevada", respondeu o fariseu.

"Muito bem, Simão! Você julgou corretamente!", disse Jesus, "Veja bem, você me convidou para jantar em sua casa. Quando cheguei, você sequer foi capaz de oferecer água para que eu tirasse a poeira dos meus pés, mas esta mulher lavou os meus pés com suas lágrimas, enxugou-os e ainda colocou este óleo aromático. Ela foi perdoada, porque mostrou muito amor e respeito por mim. Aquele que pouco se arrepende é porque pouco ama."

E todos à mesa se admiraram por Jesus ter tanta bondade e autoridade para perdoar aos pecadores.

O Filho da Viúva

Lucas 7

OUTUBRO - DIA 23

Jesus estava indo à cidade de Naim com seus discípulos e com a multidão que sempre O seguia. Quando chegaram à entrada da cidade, viram o cortejo de um funeral que estava passando. Uma viúva ia sepultar o seu único filho. Muitos acompanhavam o sofrimento daquela triste mulher.

Jesus viu e fez ideia da dor que aquela mãe estava sentindo pela perda de seu único filho. Sabia que sua dor era maior por ser viúva também. Ela chorava muito.

Comovido, disse: "Não chore!" e, aproximando-se, mandou que parassem o cortejo.

"Jovem, eu ordeno que você se levante!", disse Jesus.

Logo o rapaz se levantou e começou a falar. Jesus o entregou à sua mãe. Todos que estavam ali ficaram até assustados, mas deram glórias a Deus, dizendo: "Um grande profeta apareceu entre nós, e Deus está mais perto de seu povo."

A notícia de que Jesus havia ressuscitado o filho de uma viúva se espalhou por toda a Judeia e também pelas nações vizinhas. Jesus se compadece das crianças, porque tem muito amor por elas!

As Instruções para os Discípulos

Marcos 6, Lucas 9

OUTUBRO - DIA 24

Os discípulos de Jesus iam com ele a toda parte. Eles aprendiam muito com Jesus e com os exemplos que dava. Sempre que não entendiam muito bem alguma coisa, perguntavam outra vez ao Mestre. E sempre recebiam pacientes explicações. Viram Jesus operar diversos sinais e milagres com poder e autoridade. Também sabiam que Ele falava do Evangelho com coragem e fé.

Jesus deu aos seus discípulos poder e espírito divino para que também ajudassem na cura das pessoas. Mas, acima de tudo, o Mestre queria vê-los pregando sobre o Reino de Deus.

Certo dia, disse Jesus: "Vocês vão viajar pelas cidades e aldeias! Não levem nada consigo durante a viagem. Não levem pão nem dinheiro nem túnicas. Carreguem apenas a roupa do corpo."

A Primeira Multiplicação de Pães e Peixes

Marcos 6

OUTUBRO - DIA 25

Os apóstolos, como também eram chamados os doze discípulos de Jesus, voltaram de suas viagens e foram se encontrar com o Mestre. Entusiasmados, contaram com detalhes tudo o que havia acontecido, o que tinham feito e como haviam ensinado e pregado o Evangelho. Eles haviam percorrido muitos lugares, e muitas vezes a jornada tinha sido bastante cansativa. Jesus sabia disso também.

"Venham repousar um pouco em um lugar mais isolado e bem tranquilo", convidou o Mestre. E foram eles e Jesus, dentro de um barco, para um lugar solitário.

Muitas pessoas sempre os acompanhavam e, logo que viram a direção tomada pelo barco, correram para o local, chegando antes mesmo de Jesus e seus apóstolos. Quando Jesus desembarcou e viu quantas pessoas tinham vindo também de outras cidades, ficou com pena. Pareciam ovelhas que não tinham um pastor para delas cuidar. Em poucos minutos, novamente estava ensinando e falando com a multidão.

Às vezes era difícil para Jesus ficar isolado, ou ter momentos a sós com seus discípulos. Aquele dia estava chegando ao fim. Já era tarde, e o Sol em breve estaria se pondo no horizonte. Os discípulos, muito preocupados, disseram: "Este local é bem isolado, deserto e também já é tarde. É melhor mandar todo esse povo embora para que cada um vá para casa se alimentar."

"Alimentem o povo!", disse Jesus.

Acontece que os discípulos não tinham dinheiro para comprar pão suficiente a todas aquelas pessoas.

Jesus, então, disse: "Quantos pães temos? Vejam e recolham os pães entre o povo!"

E os discípulos responderam: "Somente cinco pães e dois peixes, Mestre."

Jesus pediu que todos se sentassem em grupos de cinquenta pessoas cada um. Ele pegou os cinco pães e os dois peixes, ergueu os olhos ao céu, abençoou os pães e partiu-os. Pediu que os discípulos os distribuíssem. E fez o mesmo com os peixes. Cinco mil pessoas comeram até ficar satisfeitas, e ainda sobraram doze cestos cheios de pedaços de pão e peixe.

Assim como o pão é alimento para o corpo, os ensinamentos de Deus são alimento para o espírito. Esses ensinamentos também podem ser multiplicados por nós!

Jesus Sobre as Águas do Mar

Mateus 14, Marcos 6

OUTUBRO - DIA 26

Logo após a multiplicação dos pães e dos peixes, Jesus apressou os seus discípulos para que fossem ao barco, porque sabia que eles estavam cansados. Eles deveriam embarcar e cruzar o mar em direção a outra cidade. Os discípulos obedeceram.

Enquanto isso, Jesus foi se despedir da multidão. Terminada a despedida, subiu em um monte para orar e ter alguns momentos a sós de comunhão com Deus. Já era muito tarde e começava a escurecer.

De longe, Jesus viu que o barco de seus discípulos estava bem distante, mas percebeu que encontravam dificuldade para remar, porque o vento soprava em direção contrária. Os discípulos se esforçavam demais, mas nada adiantava.

De repente, eles viram Jesus andando sobre as águas em direção ao barco. Não acreditaram no que viam. Pensaram que fosse uma estranha visão ou alguma loucura e gritaram. Nenhum deles conseguia tirar os olhos de Jesus, que os acalmou: "Ei, não fiquem apavorados, sou eu, Jesus!"

Receoso, Pedro disse: "Se você é Jesus, faça com que eu também ande sobre as águas até você!"

E Jesus disse a ele que fizesse o mesmo. Pedro desceu do barco e igualmente começou a andar sobre as águas em direção a Jesus. Mas começou a ter medo da

força do vento e do perigo das águas e, por isso, começou a afundar, gritando: "Socorro, ajude-me, Senhor!"

No mesmo instante, Jesus estendeu a sua mão, salvou-o e alertou: "Pedro, você é um homem que tem pouca fé mesmo, não é? Por que você duvidou?"

Instantes depois os dois subiram ao barco. E o vento forte parou de soprar. Todos os discípulos no barco adoravam Jesus. Sabiam que Ele era, de verdade, o Filho de Deus. Nunca se deve duvidar do poder de Deus. A fé nos dá forças para viver com alegria!

A Mulher Cananeia

Mateus 15

OUTUBRO - DIA 27

Pouquinho tempo depois, Jesus e seus discípulos foram às cidades pregando o evangelho. Em uma delas, uma mulher cananeia estava chorando quando foi pedir ajuda a Jesus: "Senhor, Filho de Davi, tenha compaixão de mim. Minha filha está com o espírito muito perturbado. Ela não está nada bem."

Jesus, quieto, nada respondeu. Então, os seus discípulos disseram: "Mestre, atenda ao pedido desta mulher e mande-a embora. Ela só corre atrás de nós, fica chorando em alta voz e fazendo alvoroço."

Jesus, no entanto, respondeu: "Eu fui enviado para ajudar a encontrar as ovelhas perdidas do Pai. Não é certo pegar o pão dos filhos e jogá-lo aos cãezinhos!" Ele não quis ofender a mulher. Quis dizer com isso que veio ao mundo para salvar dos pecados a humanidade. As pessoas não podiam tomar seu tempo para solucionar problemas menores.

"Sim, Senhor, mas até os problemas menores precisam da ajuda de Deus. Eles são grandes para quem os carrega."

"Ó mulher, vejo que a sua fé é grande! Aquilo que você tanto deseja será concedido a você.", disse o Mestre com bondade.

E, desde aquele instante, a filha da confiante mulher ficou curada. Deus zela por todos e por tudo! Se a fé é grande, todo problema passa a ser pequeno!

Jesus Cura um Homem Surdo e Gago

OUTUBRO - DIA 28

Marcos 7

Jesus e seus apóstolos continuavam em sua caminhada para pregar o Evangelho. Certa vez, em uma de suas paradas, trouxeram diante de Jesus um homem surdo e que mal podia falar. Imploraram que Jesus impusesse as suas mãos sobre o pobre homem. Somente Jesus poderia curá-lo.

Jesus tirou o homem da multidão e se afastaram do tumulto. Pôs seus dedos nos ouvidos do homem e também com sua saliva tocou a língua dele. O Mestre ergueu os olhos ao céu e suspirou, dizendo: "Que se abram!"

Os ouvidos do homem se abriram e, ao mesmo tempo, também o problema da fala sumiu. O homem, bastante emocionado, agradeceu a cura.

Uma vez mais, Jesus não queria que a notícia se espalhasse. Ordenou que não contassem a ninguém. Porém, quanto mais recomendava que não falassem, tanto mais divulgavam o acontecimento.

Todos ficaram maravilhados com a bondade e o

poder de cura de Jesus. Mas Ele sempre alertava que não eram suas mãos que curavam. Era a Vontade de Deus somada à fé da pessoa.

Jesus abre nossos ouvidos para que ouçamos suas palavras. Jesus põe na nossa boca suas palavras. Jesus nos ama e quer que vivamos com Deus no coração!

A Segunda Multiplicação de Pães e Peixes e a Cura de um Cego

OUTUBRO - DIA 29

Marcos 8, Mateus 15

Naqueles dias, surgiu outra vez uma grande multidão atrás de Jesus para ouvi-lo falar. Novamente os discípulos não tinham condições de dar comida a tantas pessoas. Jesus tinha noção de que eram muitos a ser alimentados e sabia bem o que se passava na mente de seus discípulos.

"Eu tenho pena desse povo todo que está aqui", disse Jesus, "Eles estão comigo há três dias e até agora nada comeram. Se eu mandá-los para as suas casas, com certeza vão desmaiar no caminho. Estão realmente com fome; muitos vieram de cidades distantes daqui."

"Como é que alguém pode alimentar tantas pessoas aqui neste lugar tão distante de tudo? É quase impossível", comentaram os discípulos, visivelmente preocupados.

"Quantos pães vocês têm?", perguntou o Mestre.

"Só sete", responderam eles.

Jesus mandou que todos se acomodassem no chão. Pediu que orassem e agradecessem tudo a Deus. Depois, partiu os pães e os deu aos discípulos para que distribuíssem entre o povo. Além do pão, haveria alguns peixes e, da mesma maneira, Jesus abençoou-os e distribuiu pedaços a todos. A multidão matou a fome, e ainda sobraram sete cestos com pedaços de pão e peixe.

Depois desse dia, foram de barco a outra cidade. Lá, um cego foi trazido à presença de Jesus para que o curasse da cegueira. Jesus pegou o cego pela mão e levou-o para fora da aldeia. Colocou saliva em seus olhos e pôs as suas mãos sobre o cego para que fosse curado.

"Você está vendo alguma coisa?", perguntou Jesus.

O cego devagar estava começando a enxergar outra vez, mas a visão ainda não era nítida, e ele disse: "Vejo homens que parecem árvores que andam."

Jesus, então, colocou as suas mãos nos olhos dele outra vez, e o homem logo começou a enxergar tudo perfeitamente.

"Vá para a sua casa e não entre na aldeia!", recomendou Jesus.

Todas essas histórias mostram que o grande milagre é a vida. Jesus ajuda as pessoas a melhor enxergarem e a ouvirem a Verdade de Deus! E quanto mais ficamos com Deus, mais nitidamente enxergamos e ouvimos o que a vida nos apresenta!

A Confissão de Pedro

OUTUBRO - DIA 30

Marcos 8, Mateus 16, Lucas 9

Apesar de todas as ações de Jesus, as pessoas tinham dúvidas a respeito dele. Elas não sabiam ao certo se Jesus era um profeta, se era o Messias prometido, ou um homem com poderes especiais capaz de curar e fazer outros milagres. Havia muitos boatos sobre quem de fato Ele era.

Certo dia, quando partiu com seus discípulos para outras aldeias, resolveu verificar o que se passava na mente de seus próprios discípulos que estavam dia-a-dia em contato com Ele.

"O que o povo diz sobre mim? Quem eles pensam que eu sou?", perguntou Jesus.

Um dos apóstolos, chamado João, respondeu: "Alguns pensam que você é João Batista, outros pensam que é o profeta Elias, e outros, apenas um profeta."

"E para vocês que estão comigo o tempo todo? Quem sou eu na opinião de vocês?", indagou Jesus.

E Pedro prontamente respondeu: "Você é o Cristo, o Filho do Deus vivo!"

Jesus ficou satisfeito e feliz com a resposta. Os

apóstolos sabiam de verdade quem Jesus era e qual a sua missão na Terra. Acrescentou ainda que não deveriam contar a ninguém que Ele era o Cristo, o Salvador, pois precisaria de mais algum tempo para completar tudo o que tinha a fazer. O Mestre contou a eles que ainda iria sofrer muito antes de voltar ao céu.

Seguir a Cristo Exige Renúncia

OUTUBRO - DIA 31

Marcos 8, Mateus 16, Lucas 9

Aos poucos, Jesus ia contando a seus discípulos que teria de ir para Jerusalém. Lá sofreria injustiças, seria acusado pelos principais sacerdotes e também pelos anciãos, e só depois seria crucificado para, então, ressuscitar.

Os apóstolos não compreendiam muito bem aquelas palavras de Jesus e se entristeciam toda vez que o

Mestre tocava no assunto. Pedro, muito temperamental, chamou Jesus à parte e começou a reprová-lo por dizer tais coisas.

"Não, de maneira nenhuma isso vai acontecer com você, Mestre!", afirmou Pedro.

Mas Jesus lhe respondeu: "Você não pode interferir na Vontade de Deus. Todos nós temos de fazer a Vontade do Senhor e não a dos homens." Continuou dizendo a todos os discípulos que, se alguém quisesse segui-lo, teria de negar a si próprio, tomar a sua cruz e segui-lo. Cada um teria de renunciar ao seu jeito de viver, às suas vontades...

"Se alguém quer continuar com a sua vida como ela está, vai perdê-la. Mas quem deixar a sua vida por minha causa terá uma nova vida conforme prega o Evangelho", dizia com bondade o Mestre, "Afinal, que adianta ao homem ganhar um mundo inteiro, se, no final, vier a perder a sua alma?"

Deus, através de Jesus, queria apenas mostrar a todos como conquistar uma nova vida; uma vida de amor e de paz!

A Transformação de Jesus

Mateus 17, Marcos 9 Lucas 9

NOVEMBRO - DIA 1º

Seis dias depois, Jesus chamou dentre os discípulos Pedro, Tiago e João. Somente eles foram com Jesus a um monte bem alto para ficar a sós. Foi diante daqueles discípulos que Jesus assumiu outra aparência.

As Suas roupas ficaram tão brancas e resplandecentes que nada havia na Terra que pudesse deixá-las daquele jeito. Pedro, Tiago e João também perceberam que Elias e Moisés estavam falando com Jesus. O estranho é que Moisés e Elias tinham deixado a vida na Terra havia muitos anos. Os apóstolos, por saberem disso, estavam muito assustados. Estavam realmente sem palavras. Ficaram atentos para vê-los.

Pedro, o menos tímido, resolveu dizer alguma coisa depois de uns instantes: "Mestre, foi muito bom estarmos aqui. Podemos até erguer três tendas: uma para você, uma para Moisés e a outra para Elias."

Pedro, na verdade, não sabia bem ao certo o que dizer. Ele, Tiago e João estavam confusos diante daquela visão. Vagarosamente, uma nuvem chegou suave e os envolveu. Logo ouviram uma voz que disse: "Este é o meu Filho amado. Ouçam-no." Repentinamente, não viram mais ninguém com Jesus; lá estava o Mestre sozinho.

"Vamos descer agora! Mas vocês não devem contar a ninguém sobre o que viram aqui no monte. Pelo menos não contem nada até o dia em que o Filho de Deus ressuscitar!", ordenou Jesus.

Deus sempre quer que as palavras de Jesus sejam ouvidas e seguidas. Quem assim fizer, ganhará uma vida feliz!

A Cura de um Jovem Possesso

Mateus 17, Marcos 9 Lucas 9

NOVEMBRO - DIA 2

Jesus e os três discípulos aproximaram-se dos outros apóstolos que tinham ficado à espera deles e logo viram uma numerosa multidão. Todos discutiam entre si. Assim que a multidão viu Jesus, ficou agitada e correu para cumprimentá-lo.

Jesus perguntou: "O que é que vocês estavam discutindo?"

Mais que depressa, alguém esclareceu: "Mestre, é que eu trouxe o meu filho para que fosse curado pelas Suas mãos! O meu filho espuma pela boca, joga-se no chão, range os dentes e está definhando. Eu supliquei aos seus discípulos que expulsassem o mal de meu filho, mas infelizmente eles não puderam", relatou o homem.

Jesus, aborrecido por saber a causa da discussão, disse: "Vocês são mesmo pessoas sem fé! Até quando serão assim? Tragam o rapaz aqui", pediu Jesus.

Atenderam ao pedido do Mestre. Quando o menino viu Jesus, logo se agitou com violência.

"Desde pequenino é assim, Senhor! Se você puder fazer alguma coisa, por favor, ajude-nos!", implorou o homem.

"Tudo é possível para aquele que crê!", disse Jesus.

O pai do menino disse, com lágrimas em seu rosto: "Eu quero crer! Ajude-me na minha falta de fé!"

Jesus compreendeu o sincero desejo daquele homem. E, com o poder divino somado à fé daquele pai, levou a cura ao menino. Jesus, pegou-o pela mão, ergueu-o e ele se levantou em paz.

O Maior no Reino dos Céus

NOVEMBRO - DIA 3

Mateus 18, Marcos 9 Lucas 9

Apesar de tentar ser tão corretos quanto Jesus, os discípulos eram pessoas como quaisquer outras: sujeitas a falhas. Certo dia, foram até Cafarnaum e, durante a jornada, ficaram discutindo sobre quem era o maior no Reino dos Céus.

Jesus não estava com eles naquela ocasião, mas, quando se reuniram outra vez, o Mestre mostrou-se curioso: "Sobre o que vocês conversaram durante a viagem?"

Nenhum som se ouviu. Todos ficaram calados diante Dele. Sabiam que haviam discutido um assunto muito bobo. Haviam discutido sobre quem seria o maior entre eles, no Reino dos Céus.

Mesmo sem contar uma palavra sequer, Jesus sabia o que se passava na mente de cada um daqueles homens. O Mestre calmamente se sentou e chamou os doze apóstolos para bem pertinho Dele.

"Escutem bem, se alguém quiser ser o primeiro, será o último de todos."

Jesus pegou uma criança que brincava por ali, colocou-a no centro para que todos a vissem, pegou-a

em seus braços e disse: "Vejam, aquele que receber uma criança, assim como esta aqui, a mim recebe. E quem me receber, em consequência receberá Aquele que me enviou", finalizou Jesus.

Para Deus não interessa quem é o melhor ou o maior entre os homens. Para Deus o que vale é ser realmente bom, é seguir os Seus Mandamentos, é receber Jesus e amá-Lo de coração.

Os Primeiros Serão os Últimos

NOVEMBRO - DIA 4

Mateus 20

Para explicar melhor esta questão de quem está ou não está em primeiro ou último lugar no Reino de Deus, Jesus contou a seguinte parábola:

"O Reino dos Céus é como um certo dono de terras. Certa vez, aquele homem saiu de madrugada para fazer um acordo com os trabalhadores. Queria combinar o pagamento para que cultivassem a sua vinha. Ficou acertada a diária a ser paga. E o patrão mandou que fossem,

então, cuidar da vinha.

Mais tarde, viu outros homens desocupados e ofereceu-lhes trabalho. Eles, de imediato, aceitaram a oferta. Três horas depois, o dono saiu e acabou contratando outros trabalhadores desocupados. O dono piedoso queria todos aqueles desocupados trabalhando em sua vinha.

O dia já estava findando. O dono disse a seu administrador: 'Chame os trabalhadores e lhes pague conforme o combinado. Comece pagando os últimos até chegar ao primeiro que contratei."

Os últimos receberam um denário. Quando chegou a hora de pagar aos primeiros trabalhadores contratados (estes pensavam que receberiam mais), também lhes foi pago igualmente um denário. Os primeiros contratados não gostaram e reclamaram ao dono da casa, dizendo que ele tinha sido injusto. O dono lembrou-lhes que naquela manhã haviam fixado o valor do salário do dia. Eles deveriam, pois, estar gratos.

E o dono concluiu a conversa: 'Precisam sentir raiva só porque sou generoso?'"

Jesus terminou dizendo que, quem quisesse ser o primeiro entre todos, esse deveria apenas seguir as palavras de Deus! A quantia em dinheiro não mostra quem é o primeiro.

O Bom Samaritano

Lucas 10

NOVEMBRO - DIA 5

Certo homem que era doutor da lei chegou a Jesus, certo dia, com a finalidade de colocá-lo à prova. Ele disse assim: "Mestre, que devo fazer para obter a vida eterna?"

Jesus respondeu com outra pergunta: "O que está escrito na lei? Como você interpreta?"

"Bem, devo amar a Deus sobre todas as coisas, com todo fervor, compreensão, alma, coração e também amar ao próximo como se ele fosse eu mesmo!"

Jesus disse: "A sua resposta está correta! Faça isso e viverás."

Mas o doutor da lei, querendo encontrar alguma desculpa, perguntou a Jesus: "Mas quem é o meu próximo?"

O Mestre exemplificou contando uma parábola:

"Certo homem estava viajando de Jerusalém para Jericó e, no caminho, vieram ladrões e o assaltaram. Os assaltantes levaram tudo dele e ainda o espancaram, deixando-o jogado ao chão, quase morto.

Casualmente, um sacerdote ia passando por aquele mesmo trajeto e, vendo o homem no chão, passou bem longe dele. Em seguida, passou um levita que, ao ver o homem ferido no chão, fez o mesmo, passou bem afastado dele.

Porém, certo samaritano que por ali passava, vendo o homem em um estado tão lastimável, ficou com pena e se aproximou. E, junto ao homem, começou a cuidar de seus ferimentos. Com todo o cuidado, o samaritano colocou o pobre homem sobre o seu próprio animal, levou-o a uma hospedaria e tratou dele. No dia seguinte, tirou ainda dois denários e deu ao dono da pensão, dizendo: 'Cuide desse homem e, se for preciso gastar mais, eu lhe pagarei quando voltar'."

Jesus perguntou ao doutor da lei qual dos três homens de sua parábola é que tinha sido o próximo do homem assaltado. O doutor não teve dúvidas: "O próximo do homem assaltado foi aquele que agiu com misericórdia, cuidando dele."

Jesus resumiu para ele dizendo apenas: "Vá e faça da mesma maneira."

Quem presta ajuda ao próximo está mais próximo de Deus!

Uma Oração como Exemplo

Lucas 11, Mateus 6

NOVEMBRO - DIA 6

Jesus gostava de orar. Ele sentia, ao orar, que estava em plena comunhão com o Pai celestial. Muitas vezes ia a um lugar mais isolado, ou subia em um monte para ficar a sós em suas orações.

A oração verdadeira é muito importante. É através dela que podemos também ter comunhão com Deus. Ao orar, podemos falar com Deus e dizer a Ele tudo o que nos preocupa, quais as nossas necessidades, alegrias e fraquezas; além de tudo, também agradecemos.

Certo dia, Jesus estava orando e, quando terminou, um dos discípulos pediu algo especial: "Jesus, ensine-nos a orar, assim como João Batista ensinou a seus discípulos." E Jesus, vendo que os discípulos tinham necessidade de saber como deveriam se relacionar com Deus através da oração, mostrou-lhes por meio de um exemplo de oração como deveriam falar com Deus.

"Quando vocês orarem, digam assim: Pai nosso, que estais no céu, santificado seja o Vosso nome; venha a nós o Vosso reino; seja feita a Vossa vontade, assim na Terra, como no Céu. O pão nosso de cada dia nos dai hoje e perdoa-nos as nossas ofensas, assim como nós perdoamos aos nossos devedores. E não nos deixeis cair em tentação e livrai-nos do mal. Pois teu é o reino, o poder e a glória para sempre. Amém."

Jesus ainda ensinou aos discípulos que, quando eles orassem, não deveriam ser como os hipócritas, pessoas que se diziam religiosas e que, só para mostrar isso, tinham orgulho de fazer orações em pé dentro da sinagoga, ou gostavam de orar nas esquinas das ruas para serem vistas pelos outros. Jesus disse que cada pessoa deveria ir para o seu quarto, fechar a porta e orar ao Deus Pai. Ou procurar algum lugar silencioso para ficar a sós com Deus. E Ele, que tudo vê e ouve, compreenderia a pessoa. E que não se fizessem vazias repetições, pois não seria pelo muito falar que seriam ouvidos por Deus. Seriam escutados pela fé com que fosse feita a oração.

Jesus mesmo deu esse exemplo sempre que se retirava para algum local isolado, a fim de orar sozinho. É assim que todos devem fazer também.

Quem Bate à Porta?

Lucas 11

NOVEMBRO - DIA 7

Assim que Jesus explicou aos seus discípulos como se orava, contou a eles a seguinte parábola:

"Todos vocês têm amigos! E um desses amigos vem bater à sua porta à meia-noite. A você ele pede emprestado três pães, porque recebeu uma visita e nada tinha a oferecer-lhe. Então, você, lá de dentro da sua casa, diz: 'Já é tão tarde! Todos os meus filhos já estão deitados comigo. Agora não posso me levantar para atender você.'

Mas, se quem bate for sincero, não há como lhe negar o pedido. E mais: se houver, além da verdade, carinho e amizade puros de quem bate à porta, seu pedido será atendido." A oração tem muito efeito na vida das pessoas. Jesus sabia que elas deveriam se relacionar com Deus através das orações.

Na verdade, durante a oração, mais do que o ouvido de Deus é o coração de quem ora que deve estar aberto. Só deve bater à porta de Deus quem também estiver disposto a atender às suas palavras com a verdade, o carinho e a amizade de um filho. Se assim for, a oração irá ao encontro de Deus e será por Ele compreendida!

O Rico e a Preocupação com a Vida

Lucas 12, Mateus 6

NOVEMBRO - DIA 8

Certo dia, Jesus estava com a multidão, e um homem entre as pessoas disse: "Mestre, ordene que meu irmão reparta comigo a herança."

Jesus disse ao homem que não era um juiz, e sua função não era julgar tais questões. Mas fez uma recomendação: "Cuidado para que vocês não se tornem avarentos. A vida de uma pessoa não se julga pela abundância de bens materiais que ela possui."

Jesus continuou dando o exemplo com outra parábola:

"Certo homem rico possuía terras que produziam com abundância. Logo ficou muito orgulhoso e pensou em destruir os celeiros antigos onde armazenava a colheita. Queria construir outros celeiros maiores onde pudesse armazenar seus produtos. O homem imaginava que teria tanto, a ponto de não mais precisar trabalhar

até o fim da vida. Ele ficaria só comendo, bebendo e aproveitando a vida.

Mas Deus disse ao homem rico: 'Louco, esta noite você fechará para sempre os olhos. E o que adiantará toda a sua riqueza?'

A pessoa que faz como esse homem, guardando riquezas para si, não é rica perante Deus. É apenas avarenta", concluiu Jesus. O Mestre explicou aos seus discípulos que eles não deveriam se preocupar ou ficar ansiosos diante da vida. Não precisariam se preocupar nem com o que comer nem com o que vestir.

"Vejam as aves dos céus que não têm celeiro, nem lugar para guardar comida de um dia para o outro, mas Deus as alimenta. Vocês valem muito mais aos olhos de Deus do que as aves ou qualquer outro animal! Olhem os lírios do campo; eles não fiam nem tecem. Contudo, eu garanto a vocês que nem Salomão, com toda a sua glória e pompa, vestiu-se melhor que qualquer um desses lírios. Portanto, se Deus veste assim a flor que hoje nasce e no outro dia já está murcha, imaginem quando se trata de vocês, como é que Deus atua? Vocês têm pouca fé em Deus e por isso ficam muito preocupados com as coisas do dia-a-dia.", esclareceu com sabedoria o Mestre.

A maior das riquezas é estar com Deus!

O Jovem Rico

Marcos 10, Mateus 19, Lucas 18

NOVEMBRO - DIA 9

Jesus estava andando, quando um jovem correu ao seu encontro. O homem ainda moço ajoelhou-se e perguntou: "Bom Mestre, que devo fazer para obter a vida eterna?"

Jesus respondeu pacientemente: "Por que você me chama de bom? Bom de verdade somente Deus! Você sabe os Mandamentos: não matarás, não cometerás adultério, não furtarás, não dirás falso testemunho, não prejudicarás ninguém, honrarás o teu pai e a tua mãe e assim por diante. Você os segue?"

"Sim, Mestre. A tudo isso tenho obedecido rigorosamente desde a minha juventude!", respondeu ele.

Jesus olhou bem nos seus olhos; respeitou-o e mostrou o que faltava na vida daquele homem: "Você só está preso a uma coisa em sua vida. Está preso à sua riqueza em dinheiro. Vá, venda tudo o que você tem; dê aos pobres e então você terá um tesouro no céu. Esse é o verdadeiro tesouro do homem. Depois de fazer isso, venha e me siga. Teremos a vida eterna".

O rapaz, no entanto, ficou triste com aquilo que Jesus dissera, porque era dono de muitas propriedades e tinha muitas riquezas. E foi embora cabisbaixo, pois seu coração estava preso aos seus bens materiais.

Os bens materiais se acabam, trazem preocupações, não são tesouro eterno. O verdadeiro tesouro é possuir as bênçãos de Deus. É viver pertinho do Senhor!

A Oferta da Viúva

Marcos 12, Lucas 21

NOVEMBRO - DIA 10

Depois de Jesus ter falado com o jovem rico, ficou olhando ao redor e disse aos seus discípulos: "É muito difícil um rico entrar no Reino dos Céus por causa de suas riquezas!"

Os discípulos não conseguiram entender muito bem. Jesus explicou de outra forma:

"É impossível alguém entrar no Reino de Deus só porque é rico. É mais fácil um camelo passar pelo buraco de uma agulha do que um rico sem amor ao Senhor entrar no Reino de Deus!", disse Jesus.

Depois, quando Jesus estava sentado com seus discípulos diante da arca onde se colocavam as ofertas para a Casa de Deus, ficaram observando como o povo colocava o dinheiro ali. Muitos ricos que chegavam depositavam grandes quantias em dinheiro. Também chegou ali uma viúva bastante pobre, aproximou-se e logo colocou diante da arca duas moedas de bem pouco valor.

Jesus fez questão de chamar os discípulos para perto de si e disse: "Na verdade, esta viúva, que é tão pobre, deu mais do que todos os outros que depositaram as suas ricas ofertas."

Os discípulos não conseguiram entender o raciocínio do Mestre. Então, Ele explicou melhor: "Todas as outras pessoas que depositaram dinheiro deram um pouco do que era seu e que estava sobrando. Aquela senhora viúva deu tudo quanto possuía, deu todo o dinheiro de seu sustento."

Não importa para Deus a quantidade do que se oferece a Ele ou ao próximo. Importa com que sentimento é feita a oferta.

A Figueira Que Não Dá Frutos

Lucas 13

NOVEMBRO - DIA 11

Jesus ia pregando a mensagem da salvação a todos que queriam ouvi-Lo. Muitos, como o rapaz rico, não quiseram seguir a Jesus, pois tinham seus corações presos ao dinheiro, ao conforto. Outros tinham vergonha dos parentes e amigos por terem que deixar de lado velhas tradições, costumes e outras coisas, para seguir ao Mestre.

As pessoas ouviam sempre de Jesus que deveriam abandonar o pecado, arrependendo-se de coração, caso contrário não poderiam agradar a Deus e, muito menos, entrar no Reino dos Céus. Mas grande parte das pessoas resolvia continuar sem a Palavra de Deus em seus corações. Preferia continuar a vida do jeito como elas bem entendessem.

Diante dessa realidade, o Mestre contou a seguinte parábola:

"Um homem tinha uma figueira plantada na sua vinha. Quando foi colher alguns frutos dela, não encontrou um sequer. Então, o homem disse ao seu encarregado: 'Estou tentando colher frutos desta figueira há três anos, mas ela nunca dá frutos! Você pode cortá-la; ela não serve para nada. Além do mais, por que ela deveria ficar aqui, ocupando inutilmente a terra?', perguntou o dono.

E o seu empregado respondeu: 'Patrão, deixe que ela fique aí mais um ano. Vou colocar adubo ao redor da planta. Se no ano que vem ela der frutos, não será cortada, mas se continuar sem frutificar, você pode me mandar cortá-la e derrubá-la completamente.' Reflitam bem sobre isso", pediu Jesus.

Do mesmo modo, Deus quer que todos sejam produtivos, que todos semeiem os ensinamentos do Senhor. Ninguém deve ficar por aí, zanzando, sem produzir algo útil. Jesus veio ao mundo para semear. Se essas sementes caírem em corações abertos para absorvê-las, certamente irão frutificar. Se uma pessoa não abrir seu coração, Deus dará a oportunidade a outra.

Frutificar significa: fazer coisas boas aos olhos de Deus; viver de acordo com os Mandamentos de Deus; ensinar aos outros o que Jesus um dia ensinou.

Uma Grande Ceia

Lucas 14

NOVEMBRO - DIA 12

Muitas pessoas pensam que são importantes porque são ricas, ou porque possuem uma grande inteligência, ou porque são de uma determinada raça. Nada disso tem valor diante de Deus. Deus ama a todos sem distinção. Não importa se rico ou pobre, feio ou bonito, gordo ou magro, negro ou branco, forte ou fraco. Deus conhece a todos muito bem e a todos ama, sem se importar com defeitos e qualidades.

Muitas vezes o povo de Israel, apesar de ter sido escolhido por Deus para ser uma nação de exemplo aos outros povos, gabou-se e se orgulhou desse fato. Por isso teve de arcar com as consequências.

Deus é justo, e isso quer dizer que ninguém é melhor do que o outro no Reino de Deus. Certa vez, Jesus contou o seguinte:

"Um homem deu uma grande ceia em sua casa e convidou muitas pessoas. Quando estava tudo pronto, mandou o seu empregado avisar aos convidados que viessem, pois tudo já estava preparado. Entretanto, um a um, os convidados foram se recusando a participar, dando desculpas muito tolas. Quando o bom homem soube a respeito das desculpas dadas pelos convidados, ficou muito triste. Mandou, então, que o empregado fosse às ruas e becos da cidade para convidar os mendigos, os pobres, os aleijados, os cegos... O empregado trouxe as pessoas que o patrão convidara e informou a ele que ainda havia lugar para mais convidados. O dono mandou que muitas outras pessoas que estivessem por aí também fossem trazidas para a ceia. Queria ver sua casa repleta de gente! Toda e qualquer pessoa era digna de receber um convite para participar daquela maravilhosa ceia, menos, é claro, aqueles que já haviam recusado antes."

Da mesma forma, Deus convida a todos para fazer parte de uma vida alegre e abundante ao seu lado. Se mil e uma desculpas são dadas para não comparecer, Deus não insiste. Ele pode muito bem convidar outros para se sentarem com Ele. A escolha é da pessoa, se ela quer ou não viver com Deus.

Todos, independente de raça, posses de riquezas, aparência ou inteligência, são convidados de Deus!

O Poder de Curar

Lucas 13

NOVEMBRO - DIA 13

O amor é o maior ensinamento que Jesus trouxe aos seus discípulos e a todas as pessoas no mundo. Sem amor, nossas ações, palavras e pensamentos são vazios e sem significado.

Quando Jesus disse que todos devem amar o próximo assim como a si mesmos, quis ensinar que todos devem cuidar de seu semelhante e ajudá-lo em qualquer hora do dia ou da noite. Pensando assim é que Jesus gostava de ensinar a todos, a qualquer hora e em qualquer lugar.

Num certo sábado, quando pregava em uma sinagoga (templo dos judeus), viu entrar uma mulher que estava doente havia dezoito anos. Ela andava totalmente encurvada e não podia de jeito algum ficar com o corpo ereto. Ao ver aquele sofrimento, Jesus colocou as suas mãos sobre ela, e imediatamente a mulher se endireitou e deu glórias a Deus, de todo o seu coração.

O chefe da sinagoga, indignado por ver Jesus curando no sábado, disse à multidão: "Vocês sabem que isso não está certo, pois, conforme os Mandamentos de Deus, devemos trabalhar seis dias e no sétimo descansar. Portanto, não se podem operar curas aqui no sábado!"

Jesus, porém, respondeu: "Vocês estão sendo injustos! Por acaso vocês não soltam as suas ovelhas, os seus bois e outros animais que estão presos na manjedoura e os levam para beber água também no sábado? Isso é um tipo de trabalho. Então, por que não livrar, num sábado, esta mulher que sofre há dezoito anos?"

Todos os que criticaram Jesus ficaram quietos e envergonhados. Sabiam que Ele estava com a razão. Não há hora certa ou marcada para se fazer o bem.

Um Cego de Nascença é Curado

João 9

NOVEMBRO - DIA 14

O poder de Jesus ia muito além das curas e milagres que fazia diante do povo. O poder que as Suas palavras tinham era muito maior do que se podia imaginar. As palavras de Jesus causavam transformação interior na vida das pessoas e também mostravam o amor e o poder de Deus.

Certo dia, enquanto caminhava, Jesus viu um homem. Era cego desde que nascera. Os discípulos queriam saber de quem era a culpa por ele ter nascido assim. Era culpa dele ou de seus pais?

Jesus esclareceu, dizendo: "Não é culpa dele, nem dos pais dele. Nasceu assim, porque Deus tinha um propósito. Deus queria mostrar a sua obra às pessoas por meio desse homem também."

Jesus disse que tinha de executar as obras do Pai, aqui na Terra, e era necessário que as cumprisse enquanto havia tempo. "Eu sou a luz do mundo!", disse o Mestre.

Com um pouco de terra e com um pouco de sua saliva, fez uma pasta, aplicou-a nos olhos do cego e lhe disse: "Vá e lave-se no tanque de Siloé."

O cego fez como Jesus determinara e, quando voltou, estava enxergando tudo muito bem. Feliz da vida, contou com detalhes a todos, no caminho, como Jesus havia curado a sua cegueira. Jesus ajuda todos a enxergarem com clareza o Reino de Deus!

Jesus Se Revela ao Cego

João 9

NOVEMBRO - DIA 15

Os fariseus estavam muito confusos. Pediam que o homem, antes cego, contasse a história de sua cura diversas vezes. Alguns chegaram à conclusão de que o homem que havia curado o cego não podia ser alguém de Deus, já que não obedecia ao mandamento de guardar o sábado.

Outros contestavam, dizendo: "Como é que um homem pecador pode fazer milagres assim?" Eles realmente não chegavam a uma conclusão. Quanto mais discutiam, tanto mais confusos ficavam. Resolveram, então, perguntar ao próprio homem curado qual era a sua opinião.

"Bem! Creio que ele seja um profeta", respondeu simplesmente.

Os judeus não acreditavam que ele tinha sido cego a vida toda e que agora, de uma hora para outra, estava vendo tudo perfeitamente bem. Até mesmo os pais do homem declararam que o seu filho tinha nascido totalmente cego, e que felizmente alguém o havia curado. Na verdade, seus pais sabiam que Jesus era o responsável pela cura, porém nada disseram, porque tinham medo de ser expulsos da sinagoga.

Interrogaram novamente o cego e disseram a ele: "É melhor você agradecer a Deus por obter esta dádiva,

pois nós sabemos que o homem que alega ter curado você é apenas um mero pecador."

O cego, no entanto, afirmava que aquele homem só podia ser de Deus para ter feito tal milagre. Os fariseus cruelmente o expulsaram da sinagoga. Mas o homem creu em Jesus e sua fé se tornou maior!

Não importa há quanto tempo alguém está afastado de Deus. O importante é que nasça a vontade de enxergá-Lo! Sempre é tempo!

Jesus é o Bom Pastor

João 10

NOVEMBRO - DIA 16

Jesus sentia, no íntimo, que aqueles que ouvissem as suas palavras e as deixassem entrar em seus corações seriam transformados para sempre. Muitos seguiam a Jesus, mas nem todos aceitavam o que Ele dizia. Diversas pessoas eram cegas, surdas e mudas, não fisicamente, mas em seus corações, porque não queriam aceitar a salvação que Jesus oferecia.

Então, o Mestre contou mais uma parábola:

"Imaginem um curral de ovelhas. Se alguém entrar por qualquer outro lugar que não seja pela porta, vocês já sabem que essa pessoa deve ser um ladrão. Mas o que entrar pela porta, vocês sabem que esse deve ser o pastor de ovelhas. Até as ovelhas sabem, pois conhecem a voz e o jeitinho como ele as chama para que saiam do curral e sigam para pertinho dele. Depois que estão fora, o pastor de ovelhas caminha à frente, e elas o seguem, porque ele vai chamando. Jamais seguiriam uma pessoa estranha, pois não reconheceriam a sua voz. Iriam, sim, fugir e se espalhar."

E Jesus declarou mais: "Muito bem, na verdade, eu sou a porta das ovelhas. Todos os que vieram antes de mim, não eram verdadeiros pastores, e as ovelhas nem deram ouvidos a eles. Pois bem, eu sou a porta, e se alguém passar por mim será salvo e encontrará alimento, alimento para a alma. Eu dou vida em abundância. Sou também o bom pastor e o bom pastor dá a vida pelas suas ovelhas. Eu conheço as minhas ovelhas e elas me conhecem. Dou a minha vida espontaneamente por amor às minhas ovelhas."

A Ovelha Perdida

Lucas 15

NOVEMBRO - DIA 17

Um dia, Jesus contou outra parábola muito interessante. Ele a contou especialmente porque ali, no meio da multidão, havia muitos fariseus que gostavam de criticar os Seus atos.

Jesus começou dizendo: "Se vocês possuem cem ovelhas e perdem uma, certamente deixariam as noventa e nove seguras no deserto para sair atrás daquela que está perdida, não é? Vocês fariam de tudo para encontrá-la! Todas as ovelhas são valiosas! E quando, afinal, a desgarrada fosse encontrada, qualquer um de vocês ficaria tão feliz que, além de levá-la de volta, carregaria a ovelhinha, por todo o trajeto, sobre os seus próprios ombros. Ao chegar a casa, qualquer um de vocês reuniria sua família, seus amigos e vizinhos para festejar, porque a ovelha perdida estava de volta!", e Jesus concluiu: "Pois bem! É exatamente assim no Reino dos Céus! Deus se sente muito glorioso, admirado e feliz quando um pecador toma consciência de seus erros, arrepende-se e decide ficar com o Senhor.

Quanto aos outros que sempre são justos e que não se perdem do Pai, Deus os ama de forma tranquila, sem preocupações!"

Uma Moeda Perdida

NOVEMBRO - DIA 18

Lucas 15

Em seguida, Jesus contou mais uma história sobre a alegria de Deus quando vê que um pecador se arrepende e decide ficar perto Dele. Começou, então, a narrar a parábola:

"Uma mulher tinha dez moedas e, de repente, deu pela falta de uma. Logo tratou de pegar a sua vassoura e varrer com cuidado a casa para encontrar a moeda perdida. Assim que achou a sua moeda, correu para chamar suas vizinhas e amigas para que ficassem alegres, assim como ela tinha ficado com a moeda encontrada."

Jesus usou este exemplo para mostrar que, do mesmo modo que a mulher tinha ficado feliz ao encontrar a sua moeda perdida, assim acontece no céu. Há muita alegria entre os anjos e Deus, quando um pecador se arrepende e volta para Deus!

Isso não quer dizer, de forma alguma, que as outras moedas não sejam importantes. Todos nós somos importantes para Deus, mesmo quando não estamos perdidos, como era o caso das nove moedas, pois é o Senhor quem cuida de nós. No entanto, é motivo de grande alegria quando alguém reconhece que está errado e muda de

comportamento. É uma "moeda" importante para Deus. Por isso, tanta alegria diante do achado!

Os Dois Filhos

NOVEMBRO - DIA 19

Lucas 15

Deus ama a todos. Mesmo aqueles que parecem muito maus são amados pelo Pai. E Ele está sempre disposto a perdoar a quem está, de verdade, arrependido. Jesus contou mais esta parábola com a intenção de mostrar o amor que Deus tem pelas pessoas:

"Um homem tinha dois filhos. O mais jovem chegou a seu pai e disse: 'Pai, quero a parte dos bens que é minha por herança.' O pai atendeu ao pedido de seu jovem filho e fez a partilha dos bens.

Assim que o jovem pegou o que era seu por direito, partiu para um país estrangeiro. Lá, viveu como bem quis. Gastou tanto que acabou com a fortuna em pouco tempo. Não demorou muito, e ele reconheceu que estava completamente sem dinheiro. Infelizmente, para piorar a situação, aquele país passou por uma grande fome e o jovem começou a passar por graves necessidades.

A única coisa que conseguiu foi trabalhar em uma fazenda onde cuidava dos porcos. A fome dele era tanta que muitas vezes até desejou poder comer a comida dos animais; mas ninguém dava nada a ele.

Então, quando estava em total desespero, ele se lembrou o quanto a sua vida era tranquila na casa de seus pais. Até os empregados lá tinham uma vida muito boa. E ele ali estava morrendo de fome. Preparou-se e se pôs a caminho de volta para casa."

Nenhum lugar no mundo é melhor do que a casa da família. A casa onde moram pessoas que se amam é sempre um lugar aconchegante!

De Volta para Casa

Lucas 15

E Jesus continuou:

"O jovem filho gastador refletiu muito durante o caminho. Resolveu pedir ao seu pai que o aceitasse simplesmente como um de seus empregados. Afinal ele havia feito tudo errado. A consciência de que havia agido mal era tamanha que nem mesmo permitiria que o pai o chamasse de filho novamente. Ele seria apenas um simples serviçal.

Ao mesmo tempo em que tudo aquilo aconteceu na vida do jovem, seu pai esteve em casa sempre ansioso por saber notícias de seu filho, pois o amava muito. Quando o pai viu, de longe, que seu filho estava voltando para casa, não hesitou, foi correndo ao seu encontro para abraçá-lo e beijá-lo.

NOVEMBRO - DIA 20

O filho logo disse: 'Pai, eu agi muito mal. Pequei contra Deus e diante de você. Nem sequer sou digno de ser chamado de filho. Quero ser tratado como um dos seus trabalhadores.'

O pai do rapaz, vendo-o naquele estado, disse o seguinte aos seus servos: 'Tragam depressa a melhor roupa para ele vestir e coloquem também sandálias nos pés de meu filho. Quero que preparem um novilho para nos alegrar, porque este meu filho estava morto e reviveu, estava perdido e foi encontrado.'

Quando o irmão mais velho chegou perto de casa, voltando do campo, escutou que ali havia festa, música e danças. Chamou um dos empregados e perguntou o que estava acontecendo. O empregado logo esclareceu a sua curiosidade. O moço, porém, ficou indignado e não quis participar da festa, ainda que seu pai tentasse de todo jeito convencê-lo a estar presente.

Magoado, o filho mais velho disse ao pai: 'Trabalho há tantos anos aqui para você sem nunca desobedecer a uma ordem sua, e jamais você me deu sequer um cabrito para que eu fizesse uma festa com os meus amigos. Mas para o meu irmão, que desperdiçou a sua herança com bobagens, você mandou preparar um novilho e fez uma festa.'

O pai respondeu: 'Meu filho, você sempre esteve comigo. Repartimos sempre as nossas enormes alegrias. Tudo o que é meu também é seu. Já o seu irmão, esse estava totalmente morto e perdido, mas agora reviveu. Essa é a causa da nossa alegria e o motivo da festa. Agora ele foi encontrado!'"

Deus também se alegra muito quando um filho seu reconhece que errou e volta para junto Dele!

O Rico e o Mendigo

Lucas 16

Os fariseus eram avarentos, isto é, não gostavam de dar nada aos outros. No seu exterior mostravam um tipo de vida, mas Deus conhecia seus corações e suas verdadeiras intenções.

Como eles eram muito avarentos, Jesus resolveu contar esta parábola para mostrar que o importante é perdoar, não interessa se a pessoa é rica ou pobre.

"Havia um homem rico que se vestia com trajes caros e belíssimos. Vivia sempre no conforto e na regalia de seus bens. Havia também um mendigo, chamado Lázaro. Este era muito doente e sempre mendigava alguma coisa na porta do rico. Mas nada adiantava! O rico nem lhe dava atenção. A sua fome era tamanha que tinha vontade de se alimentar das migalhas que caíssem da mesa do rico.

E aconteceu que os dois se foram deste mundo. O mendigo, que era um bom homem, foi levado para o céu. O rico, sempre muito egoísta e orgulhoso, foi para

NOVEMBRO - DIA 21

o inferno. E o lugar é muito triste, muito feio!

Lá do lugar dos maus, o rico suplicou a Abraão, que já estava nos céus: 'Permita que Lázaro pelo menos molhe a ponta de seu dedo e me dê uma gota d'água para refrescar a minha língua. Eu estou com muita, muita sede.'

No entanto, Abraão respondeu: 'Lembre-se, você teve vida boa e muita riqueza na Terra. Você pensou na fome dos outros? Você pensou em repartir ou só pensou no seu egoísmo? E Lázaro, apesar das coisas muito ruins que teve de suportar, foi um homem bom. Agora é a vez de ele estar no paraíso, e de você ficar aí nesse lugar feio e triste.'

O rico respondeu: 'Por favor, tenho cinco irmãos, mande alguém até eles para lhes dizer como é ruim estar aqui. Mande alguém avisá-los, a fim de que não acabem vindo para cá também.'

Abraão respondeu: 'Eles devem escutar os profetas enviados por Deus. E se eles não acreditam em Moisés ou nos profetas do Senhor, também não darão ouvidos a mais ninguém. Mas se eles seguirem os ensinamentos do Senhor, todos virão para junto de Deus!'

O Perdão

NOVEMBRO - DIA 22

Mateus 18

A oração que Jesus nos ensinou é muito bonita! Mas para dizê-la, como Jesus dizia, é preciso ter muita humildade.

Uma das coisas mais difíceis nessa oração é quando ela diz que temos de perdoar a alguém, se quisermos que Deus perdoe a nós. Às vezes é muito penoso perdoar a alguém que nos fez tanto mal. Mas, a exemplo de Jesus, temos o dever, mesmo que trabalhoso, de perdoar ao nosso próximo.

O Mestre contou uma parábola aos seus discípulos para mostrar a importância do perdão:

"O Reino dos Céus é como um rei que resolveu acertar as contas com os seus empregados. Um deles devia ao rei dez mil em dinheiro, mas não tinha como pagar essa dívida. Foi estabelecido, então, que vendesse todas as suas coisas, até a casa seria vendida. Tudo para o pagamento da dívida. Desesperado, o empregado pediu, suplicou e se humilhou: 'Por favor, seja paciente e logo vou pagar tudo o que devo.' O rei ficou com pena dele, perdoou a sua dívida e mandou-o embora.

O empregado, aliviado, saiu dali muito feliz. Mas, assim que chegou à rua, encontrou um empregado seu que lhe devia um pouco de dinheiro. Agarrou-o pelo pescoço e, sufocando-o, dizia: 'Vamos, pague-me o que você me deve agora mesmo!' O pobre servo, no momento, não tinha como pagar. E implorou, pediu compaixão. Prometeu pagar a dívida assim que pudesse... Mas nenhuma chance foi dada a esse devedor. Ele acabou na prisão.

O rei logo soube daquele fato. Mandou que chamassem aquele empregado cruel e lhe disse: 'Seu malvado, eu lhe perdoei a dívida enorme porque você me suplicou e fiquei com pena. Por acaso, você não devia ter feito o mesmo quando o seu empregado suplicou por compaixão? Você o colocou na prisão, não foi?' O rei, indignado, obrigou-o a pagar toda a sua dívida. E nem quis saber de que forma ele arranjaria dinheiro. Era uma lição!"

Jesus terminou dizendo que Deus espera que cada um de nós saiba perdoar o próximo, assim como Ele perdoa a todos nós!

Jesus Ama as Criancinhas

NOVEMBRO - DIA 23

Marcos 10, Mateus 19, Lucas 18

Certo dia, enquanto Jesus falava com a multidão, trouxeram algumas crianças para que Ele as abençoasse. Os discípulos julgaram aquela atitude muito inadequada. Imaginavam que as crianças iriam atrapalhar o Mestre e, então, impediram que se aproximassem Dele.

Quando Jesus viu o que estava acontecendo, ficou muito triste com os seus discípulos e disse, com bastante clareza: "Deixem que as criancinhas venham até mim. Não as impeçam, porque delas é o Reino de Deus. E digo mais a todos vocês aqui: quem não aceitar o Reino de Deus como uma criança, não poderá entrar nele."

Jesus amava muito as crianças! Por isso, diante dos discípulos, olhou para elas com ternura, tomou-as em seus braços e, impondo as mãos sobre elas, abençoou-as todas sem distinção. Ele tinha um carinho todo especial pelos pequeninos, porque criança tem um coração puro, é sincera quando pergunta alguma coisa e responde sempre com a verdade.

Muitos se esquecem de que Deus gosta daqueles que são puros, sinceros e honestos. Muitos até mesmo tentam enganar a Deus, mas esquecem que Ele pode tudo. Pode até ver o seu coração e saber o que se passa na cabeça de cada pessoa!

Os Dez Leprosos

Lucas 17

NOVEMBRO - DIA 24

Na época de Jesus, a lepra ainda era uma doença muito triste por não ter cura. E muitas pessoas tinham essa doença.

Quando Jesus estava a caminho de Jerusalém, passou pelo meio de Samaria e da Galileia. Ao entrar numa certa aldeia, dez homens leprosos vieram se encontrar com Ele. As demais pessoas ficaram um tanto afastadas de Jesus, quando viram que os leprosos estavam se aproximando. Elas tinham medo de pegar lepra.

Diante de Jesus, os dez leprosos pediram: "Mestre, tenha compaixão de nós!"

Ao vê-los, Jesus disse: "Vocês devem ir até a sinagoga para se apresentar perante os sacerdotes."

Os leprosos puseram-se, então, a caminho da sinagoga. Durante o percurso, perceberam, admirados e felizes, que tinham ficado curados daquele mal.

Um daqueles dez homens, vendo-se curado, voltou dando glória a Deus em voz alta. Chegou perto de Jesus e, com seu rosto alegre e grato, prostrou-se em terra aos pés do Mestre. Este homem era um samaritano.

Jesus ficou surpreso, porque o homem estava sozinho: "Não eram dez homens que tinham lepra e que foram curados? Onde estão os outros nove? Por que eles não agradecem? Por que não dão glória a Deus? Somente você, que é estrangeiro, voltou para mostrar a Deus a sua imensa alegria e gratidão?"

Infelizmente os outros eram ingratos. Procuraram Jesus quando tinham necessidade, mas, assim que se viram livres da doença, esqueceram-se do Mestre totalmente. Esqueceram-se até de agradecer-lhe.

Jesus disse ao samaritano: "Levanta-te e vai; a tua fé te salvou. Estou alegre porque tu te mostras agradecido."

Não se deve apenas dirigir-se ao Senhor para pedir. Agradecer é tão importante quanto pedir... Certamente é até mais importante!

Um Amigo Muito Querido Fica Doente

João 11

NOVEMBRO - DIA 25

Por toda parte havia pessoas que não eram amigas de Jesus. Muitas o criticavam; outras tinham ciúmes dele, e havia também as que gostavam de contrariar a verdade que Cristo falava sobre o Reino de Deus. Mas o Mestre ainda tinha bons e queridos amigos, pessoas que conviviam com ele, que o conheciam e o amavam. Pessoas com quem podia contar, caso precisasse. Dentre os amigos de Jesus, havia três irmãos: Maria, Marta e Lázaro. Viviam em uma cidade chamada Betânia. Maria era aquela mulher que ungiu os pés de Jesus com óleo e os enxugou com seus próprios cabelos.

Certo dia, Lázaro ficou muito doente. Preocupadas, as irmãs mandaram avisar Jesus.

Quando o Mestre recebeu a notícia, disse: "Esta doença não é para a morte e sim para mostrar a glória de Deus."

Jesus amava os três irmãos, mas mesmo assim ainda ficou dois dias no lugar onde estava e só depois foi, com seus discípulos, visitar Lázaro, Maria e Marta. Os discípulos, porém, tinham medo de ir àquela região: "Mestre, os judeus ainda querem apedrejar você, e mesmo assim, você quer ir até lá?"

"Nosso amigo Lázaro está dormindo; vou lá para despertá-lo!", respondeu Jesus.

Os discípulos não entenderam corretamente. Pensaram que Lázaro estivesse realmente dormindo. Jesus, então, explicou claramente: "Lázaro está sem vida! E estou feliz porque vocês vão comigo até lá. Assim, vocês e os demais poderão crer. Nós vamos, sim, à casa de Lázaro." Os discípulos pensaram que morreriam lá, porque seriam perseguidos e mortos.

Quem está com Jesus não deve temer!

Marta e sua Fé

NOVEMBRO - DIA 26

João 11

Foram até a casa dos três irmãos. Lázaro, no entanto, já estava sepultado havia quatro dias. Muitos amigos de Marta e Maria estavam lá para consolá-las por causa da morte do irmão. Marta ficou sabendo que Jesus estava chegando e foi correndo encontrá-lo.

"Senhor, se você estivesse aqui, meu irmão não teria morrido", lamentou a moça, triste com a perda do irmão, "Mas tenho certeza também de que tudo o que você pedir a Deus, Ele lhe concederá!", disse ela com fé.

"O seu irmão há de ressuscitar!", afirmou Jesus.

Marta acrescentou: "Sim, Senhor, eu sei que Lázaro vai ter a ressurreição no último dia."

"Eu sou a ressurreição e a vida. Quem crê em mim, ainda que esteja morto, viverá. E todo aquele que vive e crê em mim, nunca morrerá. Você crê nisso, Marta?", perguntou Jesus.

"Sim, Senhor, eu creio que você é o Cristo, o Filho de Deus que havia de vir ao mundo!"

Marta saiu rapidamente e foi contar à Maria que Jesus estava se aproximando. Ela falou baixinho, pois não queria que os outros judeus ali escutassem. Temia que os judeus maltratassem seu amigo Jesus.

O Mestre queria conversar com Maria também. Ela se levantou, saiu de casa e logo foi se encontrar com Ele, um pouco antes da aldeia. Os judeus que estavam em sua casa para consolá-la, ao vê-la sair, pensaram que Maria estava indo até o cemitério. Resolveram segui-la.

Os verdadeiros amigos estão sempre por perto, mesmo nas horas difíceis!

A Ressurreição de Lázaro

João 11

NOVEMBRO - DIA 27

Maria, assim que viu Jesus, jogou-se aos seus pés e chorou. Ela disse, soluçando de tanto chorar: "Senhor, se você estivesse aqui, o meu irmão não teria morrido." Chorava muito. E choravam também os judeus que a seguiam na tentativa de consolá-la.

Jesus, com muita pena das duas irmãs e dos muitos amigos que gostavam imensamente de Lázaro, perguntou: "Onde Lázaro foi sepultado?" Todos acompanharam Jesus até o local indicado. Assim que o Mestre chegou perto do sepulcro, chorou. E todos perceberam como Jesus amava Lázaro. Muitos se perguntavam se Jesus não poderia fazer algo, já que havia curado tantas pessoas de seus males.

Cheio de tristeza e muito comovido, Jesus chegou perto do sepulcro e pediu que o abrissem. Marta, que também já estava ali perto, disse preocupada: "Senhor, já faz quatro dias que Lázaro está aí."

Mas Jesus insistiu e disse a ela: "Eu não disse que, se você cresse, veria a glória de Deus?"

Tiraram, com muito esforço, a pedra da entrada do sepulcro. Jesus, com a alma transbordando de amor e fé, olhou para os céus e orou: "Pai, graças dou porque Tu ouviste a minha súplica! Sei que sempre estás me escutando, mas repito isto para que a multidão ao redor ouça e creia que Tu me enviaste."

Depois, Jesus chamou com voz bem forte: "Lázaro, venha para fora!"

Muitos judeus ficaram boquiabertos diante da cena. Viram que Jesus acabara de ressuscitar Lázaro. As pessoas que estavam presentes se comoveram! Lázaro vivo novamente!

Estava comprovado, assim, que Jesus era o Filho de Deus. Todos, então, creram nele. Alguns foram correndo contar aos fariseus que Jesus tinha trazido Lázaro à vida outra vez.

Só não crê em Deus quem não quer!

Um Presente Caro Demais

João 12

NOVEMBRO - DIA 28

Um pouco antes da Páscoa, Jesus e os apóstolos foram novamente até Betânia visitar o seu amigo ressuscitado, Lázaro, e suas irmãs, Marta e Maria. Para eles era uma alegria receber Jesus e seus discípulos em sua casa. Fizeram uma ceia muito gostosa e Marta servia a todos. Reunidos ali, comendo uma deliciosa comida feita com amor e dedicação, todos estavam alegres por ficar juntos outra vez.

Maria tinha um perfume muito caro, mas ela sabia que a ocasião era especial também. Ela pegou o perfume e passou delicadamente nos pés de Jesus, depois os enxugou com os seus longos cabelos. A casa toda ficou perfumada com o agradável aroma que Maria havia colocado nos pés do Mestre.

Indignado, Judas Iscariotes, um dos discípulos, que mais tarde trairia Jesus, comentou: "Para que desperdiçar este perfume caro? Ele poderia ser vendido por trezentos dinheiros, e a quantia poderia ser dada aos pobres!"

Aquelas palavras, no coração de Judas, não eram verdadeiras. Ele não se importava realmente com os pobres. Como cuidava do dinheiro que os discípulos e Jesus usavam, sempre tirava alguma quantia para si. Era ganancioso, só pensava em dinheiro.

Jesus defendeu Maria, dizendo: "Deixe-a em paz!

Ela está fazendo algo por mim. Com esta atitude, ela demonstra que está disposta a me fazer o bem. Os pobres sempre terão a ajuda de vocês, mas eu não estarei para sempre aqui. Deixe que esta mulher faça algo a mim."

Jesus sabia que, em breve, teria de enfrentar a morte e que seria traído por um de seus discípulos. O presente de Maria era muito caro, mas o seu ato foi bem recebido por Jesus, pois ela o fez de coração. Ofereceu algo de que também gostava muito.

Mas não importa o valor do presente. Importa, sim, se ele é dado com grande amor!

A Cura do Cego de Jericó

Marcos 10, Mateus 20, Lucas 18

NOVEMBRO - DIA 29

Jesus e seus discípulos estavam indo a Jerusalém para festejar a Páscoa. No caminho passaram por Jericó. Ao se aproximarem da cidade, uma grande multidão começou a segui-los. Um cego, chamado Bartimeu, estava sentado à beira do caminho.

Assim que Bartimeu ouviu que era Jesus, o nazareno, colocou-se a chamar: "Jesus, Filho de Davi, tenha compaixão de mim, sou o cego Bartimeu!"

Muitas pessoas mandavam que ele se calasse, pois estava causando tumulto. Porém, quanto mais pediam que parasse, tanto mais alto ele gritava para chamar a atenção.

Jesus parou e disse: "Chamem aquele homem. Quero que venha até aqui."

E logo se aproximaram do cego, dizendo: "Você conseguiu chamar a atenção do Mestre! Levante-se e, com ânimo, vá até Ele. Jesus quer falar com você!" Bartimeu pulou de alegria. Sem perder tempo, foi ao encontro de Jesus.

O Mestre fez somente uma breve pergunta: "O que você quer que eu faça por você?"

E o cego respondeu, decidido e cheio de esperança: "Mestre, eu quero enxergar de novo."

"Pode ir agora, Bartimeu, a sua fé salvou você!", disse Jesus ao homem.

Bartimeu imediatamente enxergou Jesus e as pessoas ao redor. Alegre e grato a Deus, seguiu Jesus junto com a multidão. Agora não só ouvia, como também lhe era possível ver o Filho de Deus.

Somente a fé abre caminho para as bênçãos de Deus!

Zaqueu, o Publicano

Lucas 19

NOVEMBRO - DIA 30

Em Jericó, Jesus atravessou a cidade com seus apóstolos. Ali morava um homem bastante rico, era o chefe dos publicanos. Seu nome era Zaqueu. Naquele dia, ele tentava a todo custo ver Jesus, mas não conseguia por causa da multidão e por ser muito baixinho. De repente, Zaqueu teve uma boa ideia: saiu em disparada e subiu em uma árvore para que pudesse ver o Mestre, que em breve passaria diante de seus olhos.

Ao passar por ali, Jesus olhou para cima e viu aquele homem de pequena estatura na árvore. Disseram ao Mestre quem era aquele homenzinho. Com bondoso sorriso disse Jesus: "Zaqueu, desça depressa daí, porque hoje vou ficar hospedado na sua casa."

Zaqueu, feliz e honrado, desceu muito rápido e foi correndo preparar sua casa. Logo depois, recebeu Jesus com toda a alegria do mundo. Muitos que viram Jesus ir à casa de Zaqueu cochichavam baixinho, admirados pelo fato de o Mestre se hospedar na casa daquele homem pecador. Zaqueu era um cobrador de impostos e muitas vezes cobrava taxas muito elevadas, quase sempre além do necessário. Muitos o odiavam por isso.

Num certo momento, Zaqueu se levantou e fez uma declaração importante: "Senhor, resolvo dar aos pobres a metade dos meus bens materiais. E, se enganei alguém nos negócios ou cometi qualquer outra injustiça, quero devolver a essa pessoa quatro vezes mais."

Jesus ficou muito feliz com a decisão sábia de Zaqueu e disse: "Hoje houve salvação nesta casa. Zaqueu se arrependeu e agora ele também é um filho de Deus."

Muitas vezes um pequeno ato de atenção é o suficiente para conquistar um novo amigo!

Jesus Vai para Jerusalém

Mateus 21, Marcos 11, Lucas 19 e João 12

DEZEMBRO - DIA 1º

Depois de sair da casa de Zaqueu, Jesus e os seus discípulos pegaram a estrada rumo a Jerusalém outra vez.

Um pouco antes de chegar à cidade, mais ou menos perto do Monte das Oliveiras, Jesus mandou que dois de seus discípulos fossem até a aldeia mais próxima. Ali os dois deveriam encontrar um jumentinho, soltar o animal e trazê-lo para Jesus.

O Mestre recomendou também o seguinte: "Se alguém perguntar por que vocês estão soltando o jumentinho, vocês responderão que é porque o Senhor precisa dele."

Os discípulos obedeceram. Não demorou muito e acharam o jumentinho. Ao soltar o animalzinho, os donos, sem nada entender, perguntaram: "Por que vocês estão soltando o jumentinho?"

Os discípulos calmamente responderam: "Porque o Senhor precisa dele! Devolveremos mais tarde." E assim o jumento foi levado a Jesus. Arrumaram o animal adequadamente para que fosse montado.

O Mestre montou o jumentinho e seus discípulos o acompanharam. Estavam perto da descida do Monte das Oliveiras, e toda a multidão começou a louvar a Deus em voz alta. Muitos ali acreditavam em Jesus. Sabiam que Ele era o Messias, o Salvador.

"Bendito o Rei que vem em nome do Senhor; paz na Terra e glória nas alturas."

Ouvindo aquilo, alguns fariseus disseram a Jesus: "Mestre, diga aos seus discípulos que fiquem quietos!"

Mas Jesus respondeu: "Se eles se calarem e pararem de dar glórias, até as próprias pedras clamarão!" Jesus estava muito próximo de Jerusalém e, quando viu a cidade, chorou. Só ele sabia por quê!

Deus sempre sabe o que faz. Jesus aceitava esta verdade, por isso transmitia paz aos seus seguidores!

A Entrada Triunfal de Jesus

Mateus 21, Marcos 11, Lucas 19 e João 12

DEZEMBRO - DIA 2

No caminho da entrada, muitas pessoas da multidão jogavam os seus mantos a fim de que, estendidos no chão, formassem um tapete para o Mestre passar. A multidão estava alegre, louvava a Deus com entusiasmo e dizia: "Hosana (louvor) ao Filho de Davi! Hosana nas maiores alturas! Bendito é o que vem em nome do Senhor e que é Rei de Israel!"

Havia alvoroço, e muitos, além de estender as suas vestes por onde Jesus ia passando, cortavam ramos de palmeiras e os espalhavam pelo caminho. Assim que Jesus entrou na cidade, a agitação de festa tomou conta. Muitos que estavam ali não sabiam o que acontecia e perguntavam curiosos: "Quem é esse homem?"

E as multidões repetiam: "Este é o profeta Jesus, de Nazaré da Galileia."

Os fariseus não gostaram nem um pouco de ver que Jesus era aclamado como um verdadeiro rei e que tinha tamanha popularidade entre o povo. Eles comentaram entre si: "Nada disso se aproveita! Mas parece que todos O estão seguindo!"

São muitos os seguidores de Jesus, o Salvador. Mas também são muitos os que não creem no Filho de Deus! Que pena!

Um Comércio na Casa de Deus

DEZEMBRO - DIA 3

Lucas 19, Mateus 21, Marcos 11

Tendo entrado na cidade, Jesus, logo em seguida, foi ao Templo. Ao entrar, encontrou um verdadeiro comércio instalado ali. Havia pessoas vendendo e comprando coisas, cambistas que trocavam dinheiro, um verdadeiro centro de negócios.

Jesus ficou muito nervoso ao ver tanto descaso com a Casa do Senhor. Além de tudo, muitos daqueles mercadores agiam com desonestidade: tapeavam ao fazer o troco, roubavam no peso das mercadorias... E havia uma algazarra própria de mercado público.

Isso tudo O deixou aborrecido a ponto de levá-lo a derrubar as mesas dos mercadores. Foi um alvoroço! Mercadorias ao chão, gritaria de revolta... Jesus começou a expulsar todos os que estavam ali comerciando e disse: "Está escrito: a minha casa será casa de oração. Mas vocês a transformaram em um centro de trapaceiros."

As pessoas sabiam que aquilo que estavam fazendo era errado, por isso não tinham argumento algum diante

das palavras e atitudes de Jesus.

Muitas vezes, diante de atitudes tão erradas, é preciso ter bastante autoridade para que as pessoas reconheçam seus erros e passem a evitá-los.

Os Lavradores Malvados

DEZEMBRO - DIA 4

Lucas 20, Mateus 21, Marcos 12

Jesus gostava de ensinar ao povo, no Templo. Certa vez, quando estava na Casa de Deus evangelizando, os chefes dos sacerdotes e os escribas, juntamente com os anciãos, novamente começaram a Lhe criticar e fazer perguntas. Mas o Mestre sempre tinha uma sábia resposta, e eles sempre acabavam se dando mal ao tentar desmoralizá-Lo.

Naquele dia, Jesus contou a seguinte parábola:

"Certo homem plantou uma vinha, arrendou-a a alguns lavradores e foi morar em uma região distante.

Muito depois, mandou que um empregado seu fosse pegar uvas como pagamento por ter arrendado a sua vinha. Os lavradores da vinha espancaram o pobre servo e o mandaram embora sem nada.

O dono mandou, então, outro empregado. Este novamente foi espancado sem nada levar da vinha. Foi mandado um terceiro empregado, que também foi ferido e expulso dali pelos lavradores malvados. O dono da vinha resolveu, como última tentativa, mandar o seu filho amado. Talvez o respeitassem.

Mas os lavradores planejaram entre si: 'Este aí é o herdeiro. Vamos acabar com ele, e assim esta herança será nossa.' Os malvados jogaram cruelmente o rapaz para fora da vinha."

A essa altura da história, Jesus parou e perguntou: "O que fará o dono da vinha com esses lavradores malvados?" E Jesus mesmo respondeu: "Ele virá, expulsará os lavradores e dará a vinha a outros que sejam bons e justos, não é?"

Com essa história, Jesus quis mostrar que Deus dá várias chances a todos para que se arrependam de seus erros. Deus até enviou o seu único filho para ajudar as pessoas a encontrarem o caminho do bem. Mas Deus vai julgar com justiça todos aqueles que não seguirem os Seus Mandamentos, as Suas palavras!

Perguntas Sobre o Imposto

Marcos 12, Lucas 20, Mateus 22

DEZEMBRO - DIA 5

Os principais sacerdotes estavam sempre prontos a armar uma cilada para Jesus. Eles queriam ver se o Mestre se contradizia em algum ato ou até mesmo em alguma palavra sua. Sabiam que Jesus estava chamando a atenção das pessoas e que tinha poder. Assim sendo, enviaram a Jesus alguns fariseus e outros descrentes para fazerem algumas perguntas bem espertas e pegá-lo falando mal do governo romano.

"Mestre, sabemos que você é um homem que gosta da verdade e não se importa com a aparência. Você age conforme a verdade e ensina o caminho de Deus. É certo pagar os impostos a César ou não? Devemos ou não devemos pagar ao governo romano?

Jesus percebeu, na mesma hora, que aquela pergunta tinha segundas intenções e era cheia de hipocrisia. Se Ele respondesse que não deveriam pagar ao império romano, mandariam prendê-lo por instigar o povo contra o governo local. Mas, se dissesse que sim, as pessoas ficariam desapontadas, pois os impostos cobrados eram injustos ao povo.

"Por que vocês estão tentando armar uma cilada contra mim?", perguntou Jesus, "Tragam-me uma moeda, quero mostrar uma coisa a todos vocês!"

Assim que entregaram a moeda a Jesus, Ele a segurou, fez questão de que todos dessem uma olhada nela e depois perguntou: "De quem é esta imagem e inscrição sobre a moeda?"

E todos responderam: "É de César!"

Jesus finalizou a polêmica, dizendo: "Muito bem! Portanto, deem a César o que é de César e a Deus o que é de Deus."

E ninguém tinha como responder ou achar erro na sua explicação.

As Dez Virgens e Suas Lâmpadas

Mateus 25

DEZEMBRO - DIA 6

A importância de seguir os Mandamentos de Deus, desde pequenos, era tema de muitas histórias de Jesus. Ele queria que todos estivessem prontos, sempre alertas, para o Reino do Pai.

Jesus contou a seguinte parábola para que servisse de exemplo em nossas vidas:

"O Reino dos Céus é parecido com as dez virgens que pegaram as suas lamparinas (pequenos recipientes com pavio e azeite) e foram a um determinado local se encontrar com o seu noivo (todas eram noivas de um homem só. Naquele tempo isso era bem normal).

Cinco moças eram prudentes; levaram um tanto a mais de azeite, caso viessem a precisar. As outras cinco, porém, foram descuidadas; sem juízo algum, pegaram as suas lamparinas e saíram sem levar azeite extra para a chama, caso precisassem esperar por mais tempo a chegada do noivo.

Mas foi ficando muito tarde e, como o noivo não vinha, elas acabaram pegando no sono. À meia-noite, acordaram. Queriam estar preparadas para quando chegasse o noivo, que não deveria demorar. Levantaram-se. As virgens imprudentes perceberam que já não tinham mais como manter acesa a chama da lamparina e pediram azeite às outras companheiras.

As cuidadosas recusaram: 'Se nós emprestarmos a vocês, também ficaremos sem luz em breve. É melhor vocês irem comprar!' Elas, então, saíram meio desoladas para comprar o azeite, seguindo o conselho das outras sábias.

Nesse meio tempo, o noivo chegou e encontrou apenas cinco moças preparadas à sua espera. Mandou logo fechar a porta do local onde estavam. Quando as outras retornaram, encontraram a porta fechada e imploraram que ela fosse aberta.

O noivo respondeu: "Sinto muito! Não conheço vocês!"

E Jesus assim terminou: "Estejam sempre atentos, sempre preparados, porque ninguém sabe em que dia e hora Deus virá nos levar para junto Dele!

O Grande Julgamento

Mateus 25

Para ser compreendido entre os seus discípulos, Jesus explicou o que acontecerá quando voltar outra vez para a Terra. Ele disse que quando voltar com todos os anjos, todas as nações do mundo serão reunidas diante Dele. Jesus será como um pastor de ovelhas:

"Eu colocarei as boas ovelhas para a direita, mas, ovelhas más, separarei à esquerda. E direi às boas ovelhas: 'Sejam bem-vindas ao Reino do meu Pai! Entrem e usufruam a morada no Reino que está preparado para vocês desde que o mundo foi criado! Pois, quando eu tive fome, vocês me deram de comer; tive sede e me deram de beber; era estrangeiro e me hospedaram; estava nu e me deram roupas para vestir; fiquei doente e foram me visitar; fui preso e foram me ver.'

E os justos perguntarão: 'Mas, Senhor, quando foi que vimos você com fome, ou sede, ou enfermo ou em qualquer outra situação que você disse há pouco?'

E responderei, então: 'Na verdade afirmo que sempre que vocês agiram assim com qualquer um dos seus irmãos, foi como se estivessem fazendo aquilo a mim.'

Mas, para os que foram maus, será dito: 'Continuem afastados de mim, porque tive fome e não me deram comida; tive sede e não me deram de beber; estava doente e não foram me visitar; era estrangeiro e não me hospedaram; estava nu e não me vestiram; fui preso e não foram me ver.'

Eles, então, perguntarão, espantados: 'Senhor, quando é que vimos você faminto, sedento, enfermo, estrangeiro em terra desconhecida, preso e não o ajudamos?'

E a resposta será: 'Sempre que vocês deixaram de fazer a um dos seus irmãos, estavam deixando de fazer a mim.'

Os injustos e os maus ficarão separados de Deus. Os justos, porém, terão vida eterna na minha morada."

Tudo o que se faz de bom a alguém é a Jesus que se faz! Tudo o que se faz de mal a alguém é a Jesus que se faz!

A Traição de Judas

Mateus 26, Marcos 14, Lucas 22

Um dos doze discípulos, chamado Judas Iscariotes, foi falar com os principais sacerdotes, pois planejava entregar Jesus aos oficiais do governo. Ele nunca fora

totalmente fiel a Jesus. Confiava mais no dinheiro do que em qualquer outra coisa neste mundo. Seu coração era muito ganancioso. Para ele, um bolso cheio de dinheiro era sempre bem-vindo.

Judas sabia que os sacerdotes e os fariseus queriam arranjar um jeito de prender Jesus; só não tinham a oportunidade certa. O discípulo egoísta também sabia que conseguiria ganhar dinheiro se entregasse o Mestre aos fariseus.

Um dia, Judas chegou diante deles e fez a seguinte proposta: "Quanto vocês me pagam para que eu entregue Jesus?" Eles prometeram pagar trinta moedas de prata para que o traidor entregasse Jesus nas mãos deles.

Judas receberia dinheiro pela traição a Jesus! A oferta foi irresistível! A partir daquele momento, ele começou a planejar em detalhes como faria para entregar o Mestre.

Quando o dinheiro vale mais que o amor é sinal de que nada há de bom no coração!

A Preparação para a Páscoa

Mateus 26, Marcos 14, Lucas 22

DEZEMBRO - DIA 9

A Páscoa era uma ocasião muito especial para os judeus, uma festa celebrada todos os anos pelo povo. Na verdade, comemoravam não só em um dia, mas em vários.

Também havia muitos preparativos especiais nos dias que antecediam a Páscoa. Era uma festa muito importante para os judeus, porque comemoravam o que acontecera muitos e muitos anos antes. Comemoravam o dia em que foram salvos, lá no Egito, das terríveis injustiças do faraó.

Alguns dias antes da Páscoa, os discípulos de Jesus perguntaram onde deveriam fazer os preparativos para que pudessem fazer as comemorações todos juntos. Jesus disse: "Vão até a cidade, e lá um homem sairá ao encontro de vocês trazendo uma vasilha de água. E vocês lhe dirão o seguinte: 'O Mestre manda dizer: O meu tempo está próximo. Onde é o aposento em que celebrarei a Páscoa com os meus discípulos?' Ele vai mostrar a vocês, no andar de cima, uma grande e espaçosa sala arrumada com almofadas. Ali vocês farão os preparativos."

Eles, então, saíram e fizeram como Jesus tinha ordenado.

Deus fica muito feliz quando as pessoas se reúnem para festejar datas importantes! Fica mais feliz ainda quando há somente amor e tranquilidade nessas festividades!

A Última Páscoa

Mateus 26, Marcos 14, Lucas 22, João 13

DEZEMBRO - DIA 10

Tudo estava cuidadosamente preparado para a celebração. À noitinha, Jesus se sentou à mesa com seus doze discípulos. E, enquanto comiam, fez uma declaração: "Um de vocês vai me trair!"

Todos os apóstolos ficaram imensamente surpresos e tristes. Os discípulos olhavam uns aos outros e perguntavam a Jesus: "Por acaso sou eu, Senhor?" "Serei eu, Mestre?" E Jesus respondeu finalmente: "O que põe comigo a mão no prato, esse me trairá. Eu serei entregue por esse homem, porque ele há de me trair. Melhor seria se ele não estivesse entre nós!"

Judas, então, perguntou: "Por acaso sou eu, Mestre?"

E Jesus respondeu: "É você quem está dizendo!"

Enquanto comiam, Jesus pegou um pão e, abençoando-o, partiu em pedaços. Deu uma porção a cada um dos discípulos, dizendo: "Tomai, comei; isto é o meu corpo." Em seguida, pegou um cálice e, tendo dado graças ao Senhor, deu-o aos seus discípulos, dizendo: "Bebei todos, porque isto é o meu sangue; o sangue da nova aliança derramado para que todos se arrependam de seus pecados. Fazei isso em memória de mim. De hoje em diante, não mais beberei deste vinho até o dia em que beberei novamente com vocês, no Reino de meu Pai."

Jesus fez tanto bem a todos! Veio ao mundo para nos ajudar a conquistar o Reino de Deus. Pena que muitos não O compreenderam!

Jesus Lava os Pés dos Discípulos

DEZEMBRO - DIA 11

João 13

A certa altura da ceia, quando já havia no coração de Judas Iscariotes o desejo de trair o Mestre, Jesus fez algo surpreendente diante dos seus discípulos. Ele se levantou e, pegando uma toalha, colocou-a em volta de sua cintura.

Os discípulos não conseguiam entender o que Jesus iria fazer. Depois, pôs água em uma bacia e começou a lavar os pés de cada um deles. E os enxugava com a toalha que estava amarrada em sua cintura.

Pedro julgou aquela atitude muito indigna para um Mestre. Dirigiu-se a Jesus e disse: "Senhor, você vai lavar os meus pés? Eu é que deveria lavar os seus!"

Mas Jesus sempre tinha uma resposta e um motivo que o levava a tomar certas atitudes: "O que estou fazendo, você não pode compreender agora. Mais tarde você vai entender a razão disto."

Pedro, no entanto, era teimoso e acreditava que jamais o Mestre deveria se rebaixar a esse ponto. Imagine! Lavar os pés dos discípulos! Disse, decidido: "Mestre, você nunca lavará os meus pés!"

E Jesus advertiu: "Se eu não lavar os seus pés, você não terá parte comigo."

Assim que Jesus acabou de lavar e enxugar os pés de cada um de seus discípulos, colocou a um canto a toalha e voltou à mesa. Jesus perguntou a eles: "Vocês

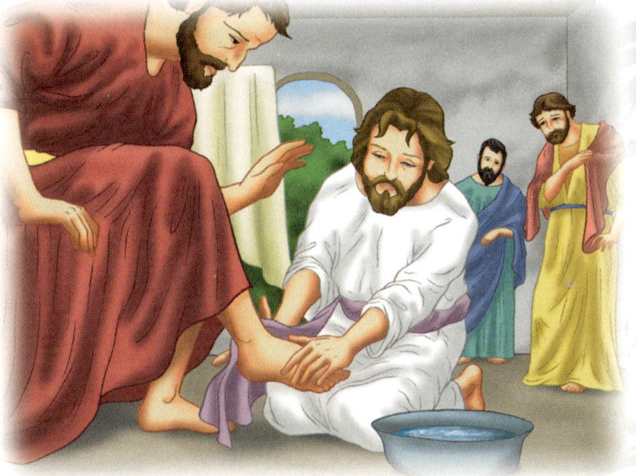

compreenderam o que eu fiz? Vocês me chamam de Mestre e Senhor; isso é correto porque eu sou Senhor e Mestre. Portanto, eu, que sou o Senhor, dei o exemplo lavando os seus pés para que vocês também façam isso uns pelos outros."

Jesus queria com isso ensinar aos seus discípulos que todos devem sempre estar prontos a servir e ajudar uns aos outros. Não importa a hora, a ocasião nem se são os donos ou os empregados. Todos devem igualmente servir uns aos outros com amor!

O Traidor é Indicado

DEZEMBRO - DIA 12

João 13

No momento em que Jesus terminou a explicação a respeito de humildade, começou a ficar bastante angustiado e repetiu: "Na verdade, um de vocês vai me trair!" Novamente os discípulos se entreolharam, tentando imaginar qual deles era, de fato, o traidor a quem Jesus se referia.

Um dos discípulos estava reclinado, bem pertinho do Mestre e, a pedido de Pedro, perguntou baixinho a Jesus quem era afinal o traidor. Jesus respondeu: "É aquele a quem eu der o pedaço de pão molhado." O Mestre pegou um pedaço de pão, molhou-o e o deu a Judas Iscariotes.

Segundo o costume da época, o anfitrião que oferecia um pedaço de pão, após tê-lo embebido no prato, demonstrava uma estima especial àquele que o recebia. Fazendo isso, Jesus tentou mostrar a Judas como este estava sendo desleal. Mas não saía do coração de Judas a ideia da traição, o dinheiro...

Jesus disse a Judas: "Se você pretende fazer alguma coisa ainda hoje, vá e faça isso depressa." Os outros discípulos nem imaginavam por que motivo Jesus dissera isso. Apressado, Judas se retirou dali.

Muito triste, Jesus disse: "Agora, foi glorificado o Filho de Deus, e o Pai foi glorificado Nele. Ficarei só mais um pouco com vocês e então partirei. Vocês não poderão ir comigo. Mas quero deixar um novo mandamento: amem-se uns aos outros, da mesma forma como eu amei vocês. Fazendo isso, todos saberão que são meus discípulos."

Pedro, inconformado, respondeu: "Mas, Senhor, por que não posso seguir você agora mesmo? Eu darei a minha própria vida."

Jesus respondeu: "Você dará a sua vida por mim? Pedro, eu sei que você irá me negar três vezes hoje, antes que o galo cante anunciando o novo dia."

Jesus nunca reclamou de nada. Sabia perfeitamente que tudo era da Vontade de Deus!

Jesus no Jardim de Getsêmani

Marcos 14, Mateus 26, Lucas 22

DEZEMBRO - DIA 13

Jesus e seus discípulos foram, então, a um jardim chamado Getsêmani. Jesus pediu que todos se sentassem por ali, enquanto Ele iria orar.

Chamou Pedro, Tiago e João para O acompanharem, pois já sabia que, em breve, teria de enfrentar horas terríveis, sofrer muitas dores e ser maltratado. Tudo isso O angustiava.

Jesus disse: "A minha alma está profundamente triste. Fiquem aqui comigo e vigiem." Jesus foi alguns passos à frente e, prostrado ao chão, orou para que, se Deus julgasse possível, fosse poupado daquela hora cruel que se aproximava.

"Pai, tudo é possível para Ti! Se for possível, poupa-me deste sofrimento. Contudo, não seja feita a minha vontade, mas sim aquilo que Tu quiseres." Quando Jesus voltou onde tinha deixado os três discípulos, viu que eles estavam dormindo.

"Pedro!", disse Jesus, "Você precisa estar atento! Digo o seguinte a vocês: vigiem e orem para que não sofram tentações. O espírito, de fato, está pronto, mas a carne é fraca." Jesus afastou-se deles novamente para orar sozinho.

É muito triste sentir que todo o amor dedicado aos outros não é compreendido, não é aceito... Mas, ainda assim, Jesus acreditava que o amor é o bem maior da vida!

Jesus é Preso

João 18, Mateus 26, Marcos 14, Lucas 22

DEZEMBRO - DIA 14

Quando Jesus retornou pela segunda vez das suas orações, os três estavam dormindo de novo, porque se sentiam muito cansados. Ao acordarem, envergonhados, não sabiam o que dizer ao Mestre.

Depois disso, ainda uma terceira vez Jesus pegou-os dormindo. Mas como o Mestre sabia que era a hora de ser traído, mandou que os três se levantassem. Jesus também sabia que o seu traidor estava se aproximando.

Enquanto ainda conversava com os amigos, surgiu Judas Iscariotes com muitos oficiais dos sacerdotes, muitos fariseus e muitos soldados. Judas havia combinado com os oficiais que daria um beijo no rosto do homem procurado por eles. O beijo seria o sinal da sua traição.

Assim que Judas se aproximou de Jesus, disse: "Salve, Mestre!" Em seguida o beijou.

Jesus, sabendo de tudo, adiantou-se e disse: "Quem vocês estão procurando?"

Eles responderam: "Estamos procurando Jesus, o Nazareno."

E ele, então, confirmou: "Sou eu mesmo!" Jesus foi feito prisioneiro naquele mesmo instante.

Muito impetuoso, Pedro, com sua espada, avançou contra os soldados. Jesus, no entanto, acalmou-o: "Pedro, acalme-se! Os que usam a espada para impor o seu poder, pela espada vão morrer um dia! Além do mais, se eu quiser, poderei pedir ao Pai que mande uma legião de anjos aqui para me ajudar. Mas é necessário que a escritura se cumpra. Eu devo concluir a missão que meu Pai planejou."

Jesus disse aos que o estavam prendendo: "Por que vocês estão me prendendo aqui? Vocês poderiam ter me prendido quando eu estava ensinando dentro do Templo." Os discípulos de Jesus, com medo, fugiram daquele lugar, deixando que Ele fosse levado.

Jesus tinha um objetivo na vida. E quando é justo esse objetivo, não há força que o derrube!

Jesus Perante o Tribunal

Mateus 26, Lucas 22

DEZEMBRO - DIA 15

Os oficiais levaram Jesus até o sumo sacerdote e reuniram os principais anciãos, escribas e sacerdotes, a fim de interrogá-Lo. Queriam a qualquer preço encontrar alguma coisa ilegal que Jesus tivesse dito ou feito, diante do povo, para que pudessem condená-Lo à morte.

Pedro estava transtornado. Seguiu Jesus de longe até o interior do pátio, onde estavam acusando o Mestre, e ficou ali se aquecendo no fogo, no meio de outros empregados. Houve muitas pessoas que testemunharam falsamente contra Jesus. Os depoimentos não eram coerentes. Eles queriam, de qualquer jeito, incriminar Jesus, mas não conseguiam provas. As testemunhas diziam absurdos.

Um farsante declarou: "Ouvi Jesus dizendo que iria destruir o Templo e em três dias construiria outro que não seria feito por mãos humanas!"

O sumo sacerdote se levantou e perguntou a Jesus: "Você não tem nada a dizer enquanto estas testemunhas depõem contra você?"

Jesus ficou em silêncio. Não se defendeu de nenhuma daquelas falsas acusações.

O sumo sacerdote continuou interrogando: "Você é o Cristo, o Filho do Deus Bendito?"

Jesus afirmou: "Sim, sou eu! Vocês verão o Filho de Deus assentado à direita do Todo-Poderoso que voltará com as nuvens do céu."

"Muito bem! Todos aqui ouviram isso, não é? Creio que não precisamos de mais testemunhas. Este homem realmente acredita ser o Filho de Deus e por isso será condenado à morte!", concluiu o sumo sacerdote.

A partir daí, alguns começaram a vaiar Jesus. Cuspiam e batiam Nele. Cobriam seu rosto e faziam caçoadas. Tanta humilhação! E saber que Jesus queria apenas que o amor reinasse sobre a Terra!

Pedro Nega Jesus Três Vezes

Marcos 14, Mateus 26, Lucas 22, João 18

DEZEMBRO - DIA 16

Pedro ficou por ali um bom tempo, totalmente perdido e com os pensamentos transtornados. Dali a poucos instantes, chegou uma criada do sumo sacerdote e viu Pedro, que estava se aquecendo.

Ela o olhou bem e depois perguntou: "Você é um daqueles discípulos que andavam com Jesus, o Nazareno, não é?"

Pedro, com medo, negou: "Não, nem o conheço e não sei do que você está falando." Ele, então, saiu para o alpendre, e o galo cantou.

Mas a criada, diante de outros empregados, afirmou: "Este homem é um dos que estavam com Jesus!"

Em fraqueza, Pedro negou novamente conhecer Jesus. Em seguida, as pessoas que estavam ali disseram a Pedro: "É, de fato, você é um deles. É possível notar que você é da Galileia!"

Pedro, porém, começou a ficar irritado com aquilo. Com medo Pedro, porém, começou a ficar irritado com aquilo. Com medo ainda, jurou a eles: "Não conheço esse homem de quem vocês estão falando! Deixem-me em paz." E lembrou-se das palavras de Jesus. O Mestre lhe dissera que antes de o galo cantar, Pedro o negaria três vezes. Quando percebeu o que tinha feito, ficou triste e chorou muito.

A fraqueza e o medo às vezes são maiores que a lealdade. É preciso ter consciência de que uma amizade tem valor inestimável!

O Remorso Inútil de Judas

Mateus 27

DEZEMBRO - DIA 17

Judas já havia recebido as trinta moedas de prata por trair e entregar Jesus. Judas não estava em paz com a sua consciência. Ele gostava muito de dinheiro, mas aquele dinheiro que recebera por trair Jesus não lhe estava dando alegria alguma. Sabia que tinha cometido um grande erro. O seu coração lhe dizia isso a cada instante. Sua mente não conseguia pensar em outra coisa a não ser naquilo que ele tinha feito contra o Mestre.

Assim que Judas soube que Jesus tinha sido condenado, ficou com muito remorso. Pegou as trinta moedas de prata e as devolveu aos principais sacerdotes e anciãos e, diante deles, disse: "Eu pequei, traí alguém que é totalmente inocente."

Aqueles homens, no entanto, nem se importaram com Judas: "E daí, Judas? Esse problema é unicamente seu!"

Mas a dor da consciência era enorme. O arrependimento apertava-lhe o coração. Desesperado, Judas saiu dali e, com uma corda ao pescoço, acabou com a própria vida.

Os sacerdotes sabiam que usar aquele dinheiro no templo não seria correto, pois fora usado para subornar Judas, fazendo-o trair seu amigo Jesus. Seria dinheiro

de sangue. Resolveram comprar terras e nelas fazer um cemitério para forasteiros e indigentes.

Nada na vida é mais doloroso do que o remorso. Nada na vida compensa uma traição!

Jesus Perante Pilatos e Depois com Herodes

Lucas 23, Mateus 27, Marcos 15, João 18

DEZEMBRO - DIA 18

Assim que os sacerdotes judeus e os líderes religiosos consideraram Jesus culpado, levaram-no diante de Pilatos, governador romano.

"Este homem está pervertendo a nossa nação. Ele também se recusa a pagar os impostos a César. Além disso, alega ser o Cristo, o Rei dos Judeus", acusaram eles.

Pilatos olhou soberano para Jesus e perguntou: "Você é o Rei dos Judeus?"

E Jesus respondeu: "Você é quem está dizendo!"

Pilatos declarou perante os principais sacerdotes e perante a multidão: "Não creio que Ele tenha cometido crime algum."

Muitos ali presentes insistiam, cada vez mais, dizendo: "Este homem alvoroça o povo, ensinando por toda a Judeia, desde a Galileia, onde começou, até aqui."

Pilatos quis saber se Jesus era galileu. Quando isso se confirmou, achou melhor que Jesus fosse submetido às leis de Herodes, outro governador romano que liderava na Galileia, para decidir o que se faria com Ele.

Herodes, quando viu Jesus, ficou muito alegre, pois havia ouvido falar nos seus milagres e queria vê-lo fazendo, pelo menos um, diante de seus olhos. Herodes interrogou-o de muitas maneiras. Jesus permaneceu calado. Os escribas e sacerdotes continuavam ali, só para garantir que Jesus não se livraria daquela situação. Eles o acusavam com muita força e confiança.

Herodes não apreciou o fato de Jesus não responder às suas perguntas e começou a tratá-lo com desprezo. Fez Dele um bobo da corte e, depois de caçoar bastante, mandou-o de volta a Pilatos.

Pilatos não sabia o que fazer com Jesus. Reuniu os principais sacerdotes, as autoridades, o povo e declarou: "Vocês trouxeram este homem diante do governo romano como se fosse um agitador; mas, depois de todos os interrogatórios, não se pode acusá-lo de crime algum. Nem mesmo Herodes o julgou culpado e, por isso, mandou-o de volta. Nenhuma prova real foi descoberta para que Ele obtenha a pena de morte."

O maior erro das pessoas é não ter coragem de assumir suas atitudes. Isso acontece exatamente quando sabem que as suas atitudes são ruins.

Soltem Barrabás

Lucas 23, Mateus 27, Marcos 15, João 18

DEZEMBRO - DIA 19

Naquela época, era costume, na festa da Páscoa, dar liberdade a um preso (esse ato tem o nome de anistia). Pilatos estava a ponto de libertar Jesus. Ele não achava correto deter um homem não criminoso. Mas os sacerdotes, os escribas e muitos do povo queriam, de qualquer maneira, tirar a vida de Jesus.

E toda a multidão começou a gritar, pedindo: "Fora com o Nazareno! Soltem Barrabás!" Barrabás era um criminoso que estava preso por ter participado violentamente de uma revolta na cidade.

Pilatos ainda tinha intenção de soltar Jesus e insistiu. Mas as pessoas gritaram mais alto ainda: "Crucifique-o! Crucifique-o! Soltem Barrabás." Pilatos, tentando argumentar, disse que não acreditava ser Jesus merecedor da morte. Castigá-lo seria o suficiente. Depois soltaria o Mestre.

Nada disso adiantou. O povo gritava eufórico, pedindo que Jesus fosse crucificado. Em seguida, Pilatos pediu que lhe trouxessem água e, lavando as mãos, disse: "Eu sou inocente do sangue deste justo. Este caso será decidido por vocês!"

E o povo todo respondeu: "Que o sangue dele caia sobre nós e sobre nossos filhos!"

Pilatos mandou, pois, soltarem Barrabás. Jesus foi açoitado e entregue para ser crucificado.

Deixar um problema para que outros resolvam é sinal de fraqueza. Muitas injustiças podem ser evitadas se cada um assumir as suas responsabilidades com amor e fé em Deus!

Jesus é Entregue aos Soldados

Mateus 27

DEZEMBRO - DIA 20

Em seguida, os soldados levaram Jesus para a sede do governo. Reuniram junto Dele toda a tropa. Cobriram-No com um manto vermelho. Também fizeram uma coroa de espinhos e cravaram-na na cabeça de Jesus.

Para zombarem de Jesus, ajoelhavam-se diante Dele e diziam: "Salve, Rei dos Judeus!" Foram tão cruéis com Ele! Cuspiram em Jesus, bateram Nele com uma vara, empurraram-No de um lado para outro... Pura maldade!

Depois de zombarem bastante e de se divertirem à custa de Jesus, tiraram aquele manto escarlate e o deixaram com as suas próprias roupas. Só depois de parar com as brincadeiras perversas é que os soldados O levaram para ser crucificado. Trouxeram uma cruz de madeira para que Jesus a carregasse; mas o Mestre estava tão fraco que não conseguiu suportá-la sobre os ombros.

Como por ali estava um homem, chamado Simão, os soldados obrigaram-no a carregar a cruz de Jesus, estrada afora. E o pobre Simão ajudou o Mestre naquela pesada tarefa até o local da crucificação.

A Crucificação de Jesus

Marcos 15, Lucas 23, João 19

DEZEMBRO - DIA 21

Quando chegaram ao Gólgota (lugar da crucificação), os soldados deram vinho com fel para Jesus beber; mas Ele, provando um pouquinho daquela bebida, não quis bebê-la. Os soldados colocaram Jesus sobre a cruz que estava no chão e, com enormes pregos, pregaram as suas mãos e os seus pés. Levantaram a cruz e a fixaram, em pé, na terra.

Além disso, ainda para zombar Dele, colocaram uma pequena placa, no alto da cruz, que dizia: JESUS NAZARENO, REI DOS JUDEUS. Junto à cruz de Jesus, havia mais dois ladrões que também estavam sendo crucificados. Havia um à direita e outro à esquerda de Jesus.

Ainda tentando zombar de Jesus, os soldados chegavam perto e diziam: "Se você é o Rei dos Judeus, salve-se!" e riam a valer. Um dos criminosos crucificados ao lado de Jesus dizia: "Você não é o Cristo? Então, salve-se e nos salve também!"

O outro ladrão, mais compreensivo, repreendeu o criminoso, dizendo: "Você nem ao menos teme a Deus, você nem sequer enxerga que também está sendo sentenciado à morte aqui! Nós dois até merecemos este castigo; é até justo por causa de nossos atos, mas Jesus não fez mal algum."

O criminoso consciente ainda disse a Jesus, reconhecendo que era pecador: "Mestre, lembre-se de mim quando entrar no seu reino!"

E Jesus lhe garantiu: "De fato, hoje mesmo você estará comigo no paraíso."

Há pessoas que não querem entrar no Reino de Deus. Ah! Se elas soubessem...

O Dia Ficou Escuro Quando Jesus Morreu

Marcos 15, Mateus 27, João 19

DEZEMBRO - DIA 22

Pregado na cruz, em grande sofrimento, Cristo viu os soldados que tanta dor haviam Lhe causado. Jesus estava quase morrendo, mas não guardou raiva contra aqueles que o pregaram na cruz, ao invés disso, ele lhes perdoou: "Pai, perdoai-lhes, porque não sabem o que fazem!"

Junto à cruz de Jesus estavam também Maria, a sua mãe, Maria Madalena, e a mulher de Clopas. Jesus viu o quanto a sua mãe chorava e viu também chorarem as outras que ali estavam. Também viu João, o discípulo que ele tanto amava, perto de sua mãe.

Jesus pediu: "João, cuide de minha mãe como se ela fosse sua própria mãe", e dirigindo o olhar a Maria: "Mãe, cuide de meu bom amigo João como um verdadeiro filho seu." A dor de Jesus era insuportável, e Ele sabia que em breve entregaria sua alma a Deus.

Jesus clamou em alta voz pedindo que Deus não O desamparasse, embora soubesse que o Seu sacrifício tinha como propósito a salvação da humanidade. Alguns, ouvindo o que havia dito, pensaram que Jesus estava chamando por Elias. Um deles correu e molhou uma esponja em vinagre e, colocando-a na ponta de um caniço, deu aquilo para Jesus beber. Ao sentir o gosto azedo do vinagre, compreendeu que sua missão chegara ao fim.

E Jesus em alta voz disse: "Está tudo terminado!"

Eram três horas da tarde. E o Mestre entregou sua alma ao Pai. Naquele mesmo instante, houve um grande tremor de terra, e muitas rochas se partiram. Embora fosse ainda cedo, uma intensa escuridão desceu sobre a Terra. Muitos reconheceram que aquele homem era, de verdade, o Filho de Deus.

A incompreensão é, quase sempre, causa das grandes tragédias do mundo! E é tão fácil ser compreensivo! Basta amar!

O Sepultamento de Jesus

Lucas 23, Mateus 27, Marcos 15, João 19

DEZEMBRO - DIA 23

Jesus morreu numa sexta-feira, mas, como os soldados queriam logo folgar no sábado, tudo fizeram para apressar os trabalhos de sepultamento. Para garantir que Jesus estivesse mesmo sem vida, um soldado pegou uma lança e feriu-lhe o peito. Do ferimento, escorreu

sangue e água.

José, um homem bom e justo, natural da cidade de Arimateia e um dos seguidores de Cristo, foi até Pilatos e pediu o corpo de Jesus, a fim de sepultá-lo. Com o consentimento de Pilatos, José foi até o local da crucificação e, muito triste, tirou Jesus da cruz de madeira, enrolou-O em um lençol de linho e O colocou em um túmulo aberto em uma rocha.

Também Maria Madalena e Maria, mãe de José de Arimateia, viram onde Ele foi sepultado e voltaram para suas casas, a fim de preparar óleos e perfumes especiais que seriam colocados em Jesus somente depois do sábado. Isso porque o sábado era dia santo, e todos descansariam, conforme o mandamento. Colocaram uma grande pedra na entrada do sepulcro de Jesus para bloquear e impedir a aproximação de quem quer que fosse.

Os fiéis amigos nunca são abandonados!

Jesus Está Vivo!

Mateus 28, Marcos 16, Lucas 24, João 20

DEZEMBRO - DIA 24

Depois disso, os principais sacerdotes e os fariseus se reuniram e foram falar com Pilatos: "Estamos aqui para lembrá-lo de que aquele enganador, enquanto era vivo, sempre dizia que depois de três dias ressuscitaria. Ordene que o sepulcro Dele seja vigiado de perto por soldados até o terceiro dia. Assim nenhum dos seus seguidores poderá roubar o corpo e depois inventar ao povo que Ele ressuscitou. Isso seria uma farsa ainda maior."

Pilatos disse então: "Tudo bem! Levem estes soldados e façam como bem quiserem."

Os sacerdotes e os fariseus foram com os soldados até o túmulo e mandaram que fosse feita a guarda de dia e de noite. Selaram a pedra e deixaram ali a escolta para que ninguém violasse o túmulo.

Ao amanhecer do primeiro dia da semana, houve um grande tremor no local da sepultura, porque um anjo do Senhor desceu do céu e removeu a pedra que fechava o sepulcro. O anjo brilhava muito e se pôs sobre a pedra. Apavorados, os guardas nada puderam fazer. Apenas se puseram a observar a cena com espanto nos olhos.

Logo depois, quando Maria Madalena, Salomé e a mãe de José de Arimateia chegaram, viram, muito surpresas, que a pedra tinha sido removida. E o anjo lhes disse: "Não tenham medo. Sei que vocês vieram aqui ver Jesus. Mas seu sepulcro está vazio. Ele ressuscitou, como havia dito a todos. Venham e vejam com os seus próprios olhos que o lugar onde seu corpo fora colocado está vazio!"

Elas saíram do sepulcro bem depressa. Estavam com medo, mas também muito alegres. Com certeza, lá no céu, Jesus e o Pai já estavam bem juntinhos!

Jesus Aparece às Mulheres

Lucas 24, Marcos 16

DEZEMBRO - DIA 25

Maria Madalena e suas companheiras ainda estavam desorientadas com aquele maravilhoso acontecimento. Saíram correndo e nada disseram a ninguém a princípio. Mais tarde, Jesus apareceu a Maria Madalena que voltara ao sepulcro. Pediu-lhe que avisasse aos discípulos que logo estariam juntos Dele novamente.

Ela foi depressa à casa de Pedro e, muito eufórica, contou-lhe que o sepulcro já não mais guardava o corpo de Jesus. Contou a respeito da aparição e deu o recado do Mestre. Pedro achou tudo muito estranho!

As demais mulheres que tinham estado no sepulcro caminhavam depressa em direção às suas casas. Mas, naquele claro amanhecer, apareceu diante delas o vulto de um homem. "Salve! Não tenham medo", disse ele, "Corram a contar aos meus seguidores que brevemente nos encontraremos!"

As mulheres conheciam muito bem aquela voz! Quase sem acreditar no que escutavam e viam, pois estavam diante de Jesus, ajoelharam-se aos Seus pés em adoração. Logo em seguida, foram animadamente contar aos amigos e seguidores como haviam visto Jesus. Disseram também que logo estaria com eles.

Mas aquilo que as mulheres contaram aos discípulos não os convenceu. Era tudo muito estranho; não parecia ser verdade! As palavras delas eram como um sonho fantasioso. Os discípulos não creram.

Pedro, mais curioso e questionador, levantou-se e foi até o sepulcro. Olhou para dentro, e realmente nada havia além dos lençóis de linho usados para embrulhar Jesus. Voltou e ficou pensando sobre aquilo tudo.

Jesus quer sempre estar entre os que O amam, porque Ele ama a todos!

Jesus Anda com Dois Discípulos Até Emaús

DEZEMBRO - DIA 26

Lucas 24, Marcos 16

Naquele mesmo dia, dois dos discípulos de Jesus foram a uma cidade chamada Emaús. Durante o caminho, enquanto conversavam e discutiam sobre tudo o que havia acontecido, o próprio Jesus se aproximou e começou a caminhar com eles. Mas não reconheceram o Mestre.

Jesus, então, perguntou: "Sobre o que vocês tanto falam? Pela conversa, vejo que vocês estão bastante tristes!"

Um deles respondeu: "Você não sabe? Por acaso não ouviu falar dos acontecimentos em Jerusalém, nesses últimos quatro dias?"

E Jesus se fez de desentendido: "Que acontecimentos?"

Os dois explicaram tudo sobre Jesus, Sua obra, Seus milagres e como foi crucificado injustamente. Contaram também que algumas mulheres tinham ido ao sepulcro depois de três dias e viram um anjo. E, segundo elas, o anjo afirmara que Jesus estava vivo. Os discípulos terminaram dizendo que era muito difícil acreditar naquela história.

E Jesus declarou: "Como vocês demoram para crer em tudo o que os profetas disseram! Por acaso não estava dito nas Escrituras Sagradas que era necessário que Jesus passasse por tudo isso?"

Quando já estavam próximos da cidade de Emaús, os dois discípulos convidaram o companheiro de viagem para que ficasse com eles, pois já estava ficando tarde para viajar sozinho.

Os verdadeiros amigos nunca se separam em seus corações!

Jesus Novamente com os Discípulos

DEZEMBRO - DIA 27

Lucas 24, Marcos 16

Em Emaús, Jesus ficou com eles para uma refeição. Quando todos estavam sentados à mesa, Jesus pegou pão, abençoou-o e, partindo-o em pedaços, deu a eles. Os dois observaram muito bem aquele gesto e, maravilhados, perceberam que era Jesus o homem que estava ali.

Finalmente O reconheceram! Mas, no mesmo instante, Jesus desapareceu da presença deles. Os dois mal podiam acreditar no que tinha acontecido. Entreolharam-se e disseram um ao outro: "Foi por isso que sentimos, durante o caminho, que o nosso coração pulsava forte quando Ele nos falava das Escrituras!"

Na mesma hora, os dois, sem muita conversa, voltaram a Jerusalém. Lá encontraram os discípulos reunidos com outros homens. Ofegantes de cansaço, os dois contaram: "O Senhor ressuscitou mesmo e já apareceu diante de nós!"

Todos ficaram curiosos para saber, em detalhes, aquela história. Então, contaram direitinho tudo o que havia se passado entre eles e Jesus. Enquanto ainda estavam falando sobre tudo aquilo, Jesus apareceu no meio deles, dizendo: "Que a paz esteja com vocês!"

Todos ficaram surpresos e com medo. Não entendiam o que se passava. Mal acreditavam no que viam. Jesus, sempre compreensivo, pediu que ficassem calmos e não tivessem medo. Pediu que o tocassem para que pudessem senti-lo e saber que era Jesus Cristo de verdade.

É tão bom rever um grande amigo! E melhor e maior amigo que Jesus não há!

Tomé Não Crê

DEZEMBRO - DIA 28

João 20

Um dos discípulos de Jesus, chamado Tomé, não estava presente quando Jesus apareceu aos demais. Mais tarde, os outros contaram tudo a ele, nos mínimos detalhes. Mas Tomé não podia crer. Ficou com tanta dúvida

sobre aquela história que lhe estavam contando que chegou ao ponto de dizer:

"Se eu não vir a marca dos pregos nas mãos de Jesus e não puser a minha mão no seu ferimento do peito, causado pela lança do soldado, não acreditarei!"

Depois de oito dias, os discípulos estavam novamente reunidos. Tomé também estava presente. As portas do local onde se reuniam estavam trancadas, mas Jesus surgiu, num piscar de olhos, diante deles e disse: "Que a paz esteja com vocês!" E logo se dirigiu a Tomé: "Venha, coloque o seu dedo e veja as minhas cicatrizes. Passe a mão também aqui no meu ferimento do peito e creia!"

Tomé estava assustado e mal conseguiu pronunciar estas palavras: "Senhor meu e Deus meu!"

E Jesus respondeu a ele: "Você creu em mim por que me viu? Felizes são aqueles que não viram, mas creram."

Muitas pessoas realmente só acreditam no que veem. Isso entristece o Senhor, quando se trata de ter fé!

Uma Grande Pescaria

DEZEMBRO - DIA 29

João 21

Certo dia, os discípulos, como de costume, haviam saído com o barco para pescar. Mas naquela noite o mar não estava para peixes. Tentavam de todas as maneiras; jogavam as redes; botavam iscas, mas nada de pegar peixes!

O dia estava quase clareando, e a rede ainda vazia. Já desanimados, pensaram em voltar. Enquanto se preparavam para o retorno, viram, lá de longe, um homem parado na praia, mas não o reconheceram nem imaginaram que fosse Jesus.

"Vocês pescaram alguma coisa para comer?", gritou-lhes o homem para que pudesse ser ouvido.

Os pescadores responderam tristemente: "Não, nada!"

"Joguem as redes à direita do barco e vocês apanharão muitos peixes!", propôs Jesus.

Fizeram assim e, para surpresa de todos no barco, começaram a puxar a rede que estava cheia de peixes. Era uma quantidade enorme! Naquele momento, Pedro lembrou-se de que há muito tempo algo semelhante já havia acontecido. E, exclamou, alegre: "É o Senhor! É Jesus!"

Pedro, muito corajoso, logo se jogou na água e foi nadando até a praia. Os outros, no entanto, vieram no barco puxando a rede com os peixes. Desceram todos do barco e, ali na praia, encontraram uma fogueira acesa e a refeição já pronta. Tudo preparado pelo bom amigo Jesus!

Depois de terem saciado a fome, Jesus perguntou a Pedro: "Você me ama de verdade?"

Pedro respondeu: "Sim, Senhor, você sabe que amo."

Jesus fez a mesma pergunta por três vezes, e Pedro respondeu a elas da mesma forma.

Pedro sabia que cada resposta afirmando seu amor anulava uma daquelas em que ele negara o Mestre há muito tempo. Jesus queria que o seu evangelho fosse pregado a todas as pessoas e que os discípulos continuassem a seguir os ensinamentos que Ele lhes deixara.

A Ascensão de Jesus

Atos 1

DEZEMBRO - DIA 30

Como Jesus havia pedido, os discípulos foram a Jerusalém. Lá deveriam esperar um acontecimento especial: a descida do Espírito Santo.

"João, na verdade, batizou com água, mas vocês serão batizados com o Espírito Santo em breve!", disse Jesus aos seus discípulos.

Muitos deles queriam saber quando Ele voltaria para reinar sobre a Terra. E Jesus respondeu: "Não cabe a vocês saber em que tempo ou época. O Pai reservou esse dia de acordo com a Sua Vontade. Vocês entenderão tudo mais tarde. Vocês serão as minhas testemunhas tanto aqui, em Jerusalém, como em toda a Judeia e Samaria e nos confins da Terra."

E, assim que acabou de dizer isso, Jesus foi levado às alturas diante dos olhos dos discípulos, e uma nuvem o encobriu. Eles olhavam fixamente para o céu, enquanto Jesus subia. Logo viram dois anjos vestidos de branco, um de cada lado do Senhor. Os anjos disseram: "Homens, por que vocês estão olhando para as alturas? Este Jesus, que vocês acabaram de ver subindo ao céu, voltará um dia."

A Descida do Espírito Santo

Atos 1-2

DEZEMBRO - DIA 31

Os discípulos foram a Jerusalém como Jesus havia pedido. Eles esperavam que o Espírito Santo viesse conforme a promessa do Mestre. Certo dia, estavam todos reunidos em um mesmo lugar para festejar o dia de Pentecostes. Era o dia em que se comemorava a colheita e o aniversário da entrega da Lei a Moisés. De repente veio do céu um ruído semelhante ao som de vento impetuoso. E aquele som encheu toda a casa onde estavam os discípulos reunidos.

Em seguida, surgiram flutuando pequenas línguas de fogo. Elas se espalharam entre eles, e cada uma pousou sobre um dos discípulos. Todos ficaram cheios do Espírito Santo e, de repente, passaram a ter a capacidade de falar em outro idioma que jamais tinham aprendido. Falavam outros idiomas para que todos, de diferentes nações, compreendessem.

Uma multidão que ouviu aquelas vozes ficou admirada. Cada estrangeiro ali ouvia os discípulos falando no idioma de sua própria terra. Todos ficaram maravilhados e se perguntavam: "Como é que pode? Estes homens são todos galileus. Como é que de uma hora para outra estão falando outros idiomas?"

Muitos começaram a duvidar e julgavam que eles estivessem embriagados. Pedro, porém, levantou-se e discursou, dizendo que os discípulos tinham recebido aquele dom do Espírito Santo. Falou a eles sobre Jesus e as maravilhas do amor de Deus. Várias pessoas reconheceram que estavam distantes de Deus e que necessitavam de uma mudança.

É por meio de Jesus que as pessoas podem se chegar a Deus. É seguindo o exemplo de amor deixado a nós por Jesus que podemos estar pertinho de Deus.

Naquele dia, quase três mil pessoas aceitaram a Palavra de Deus e foram batizadas, pois creram no Salvador, Jesus Cristo. Assim surgiu a primeira Igreja após a ressurreição de Cristo. E, depois de algum tempo, começou-se a chamar as pessoas que criam em Jesus Cristo, de "Cristãs".